おそろし

三島屋変調百物語事始

角川文庫
17369

目次

第一話　曼珠沙華《まんじゅしゃげ》

一

袋物屋の三島屋《みしまや》は、筋違橋《すじかいばし》先の神田三島町の一角にある。屋号はこの町名から戴《いただ》いた。主人《あるじ》の伊兵衛《いへえ》が、笹《ささ》に袋物を吊《つ》るしての振り売りから一代でつくりあげた店だから、他にそれらしい由来はなかった。

またこの三島町界隈《かいわい》は、もともと伊兵衛の商いの縄張《しま》でもあった。

江戸には、袋物といえば誰でも知っている名店が二店ある。池之端仲町《いけのはたなかちょう》の越川《えちかわ》と、本町《ほんちょう》二丁目の丸角《まるかく》である。どちらも振り売り風情が気軽に仕入れの伝手《つて》をつけられるお店《たな》ではないので、伊兵衛には縁がない。が、ふたつの名店が扱う小物や袋物の趣味意匠の違いについては、じっくりと観察を続けてきた。

そうして彼は、越川と丸角のあいだの南北に長い道筋を、よく振り歩いた。いったいに、ああした名も高いが値も高い店を選んで袋物や小物——紙入、羽織紐《ひも》、巾着《きんちゃく》や胴乱《どうらん》などを買い求める客には洒落者《しゃれもの》が多いものである。それだけの金と暇があるから名店へ来る。これらの店で金に糸目をつけず洒落た品を買い集めることが、道楽息子の戦支度《いくさじたく》になぞらえられるほどだ。ならば、越川で気に入ったものが見つからなければ、どれ丸角へも寄って行こう、丸角に出物がなければ、越川へ回ってみようとするものだ。よほどどちらかの店に深いこだわりを持っていなければ、いつでも両方を覗《のぞ》いてみるという客だって多かろう。

つまり、ふたつの名店の店先だけでなく、そこをつなぐ道筋にも客はいるのである。そういう数奇者《すきもの》が、道中ですれ違った振り売りの笹竹に、「おや、これは」と思うものを見つけたらどうだろう。ちょっと待て、その品をお見せということになりはしないか。

また数奇者・趣味人は、季節ごとに身の回りの小物を持ち替える。だから春夏秋冬の初物が出回るころになると、伊兵衛は特に念入りにこしらえた品物を笹につけ、この道筋を振り歩いた。彼とてここばかりが商売の範囲ではないから、他所《よそ》の町も回るけれど、ここの道筋を歩くときは、けっして安い品物を持っては出なかった。ほかを歩くときとは格段の差をつけた。

品柄にも気を配った。越川は意匠が斬新《ざんしん》なことで知られており、対する丸角はおっとりと風雅を愛《め》でる。その一歩手前、その一歩先。越川にありそうでいてなく、丸角で見たような気がするが実際にはない。そんな意匠を、女房のお民《たみ》と二人、寝る間も惜しんでつくりあげた。

この目論見《もくろみ》は、見事にあたった。ある時期、伊兵衛――振り売り当時は伊助《いすけ》だったが――の袋物振り売りは、一種の名物となっていたことがある。笹に金銀砂子《すなご》をつけて、お筋違《たが》えの振り売り往来――と、この道筋の子供たちに戯《ざ》れ歌を歌わせるほどに、伊兵衛の担ぐ笹竹は豪奢《ごうしゃ》な景色をつくっていたのだ。この戯れ歌には、伊兵衛の渡る筋違橋に、彼の売り物が振り売りにはふさわしくない高値であることへの揶揄《やゆ》をかけてあるのだが、伊兵衛はまったく気にしなかった。

袋物の振り売りは、ふたつの荷箱に棒を渡して肩に担ぐ形と、笹竹に商いものを吊るして担ぎ歩く形と、ふた通りある。伊兵衛は後者の形であったが、常に荷箱もひとつ背負っていた。通りがかりの客が笹竹の商品に目をとめ、それを買い上げようとするとき、彼はけっしてそれを外して売らなかった。荷箱から同じものを取り出して売った。たとえ一刻《いっとき》でも外風にさらした品をお客に渡しはしない。それだけの値をいただくのだから当然だと心得ていた。それでは無駄だ、ひとつの品にふたつ分の元手がかかるのだからと、懸念する人は多かったが、伊兵衛はそんな無駄など出していなかった。吊るして見本にした方は、ほごしてまた別のものに使えばいい。伊兵衛夫婦にはそれだけの針の腕もあった。手間を惜しまず履物をすり減らし、江戸じゅうの古着屋を回り、呉服屋をめぐって裁ちはずしの端切《はぎ》れを安く買い集めるだけの気力と体力にも恵まれていた。

この地道な努力が花を咲かせ実を結び、ようよう小さいながらも店を構えられるとなったとき、伊兵衛にもお民にも、場所の選定に迷いはなかった。さんざん振り歩き、良いお客にめぐり合ったこの道筋のどこかにしよう。笊に金銀砂子の伊兵衛は、今もこの道筋におりますと、お客様に手早く見つけてもらえなくてはいけない。

本当なら、越川と丸角の、ちょうど真ん中あたりにしたかった。が、なかなかいい貸家が見つからない。めぐり合ったのが三島町の二階家である。ここだとやや丸角寄りになるのだが、斬新つまり尖《とが》った意匠を売りとする越川には、何が何でも越川でなくてはならないという熱心な、言い換えれば頑固な顧客がいる。庇《ひさし》を借りるつもりで店を構えるならば丸角寄りがいいだろう、ということで落ち着いたのだった。

またこの二階家は広かった。ただの袋小物商いには少々余るほどだが、店を構えても夫婦で針を持ち、雇いの職人に手ずから教えるつもりだったこの夫婦には、作業場となる座敷が要ったからうってつけだったのだ。

こうして、三島屋に十年と一年《ひととせ》が過ぎた。

店の構えは変わらない。しかし名は充分に通った。袋物なら越川、丸角と指を折って数えあげる江戸の人びとが、三本目の指を折りながら、それでも三島屋を知らぬならまことの数奇者にはあらず、と評してくれるところにまで行き着いたのである。

住み込みと通いの職人が増えたので、作業場は裏通りの別の貸家へと移った。かつて作業場だった座敷は、狭い裏庭に面した縁側に、しばらくのあいだは猫ばかりが憩っていたが、ここ数年は主人伊兵衛が、碁敵《ごがたき》を招く折に使うようになった。三島屋のお店がどっしりと落ち着き、頼れる番頭を得て、二人の息子も育ちあがり跡取りの心配もなくなったころから、伊兵衛は碁に親しむようになったのだ。遅くかかった病は重いの常で、これまでは商いばかりが趣味だった伊兵衛の、これは唯一最大の道楽になっている。

商いものの意匠には凝るが、自身はまったくの野暮天だと称する伊兵衛は、珍しく洒落っ気を出して、この座敷を「黒白《こくびゃく》の間」と名づけた。その命名もまた野暮だと笑いながら、今では立派なお内儀《かみ》となったお民も、奉公人たちもいつしかそれに倣い、主人と碁盤を囲む来客がある折は、本日の黒白の間の合戦はいかにと、楽しく噂するようにもなっていた。

そうして、とある年の秋のことである。

咲いて散るものは儚《はかな》いと、伊兵衛が嫌って花木を植えなかったこの裏庭に、どういうわけかひと群れの曼珠沙華《まんじゅしゃげ》が根をおろし、花を咲かせた。

曼珠沙華。彼岸のころに花を咲かせるので彼岸花とも、花が血のように紅《あか》く、よく墓地に咲くので、死人の血を吸っているという謂《いわ》れから死人花《しびとばな》とも呼ばれる。花が落ちてから細長い葉が出るため、葉のないまま妖艶《ようえん》な花を開くその姿の異様さに、幽霊花と忌み嫌われることもある。しかもこの花には毒がある。

そもそも路傍や田畑の畦《あぜ》に生えるものだから、丈夫なのだろう。どこから誰が種を運んできたのか、風に乗ってきたものなのか、気がつけばあの独特の紅い輪のような花が咲いていた。三島屋の者たちは驚き、一様に不吉だと眉《まゆ》をひそめた。今も自ら針を持って抱え職人たちの頭《かしら》に立つお民を助け、奥を取り仕切る古参の女中のおしまなどは、色めきたって鎌を探したものである。

が、伊兵衛は笑っていた。この座敷は私と碁敵の皆々様との戦場《いくさば》なのだから、彼岸花はむしろふさわしいという。

「どんな謂れの花であれ、縁あって我が家の庭先に根をおろしたのだ。無下《むげ》に刈り取るのは情がないというものだろう。他所《よそ》様で嫌われ厭《いと》われて、肩身の狭い思いをしている花だから、ほら、あのように気まずそうに固まっているのもいじらしい。このままにしておきなさい」

ひと群れの曼珠沙華はお咎《とが》めなしということに相成った。

さて、三島屋には、ちょうどこの曼珠沙華が花を咲かす少し前に、奉公にあがったばかりの娘が一人いた。

秋口のことだから、女中の出替わりではない。手が足りなくなって入れたというわけでもない。おちかというこの娘は、歳は十七。主人伊兵衛の長兄の娘、つまりは姪《めい》である。

伊兵衛の生まれは川崎宿である。生家は土地でもその名を知られた大きな旅籠《はたご》であった。とはいえ伊兵衛は三男坊で、家と商いの跡目は長男だから、早々に御府内へと出てきたのだ。ずっと家に残っていても、旅籠の奉公人たちと同じように追い使われるだけでは面白くない。

伊兵衛の長兄は、自身の才覚でお店を持ったこの弟に、一目も二目も置いていた。もっともそれは後付けで、伊兵衛が振り売りであったころには、ほとんど行き来のない間柄であった。親しく付き合うようになったのは、彼が三島屋を構えてからのことである。

伊兵衛は気が優しく、長兄の掌返《てのひらがえ》しに気を悪くする様子はなかった。三島屋が興るのと前後して、何かと長兄の旅籠の商いを助けてきた次兄が病でぽっくりと逝《い》ったことにも、彼は心を痛めていた。兄さんはさぞ心細かろうと、こちらから近づいたのが往来の始まるきっかけになったほどである。

おちかは、この長兄から三島屋が預かった娘であった。奉公というよりは行儀見習いである。ただしこれには、嫁入り前の娘を一度は江戸の水で磨きたいという親心以上の、一抹の事情が絡みついていた。

朝のうちから、今日は黒白の間にお客様があると聞いていたので、おちかは念入りな掃除に取りかかった。旅籠生まれは、子供のころから掃除の手順を叩《たた》き込まれてきた。手馴《てな》れたものである。

「どんななよなよのお嬢様が来るのかと思ってたのに、おちかさんは働き者だね」

何かと口うるさいおしまも、文句のつけようがなかったのか、すぐとおちかに親しんで、そんな台詞《せりふ》を吐いた。それほどに、おちかはそつのない娘なのである。

名の知れたお店であっても、本陣でもない限りは、旅籠の娘はけっしてお嬢様にはなれない、家の者が奉公人たちと一緒になって、身を粉にして働かなければ立ち行かない商いだから――おちかがそう説明すると、おしまはさらに感心したようだ。

「おちかさんなら、もうどこにも行儀見習いなんかに上がることはないのにね。さては今度の奉公は、あんたのお里のご両親と、うちの旦那《だんな》様とお内儀さんが語らって、あんたに江戸で良い嫁入り先を見つけようという算段なんじゃないかしらん。きっとそうだよ」

おしまは、おちかが三島屋に預けられることになった事情を知らない。知っているのは主人夫婦ばかりだ。だから、自身も働き者だが、働き続けているうちに良縁を逃がしてしまった感のあるこの女中は、少しばかり羨《うらや》ましそうにそんなことを言う。一人合点をしているそのふっくらした顔に、おちかは寂しく笑い返した。

「あたしは、どこにもお嫁になんか行きません。ゆくゆくはここでお内儀さんにお針を習って、袋物仕立ての職人として一本立ちしたいと思っています」

あらイヤだ、誰があんたにそんなことをさせるもんかねと、おしまはまるで本気にしてくれなかった。が、おちかは真実そう思い決めているのだった。もう川崎の実家に戻るつもりはなかったし、どんな良縁が舞い込もうと、誰とも添うつもりもなかった。

きりりと絞った雑巾《ぞうきん》で畳の目をきゅっきゅとこすり、おちかがふと手を止めると、庭先で揺れている曼珠沙華の花が目に入った。満開に咲いてから今日でもう何日になるかわからないのに、紅い色は褪《あ》せることもない。強い花なのだ。

その芯《しん》の強さと、裏腹の寂しい風情には、今のおちかの心の奥に触れるものがあった。

——叔父《おじ》さんが、この花を刈らせずに残してくださってよかった。

この花の、世渡りの肩身の狭さはあたしと同じだ。おちかは紅い花にそっと微笑を投げて、また畳拭《ふ》きを始めた。

おしまの推測は、的を外してはいなかった。当初、おちかを行儀見習いではなく、養女として遇することを、伊兵衛夫婦は考えていた。彼らもまた、おちかの心の底までは知らずとも、彼女が実家へ戻れないことを承知していた。ならば江戸でのんびりと、それこそお嬢様暮らしを味わわせ、物見遊山《ものみゆさん》も一緒に楽しみ、然《しか》るべく花嫁修業もさせた上で、良いところへ縁付かせよう。とりわけ、息子たちは育てたものの、娘には縁のなかったお民は、おちかと二人、母娘の真似事をするのを楽しみにしていた。一人前になりかけの息子たちは、伊兵衛の言いつけで、他のお店に奉公にあがって商《あき》人《んど》修業をしているところだから、お民は寂しい思いもしていたのである。

が、おちかはそれを断った。何より、彼女は外へ出ることが嫌だった。有り体《てい》に言えば恐ろしかった。人交じりすることも怖かった。ならば、習い事も物見遊山もとんでもない話である。

だからといって、お嬢様然と着飾り、箸《はし》より重いものを持たずに、ただ三島屋の内にこもってお雛《ひな》様さながらに日を過ごしていては、もっといけないことになる。おちかは働きたかった。夢中で身体を動かしたかった。そうしているあいだだけ、心の内に寄せては返す底深い悲しみや苦い後悔、己を責め人を詰《なじ》る苦しい思いを忘れることができる。

他に身を寄せるあてはなく、仕方なしなし、ごく幼いころに会ったきり顔も忘れてしまっていた叔父のもとへやってくることでさえ、おちかには最初、耐え難い苦痛だった。知らない人びとに交じるのは辛《つら》い。いや、知る知らないにかかわらず、おちかには「人」というものがすべて恐ろしく思えてならなかったのだ。

それだからこそ、実家であのような出来事が起こり、家族の皆がおちかの今後の身の振り方に鳩首《きゅうしゅ》している折、おちかは仏門に入りたいと願ったことがある。人を恐れ人を厭い、誰にも心を許すことができなくなってしまったこの身を救ってくださるのは、もう御仏《みほとけ》だけだと思い詰めていたのだった。

おちかの両親は、真っ青になった。若い身空で何を言う、それだけは諦《あきら》めておくれと手を取って、おちかもまたその手を取り返し、互いに泣いて泣き暮らしているところへ、三島屋からおちかを預かろうという話が来たのである。

その経緯《ゆくたて》を、おちかは切々と叔父夫婦に訴えた。どうあってもお聞き入れいただけないならば、何処《いずこ》へなりと立ち退いて、わたしの望むように追い使ってくれる奉公先を探します、とまで言い張った。伊兵衛とお民は大いに困惑したが、おちかの瞳《め》に宿る切羽詰まった光を見逃すほどのぼんくら者ではないこの夫婦は、おちかの望みをかなえてやることにしたのであった。

以来、おちかは三島屋から一歩も外へ出ていない。日々は女中仕事に忙しく過ぎてゆく。

三島屋ではおちかを迎えてほどなく、それまでおしまの下で働いていた歳若い女中二人に暇を出した。事情は知らないまでも、おちかを気に入り、また主人の意向を汲んでそつなくおちかを遇するだけの気働きを持ち合わせているおしまと二人きりの方が、おちかが楽だろうという思いやりからの計らいだ。またこの二人の女中は、同じ年頃のおちかの身の上がどうにも気になるようで、他愛ないが煩《うるさ》い詮索《せんさく》や噂話でおちかを悩ませることも多かったから、おしまに言わせるならば、

「いい厄介払いだよ」

ということだった。

「もともとおしゃべりでしょうがない娘《こ》たちだった。手より口を動かす方が達者な女中なんて、この三島屋には要りませんよ」

未《いま》だに越川、丸角には及ばぬこぢんまりしたお店の三島屋だが、それでも奥を受け持つのが女中二人ではいささか手が足りない。が、その忙しさはおちかにとって何より有り難いものだった。

一方おしまは、折節、さすがにこれには気が揉《も》めるらしい。いくら主人夫婦から、

「おちかのことは万事おまえに任せる。本人がめいっぱい奉公したいと言っているうちは、いくらでも使って躾《しつ》けてやっておくれ」

と頼まれてはいても、相手は主人の姪である。行儀見習い奉公にはそれなりの格というものがあろう。木《こ》っ端《ぱ》女中と同じように追い回していいものか。

そんな疑問が、ふと口をついて問いかけになることがある。ねえおちかさん、あんたそんなに働かなくてもいいんだよ。下働きはあたしに任せて、もっとお店の商いの方のお手伝いをしてみちゃどうだろう。その方が旦那様もお喜びだろうし、あんたなら看板娘になれるもの。

するとおちかは答える。「あたしには客あしらいなんてできません。それに三島屋では、誰よりもお内儀《かみ》さんがいちばん働いてるじゃありませんか。ご自分で台所に立って賄《まかな》いをなさり、あたしらに奥向きのことを指図なさりながら、あのお針の腕前の速いこと、見事なことといったら、見蕩《みと》れるくらいです」

そうだよねぇと、おしまは引き下がる。そしてまた忙しい時が戻る。おちかは我を忘れて――ではなく、我を忘れるために働き続けていた。

午過《ひる》ぎのことである。

黒白の間のお客様は八ッ（午後二時）においでになる、石和屋《いさわや》さんのご紹介だが、いや実に手強《てごわ》いお方で――と、伊兵衛が嬉《うれ》しそうに言いながらお店から奥へ下がってきたと思ったら、その後を追うように、番頭があわててやってきた。

ちょうど伊兵衛のもとへ茶を運んできたおちかは、二人のやりとりを小耳に挟んだ。どうやら、上のつく顧客から急ぎの頼みごとがあるらしい。先様《さきさま》は使いを寄越し、駕《か》籠《ご》を待たせているという。

委細を聞くと、伊兵衛はすぐ人をやってお民を呼んだ。作業場から馳《は》せ参じたお内儀に、

「堀越《ほりこし》様で、急ぎご所望の品があるらしい。大事のこしらえだから、おまえも一緒に来ておくれ」

お民はさっと着替えに立った。その迷いのない所作《しょさ》に、まだ商いのことはわからないなりに、おちかは事の重大さを悟った。おそらく、堀越様という上得意はお武家様なのだろう。そこで急ぎのこしらえを求めているというのは、金持ちの商家が三島屋で何か特別なものを誂《あつら》えたいというのとはまったく違う、差し迫った注文なのだ。

おちかも支度を手伝おうと立ち上がる。と、伊兵衛はそれを呼び止めた。

「支度はおしまに頼もう。それよりおちか、こういうよんどころない次第だから、今日はお客様との約束は反故《ほご》になる。おまえ、先様がおいでになったらお相手し、よくよく事情をお話しして、私に代わってお詫《わ》びしておいてはくれないか」

頼んだよと、おちかが抗弁する暇を与えずに言い置くと、間もなく夫婦で飛び立つように出かけてしまった。

おちかはぽつりと残された。叔父さんの意地悪。あたしにはお客様の相手なんかできないことがわかっているはずなのに。

なのに、どうして。心のなかで口を尖《とが》らしているうちに、当の客が着いてしまった。おちかの心の臓は、江戸に来てからもう二度は耳にした――さすがは火事が華の都だ――擦《す》り半鐘《ばんしょう》さながらに乱れ打っていた。

二

黒白の間へ、客を案内《あない》してきたのは番頭の八十助《やそすけ》である。歳は主人の伊兵衛とおっつかっつ、背恰好《せかっこう》も同じぐらいなのに、主人よりどうしてか老けて見える。いつも小腰をかがめてせかせかと前のめりに歩く。今日も、足袋《たび》の爪先《つまさき》しか床板につけぬような、その気ぜわしい足取りでやってきた。

「ささ、どうぞどうぞお通りくださいませ」

案内の言葉も忙《せわ》しない。

お客様が着いたという声を聞くと、迎えに出る前に、八十助は嚙《か》んで含めるようにおちかに言った。

「やむを得ない次第があるとはいえ、こちらがお呼び立てしたお客様に空足《からあし》を踏ませるのは重々の失礼です。お詫びを申し上げ、お茶とお菓子を差し上げるおもてなしに、あたしのような奉公人がお相手したのでは、さらに非礼を重ねることになる。だから旦那様《だんな》は、おちかお嬢さんにお申し付けになって出かけられたのですよ。お嬢さんは、お身内の方だからです」

なるほど、おちかは大急ぎで他所《よそ》行きに着替え、髷《まげ》を撫《な》でつけ簪《かんざし》もさし替えていた。誰も女中とは思うまい。

「旦那様もお内儀さんも、お嬢さんを頼みにしてお出かけになったのです。ですからそのように、白地《あからさま》にうっとうしそうなお顔をなすっちゃいけません」

主人の姪《めい》であるが女中でもあるというおちかに、この番頭は、丁寧な口調でしゃべりつつ中身は厳しいことを言うという、二段構えの姿勢をとっている。おちかお嬢さんと呼ばれながら叱られる身としては、なにやら、慇懃《いんぎん》だが口うるさい寺子屋《てらこや》の先生に対しているような気分であった。

「でも番頭さん。あたし一人でお客様のお相手はできません」

「ご挨拶《あいさつ》ぐらいはできるでしょう」

「そのあと、何を申しましょう」

「お客様のおっしゃることにお返事しておればいいのですよ。誰も、井戸端談義をやれと言っちゃおりません。あたしもおそばについておりますから、ご安心なさい」

八十助に、掌《てのひら》をさしのべて上座の座蒲団《ぶとん》を示された来客は、つと足を止めて番頭を見返った。八十助より頭ひとつ背が高い。

何か問いかけたそうな顔つきをしたが、まずはどうぞどうぞと八十助がなおも押すので、膝《ひざ》を折ってそこに座った。羽織も着物も濃い銀鼠色《ぎんねずいろ》で、ちらりと見えた裾回《すそまわ》しは浅葱色《あさぎいろ》だ。そういえば叔父《おじ》さんも、こういう組み合わせの袷《あわせ》を持っていたような気がする。なかなかに品がいい。

座敷に碁盤は出ていない。下座の側には、座蒲団もなしにおちかがかしこまっている。

「さて、あるいは三島屋さんは、急な御用事でも出来《しゅったい》なさいましたか」

察しよく、来客はそう尋ねた。少し嗄《か》れたような、低い声音であった。

八十助がぺたりと平伏し、おちかもそれに倣った。そして八十助が頭を持ち上げる気配を待って、同じようにした。

来客は、伊兵衛よりは五つ六つ若そうで、背が高いだけでなく、痩《や》せた肩の張っているのがえらく目立つ人だった。子供のころには、きっと「えもんかけ」とあだ名されていたに違いない――などと考えていると、八十助が目顔でしきりとせっついている。挨拶しろというのである。

おちかは用意の口上を、のろのろと口にした。わざとではない。こんなふうに角ばって人に会うのは本当に久しぶりのことなので、口が上手《うま》く回らないのだ。

目の前の客よりも、急いで覚えこんだ口上をそらんじることの方に気持ちが傾いていた。自然、おちかの目はお客よりも自分の頭のなかの方に向き、瞳《ひとみ》が上にあがっていた。

そんなところに——

八十助が、いきなり叫んだ。

「お客様!」

おちかは跳び上がらんばかりに驚いた。あやうく舌を嚙むところだった。

見ると、八十助が両腕で来客を抱きかかえている。客の顔からは血の気が引き、閉じた瞼《まぶた》がひくひくと攣《つ》っていた。骨ばった身体が大きく傾いて、今にも横様に倒れてしまいそうだ。

「ご気分がお悪いのでございますか?」

おちかもひと膝ふた膝にじり寄って、客の顔を覗《のぞ》き込んだ。額と鼻筋ばかりか月代《さかやき》にまで、冷や汗が噴き出している。片手を畳につっぱって、くずおれそうな半身をどうにか支えている。

「まことに——申し訳ありませんが」

呼気を絞り出すようにして、彼は言った。目は固く閉じたままだ。

「そこの、そこの障子を閉めてはいただけませんか」

空いた片手で、庭に面した障子をさしている。その手は宙をかくように震えていた。

おちかは素早く立ち上がり、ぴしゃりと音をたてて障子を閉《た》て切った。

「閉めました。これでようございますか」

「確かに閉めてくださいましたか」

眉《まゆ》のあいだに深い皺《しわ》を刻み、苦しそうに俯《うつむ》いたまま、来客は確かめた。まるで、それが命に関わる事柄であるかのような、厳しく強い問いかけだ。

「はい」

「もう——庭は見えませんね？」

「はい、見えません」

それを聞くと、来客は震えるような呼気を吐き出し、身体を支えていた手を胸に当てて、何度も何度も深く息をついた。溺《おぼ》れかけて、水からやっと引き揚げられた人のようだ。

おちかは八十助と顔を見合わせた。

番頭は、客の様子を確かめながら、そろりそろりと支えの腕を離していく。どうやら倒れずに座っていられるようだ。

「失礼いたしました」

ようやく目を開いて、来客は言った。

「お手数ですが、水を一杯いただけますか」

ただいま——と、八十助が立った。来客は胸元から懐紙《かいし》を取り出し、額の冷や汗を拭《ぬぐ》い始めた。手を動かしながらおちかに目を向けると、柔らかな口調で謝った。

「とんだ不調法で、お嬢さんを驚かせてしまいました。まことにあいすみません」

確かにおちかは驚きで呆然《ぼうぜん》としていた。

「何かお客様のご気分を損ねるようなものが、この庭にございましたのでしょうか」

来客はゆるゆるとかぶりを振った。懐紙をしまうと、小さく空咳《からせき》をする。

「何も——何もございませんのですよ」

「でも、当家の庭の眺めの何かがお気に障ってしまいましたように、わたしには思えました。どうぞご遠慮なさらず、おっしゃってくださいまし。主人伊兵衛から留守をあずかりましたわたくしの粗相でございますからには、きっと伊兵衛に申し伝え、あらためなくてはなりません」

仰々しいほどの言葉が、おちかの口から自然に流れ出た。旅籠《はたご》商いを手伝っているころには、時にはこういう言葉遣いが必要になることもあったのだ。それはおちかの身についているものだった。

来客は、優しい眼差《まなざ》しでおちかを見た。

「あなたは三島屋さんの姪御さんだとおっしゃいましたね」

「はい、ちかと申します。伊兵衛はわたしの叔父でございます」

手鎌を取りに行こうと立ち上がる。来客は、にっこり笑ってそれを止めた。

「いやいや、それには及びません。三島屋の皆さんに、何の粗相もあるわけではないのだから」

「しかし――」

「どうぞ、伊兵衛さんのお留守に、あれを刈るようなことはしないでください。あの花を哀れみ愛《め》でるお気持ちは、立派なものだ」

おちかは内心、ほっとした。自分の仲間のようなあの花が、無惨に成敗される様を見たくはなかった。

「お嬢さんは、曼珠沙華の花の謂《いわ》れをご存じですか」

来客はおちかに問いかけてきた。おちかはひとつ、うなずいた。

「謂れをご存じでも、とりわけあの花が不気味だとか、不吉だとか、お思いにはなりませんかな」

重ねて尋ねられて、ちょっと迷った。ここはいちばん、わたしもあれが庭にあるのは気味悪いと思っておりました――とでも答えるのがもてなしというものだろう。が、おちかがこの家に身を寄せるのを待っていたかのように咲き始め、ひとつが枯れては隣のひとつが開き、朝に夕に、心細く寂しいおちかの目の慰めとなってくれてきたあの花の目と鼻の先で、そんな冷ややかなことを言いたくはなかった。どのみち、放っておいてもあと数日で、すべて枯れ落ちてしまう頃合だ。

「怖くはございません。ただ、寂しくて可哀相な花だと思います」

おちかは正直にそう言った。

「わたしは、むしろあの花が好きなくらいです。叔父《おじ》と同じように、なんともいじらしいとさえ思ってしまいます」

八十助の目が怒っている。ひと目見ただけで気を失いかけたほどに曼珠沙華を嫌っているお方の前で、何でまたそのお気持ちを逆撫《さかな》でするようなことを言いくさるのだ、その口は——と、顔に書いてあるのが読み取れる。この番頭は、気持ちが顔に出易い性質《たち》なのだった。

「そうですか」と、来客はしんみり呟《つぶや》いた。

空になった湯飲みをほとりと畳の上に置くと、口元をゆるませて、

「娘盛りの、梅にも桃にも桜にも、牡丹《ぼたん》の花にもなぞらえられるだろうほどの器量よしでいらっしゃるのに、曼珠沙華の花に心を寄せられるとは、お嬢さんは芯《しん》からお優しい方なのですね。いや、思いがけず伊兵衛さんがお留守になすったおかげで、私は三島屋さんの宝を拝見することができました」

今度こそ、おちかははにかんだ。まともに来客の顔を見ることができない。頬がかあっと熱くなった。

「と、とんでもないことでございます。わたしはこの家の厄介者なのです。親元にお られず、どこへ行くあてもなく、叔父と叔母《おば》を頼って寄宿している身です。せめて女中働きぐらいは務めようと思いますけれど、世間知らずで智恵足らずで、そちらもまだまだ足りません」

おちかは身を硬くして下を向いているので、八十助がどんな顔をしているのか見えない。そりゃまた内々《うちうち》のことをズケズケと言いすぎですと、やっぱり怒っているのだろう。

が、来客は思いがけずよく通る笑い声をたてた。

「花も恥じらう年頃の娘さんなら、はにかんで俯くお姿もまた景色になる。しかし――」

と、一段、声の調子を下げた。

「最初にあなたのお顔を見たとき、たいそうお美しいお嬢さんだが、どこか寂しげな翳《かげ》があるなと、私は思いました。それは外れていなかったようでございますね」

何とも応じようがなくて、おちかは八十助を盗み見た。番頭も困っている。眉毛《まゆげ》がもじもじと上下している。

今の言葉が当惑を呼ぶ代物であることを、来客は承知の上のようだった。詫びるように軽く頭を下げてから、続けた。

「いや、お嬢さんのお身の上を、詮索《せんさく》するつもりは毛頭ございません。失礼なことを申し上げました。ただ――そうですね」

閉《た》て切ってある障子へと、つと目をやった。

「浮き世の憂さも、商いの算盤《そろばん》勘定もひととき忘れて、盤上の白黒合戦に興じようとお訪ねした先で、覚えず曼珠沙華の花に会い、そこにあなたのようなお嬢さんが居合わせたことは、ただの偶然ではありますまい。きっと何かの徴《しるし》でございましょう」

「しるし――と、おっしゃいますと」

八十助が調子の外れた声で問い返す。来客はこちらを見返った。

「我々小さき衆生《しゅじょう》のそばにおわします御仏が、この私に、藤吉《とうきち》よ、そろそろおまえの重荷を降ろすがよいと、お諭しになっているのかもしれません。永い年月、私がこの胸ひとつに隠し通してきたものを、語り明かす潮時が来たのだ、と」

しばし時をいただいてよろしいかと、来客はおちかに問いかけた。

「人生の峠の下りにかかった、小商人《こあきんど》の昔語りです。曼珠沙華の花を愛《いと》おしむようなお気持ちで、お付き合いくださいますかな」

おちかは、ほとんど迷うことなく、はいと答えてうなずいた。今度は八十助の顔を窺《うかが》うこともなかった。素直に、その話を聞きたいと思ったのだ。

「では、お言葉に甘えまして」

したお使いや薪《まき》拾いなどをまめに見つけては言いつけてくれるほどでしたから、年上の兄姉たちは、奉公口を世話してもらって、やがてはおいおいに家を出てゆくようにもなりました。

この出来事は、そういうなかで、末息子の私と、十三歳年上の長兄のあいだに起こったことでございます」

語り手はここでひと息入れた。飛び出した喉仏《のどぼとけ》がごくりと上下する。それを見て、八十助がにわかに目が覚めたようになった。

「これは気がつきませんで。お茶をお持ちいたしましょう」

ぴょんと立ち上がると、黒白の間を出ていった。逃げるような足取りだ。

「申し訳ございません。お話の腰を折ってしまいました」

おちかはやんわり、謝った。藤吉は軽くかぶりを振る。

「番頭さんくらいの歳になると、今さら他人の昔語りなど聞かずとも足りているのですよ。世間のよしなし事を、胸いっぱい腹いっぱい、見聞きしていますからね」

いささかも気を悪くしている風はない。

案の定、八十助は戻ってこなかった。むしろ、おちかにはそれでよかった。落ち着いた。

庭の曼珠沙華も、障子の向こうで藤吉の語りに耳を澄ませているような気がする。

三

「私の長兄は、名を――名を」

吉蔵《きちぞう》と申しますと、藤吉は言った。

先ほど断りを入れたとおりに、とっさにつけた嘘の名なのか、あるいは本当にその名前なのか、おちかには判断がつかなかったけれど、藤吉がこの兄について語るのが本当に久しぶりのことであるようなのは、察することができた。暗い井戸の底を覗《のぞ》き込むような眼差《まなざ》しになっているからである。

吉蔵のことは、彼にとって、あえて他人に語って聞かせるということを梃子《てこ》にして汲《く》み上げなくてはならないほど、深いところに淀《よど》んでいる水であるらしかった。

「父と同じく、長兄も建具職人でした。父が亡くなったときには、兄は、父も永年世話になっていた親方のところに住み込みで修業しておりました。歳は二十歳、親方の弟子になって八年目を数えたところで、まだ半人前ではありましたが、いずれ吉蔵は親父よりもっといい腕になるだろうと、たいそう目をかけてもらっていたのです」

ついでながら、五人の男の子のなかで、建具職人になったのは長兄だけでしたと、藤吉は続けた。

「次兄と三番目の兄は、親父の苦労を見ていたからでしょう、最初《はな》から職人になる気はなくて、それぞれ、まるで畑違いの商家へ奉公にあがりました。火事が起こったときには、もう家におりませんでしたからね。そのまま、今も奉公先で律儀に勤めておるようです」

ようです——ということは、親しく行き来してはいないのだろうか。

「私は父の後を継ぎたかったのですが、どうにも手先が不器用でいけませんでした。それで、同じ建具でも商人の道に進んだのです。障子の桟《さん》を組むことも、唐紙《からかみ》をきれいに貼ることもできぬ指であっても、算盤は弾《はじ》けたというわけでして」

恥ずかしそうに微笑むと、藤吉は目を細めた。

「それに引き替え、兄の吉蔵の腕は見事なものでした。あれこそ、筋がいいというのでしょう。親方の家はすぐ近所でしたから、私はよく遊びに行ったものですが、親方のもとで、もっと永いこと修業しながら働いている年嵩《としかさ》の職人たちでも上手にできないことを、兄は易々《やすやす》と覚えてやりこなしてしまうのですよ。子供ながらに、私は誇らしくて、兄が自慢でたまりませんでした。そして私も、きっといつか吉蔵兄さんのようになるんだと思い決めておりました」

住まいが近く、また、父母を亡くしたばかりの子供たちの長兄だということもあって、親方は、吉蔵がときどき弟妹たちの様子を見に長屋に帰ることを許してくれたそうだ。

そういう折、長屋の者たちも吉蔵を待ち受けていた。やれ戸の立て付けが悪い、物干し竿《ざお》のかけ口が折れてしまった、床が腐れて軋《きし》んで危ない、雨漏りがする——彼らが口々に言い立てる貧乏長屋の障りのあれこれを、短いあいだに、吉蔵はたちまち修繕してしまうからだ。もちろん、金など取らない。

それもまた、幼い藤吉には自慢のたねだったのだという。

ひとしきり、彼は楽しげにおちかに語った。眼差しまで明るくなった。差配の柿爺も吉蔵をあてにしていたこと。吉蔵の世話になるからと、長屋の人びとが藤吉たちによくしてくれたこと。兄さんが帰ってきたら渡してくれと、近所の若い娘から何度も付文《つけぶみ》を預かったこと。歳若のいなせな職人で、長屋の誰彼に頼られる吉蔵は、娘たちの熱い関心も惹《ひ》いたのだ。

藤吉の優しい表情に誘われて、おちかも軽く問いを挟んだ。

「そういう付文を受け取って、お兄さんはどうなすったんでございますか」

「いつも、照れたように笑っているだけでございました」

藤吉は答え、微笑のまま、ほんの少しおちかの方に身を乗り出した。

「付文の主には、あなたのような器量よしのお嬢さんもいたのですがね。吉蔵兄が返事を書いたり、文《ふみ》に応《こた》えて誰かと逢引《あいびき》をするようなことは、いっぺんもありませんでした」

俺が所帯を持つなんざ、まだまだ先だ。まずおまえたちがちゃんと暮らしていけるように、奉公先をめっけるなり、手に職をつけるなりして落ち着くまでは、てめえのことにも、ましてや女になんかかまっていられるか。それが吉蔵の口癖だったそうである。

「柿爺の長屋に移って間もなく、四番目の兄と、長姉も奉公先が決まりまして、ですから当時、あの長屋にはすぐ上の姉と私、十二と八つの子供二人で暮らしていたのです。それでも、困ることなど何ひとつありませんでした。寺子屋に通って読み書きを習いながら、子守だのお使いだの小遣い稼ぎをして、心細い思いもせずに済んでおりました。何もかも、吉蔵兄さんという頼もしい後ろ盾があったからこそのことでした」

そこまで語って、藤吉は急にふっと息を抜いた。えもんかけのような肩が落ちた。たったそれだけのことで、おちかは、風向きが変わったように感じた。

それは思い違いではなかった。再び口を開いたとき、明らかに藤吉の声の調子が変わっていた。遠いところを憧《あこが》れ仰ぐようだった眼差しが、またぞろ、井戸底の暗がりを覗き込むようなものに戻った。

「腕前も気質も良いことばかり——怖いものなしの吉蔵兄ではありましたが」

口にする言葉の苦味に耐えるように、彼はくちびるを嚙《か》み締める。

「ひとつだけ、弱いところがございました。誰しもそういうものでございましょう。何も欠けるところのない人など、この世におりはしませんよ」

兄には、気の荒いところがあったのだと、藤吉は言った。

「ただこれは、怒りっぽいとか、喧嘩《けんか》っ早くてすぐ手を上げるとか、そういう類《たぐい》のことではございません。気が短いのは職人の常。そうした日頃の争いごとでは、兄はむしろ、割って入って止める側に回ることも多《おお》ございましたくらいで」

ですから——と、いかにも難しそうに言葉を探してから、考え考え言った。

「ひとたびカッとなると、抑えがきかなくなる性質《たち》だった、と申し上げるのが正しいかもしれません。あるところで堪忍袋の緒が切れてしまうと、もう歯止めがなくなってしまうのです。はっと我に返るまで、自分が何をしているのかもわからなくなるほどに……」

藤吉はゆっくりとかぶりを振った。

「私自身は、兄のそういうところを見たことがございません。すべて、後から聞いた話なのです。私と吉蔵兄は十三歳も違い、しかも父を亡くした後は、兄が父親代わりでした。吉蔵兄は、末の弟の私には、特に気をつけて、自分のそういう弱い部分を見せないように心がけていたのだろうと思います」

しかし、ある事件が起こって、その気遣いは無駄になってしまった。

「吉蔵兄は、人に手をかけてしまいました。普請場《ふしんば》で、大工の一人を殺《あや》めたのです」

ため息と共に、藤吉は言った。

「発端は、他愛ない口喧嘩であったらしいのです。普請場ではよくそういうことがあるのですよ。大工と建具職人は、似たような仕事をいたしますが、持ち場は違います。役割も違えば、どちらが上でどちらが下という、立場の差もございます。それが軋んで、売り言葉に買い言葉という言い合いになる。まったく、それだけならば何ということもない言い争いに過ぎなかったのですが」

間が悪かったのだ。相手も悪かった。

「秋口のことでしたが、ことのほか雨の多い年で、急ぎの普請でしたのに、工程が遅れていたそうです。ですから皆がいらついていた。そこへ、兄たちが作って持ち込んだ建具が合わないという文句が来た。こっちは注文どおりにこしらえたんだと言い張っても、大工の方の言い分は違う。結局、ねじり鉢巻きで夜も眠らずに作り直し、持ち込み直して――」

無論のこと、普請場は険悪な雰囲気のままである。自分たちの落ち度ではないのに、折れて出なくてはならなかった建具職人たちは、偉そうに非を鳴らして指図を飛ばす大工たちが面憎《つらにく》い。つい、またぞろ剣突《けんつく》の突き合いのようなやりとりになる。そのなかで、普請場頭《がしら》を務めていた四十過ぎの大工が、何やら口の悪いことを言い捨てたのだという。

「後々になっても、さてそいつが何を言ったのか、はっきりとはわかりませんでした。吉蔵兄は、親方に問い質《ただ》されても、それがどんな悪口だったのか言わなかったそうです。ただ、ひどく汚い言葉だったことは間違いないでしょう……」

ただ言いよどむだけでなく、ここで藤吉はおちかの顔を見た。だからおちかは問い返した。

「何か？」

「いえ、今さらながら、こんな話をあなたのお耳に入れていいものかどうか」

骨ばった肩をすぼめて、彼は下を向いた。そのままぼそぼそと続ける。

「吉蔵兄の親方には、兄と同じ年頃の一人娘がおりました。お今《こん》さんという、ほがらかな優しい人でして、私なども可愛がっていただいたものです」

普請場頭の大工が放った悪罵《あくば》は、その娘に向けられたものだったらしい。

「ちょうどそのころ、お今さんに縁談がございましたんですが、まとまりかけたものが急におじゃんになりましてね。ずいぶんと気落ちしておられたそうです。破談にどんな理由があったのか、私にはわかりません。吉蔵兄も、詳しく知っていたかどうか……」

しかし、この種の事柄はよく噂になる。そして噂は、どうかすると真実よりももっともらしく聞こえ、どす黒く濁るものだ。

「まあ、ですからその悪口は、お今さんの身持ちとか、破談になったことを意地悪くくさしたものだったのでしょう」

藤吉は言って、目を伏せた。

「確かなことは、吉蔵兄がお今さんに、片恋ながら心を寄せていたということです。それは私も、兄から直《じか》に聞きました。だから兄は、お今さんへの悪罵を許すことができなかった。そもそも、普請場での職人同士の言い合いに、何の関わりもない親方の娘さんを引っ張り出して悪し様に言う、相手の性根の歪《ゆが》み具合がけしからんわけです。兄は、輪をかけて熱くなったのでしょう。思わずカッとなってしまった。怒りでわけがわからなくなって、ふと気がついたらその大工を打ち殺してしまっていたのです」

「打ち殺す……」

おちかが譫言《うわごと》のように呟《つぶや》いて返すと、藤吉はうなずく。

「そのとき、たまたま兄は手に金梃《かなてこ》を持っておりました。小さなものですが、これも間の悪いことでした」

「では、金梃で打ったんですか」

呆然《ぼうぜん》と、おちかはさらに問い返す。藤吉は、ひどく申し訳なさそうな目つきでおちかを見ている。

おちかは、ゆっくりと身体が冷えてゆくのを感じていた。血の流れが滞《とどこお》り、手足が指先から感覚を失ってゆくようだ。座ったまま沈み込んでゆくようだ。

片恋ながら心を寄せていた。だから、怒りで我を忘れた。気がついたら人を殺めていた。

そんな恐ろしいことは、ほかにはないとばかり思っていた。でも違うのだ。この世では、似たようなことが起こるのだ――

呆《ほう》けたようにぐるぐると、そう考えていた。

「お嬢さん」

何度か呼びかけられていたらしい。おちかはまばたきして自分を取り戻した。

「ああ、いけませんね。まことに申し訳ないことです」

藤吉の顔色が変わっていた。おろおろと手を泳がせている。

「どうしましょう。お嬢さんのお顔が真っ青だ。やはり、こんな話などするべきではなかった」

おちかはあわてて腰を浮かせた。ふらりとして姿勢を崩してしまい、畳に片手をついた。それを見て、藤吉はさらにうろたえる。

「これはいけない。お嬢さん、気をしっかり持って。誰か、誰かいませんか」

人を呼ぼうとするのを、おちかは這《は》うようにして彼に近づき、頭を下げて押し止《とど》めた。

「失礼いたしました。わたしは大丈夫です。本当に大丈夫ですから、お客様もどうぞお平らに」

「し、しかし」

藤吉は両手でおちかを支えようとして、寸前で不躾《ぶしつけ》だと気づいたのだろう、ぎくしゃくと手を止めた。

おちかは、自力でしっかりと座り直した。

「ごめんなさい」

くだけた言葉が口にのぼった。今はこの方が藤吉の耳に届くだろう。

「お客様のお話が怖いので、顔色を失くしたわけではないのです。実はわたしの身のまわりにも、以前、似たような出来事がございました」

ひるんでしまわないように、一気に言った。急《せ》いてしゃべると、息が切れる。

「それでわたし、実家《さと》を離れることになりました。先ほど、親元におられなくなったと申しましたのは、そういう事情があってのことでございます」

藤吉は驚きに目を瞠《みは》っている。中途半端に持ち上げたままの腕が、わなわなと震えた。

「それはまた、な、何とも」

かすれた呟きが洩《も》れて、藤吉の両腕がぽとりと落ちた。力なくうなだれてしまう。

「何とも申し訳ないことです。私が昔語りなんぞを始めたばっかりに……お嬢さんに……恐ろしいことを思い出させてしまって……」

いいえ。おちかは遮った。

「わざわざ思い出すまでもないのです。忘れたことはございませんから」

嗚呼《ああ》と、藤吉は片手で額を押さえた。呻《うめ》くようにして何度もうなずく。

「ですから今も、思い出して取り乱したのではございません。わたしは、この身に起こったようなことは、めったにない出来事だと思っておりました。父母にも、稀《まれ》な不幸にあたった哀れな娘だと慰められておりました。でも、それは考え違いでございました。間の悪い掛け違いから、人が人を傷つけるような出来事は、ほかにもあるのでございますね。突然それと知らされて、わたしは何だか、ふと目がくらんだようになってしまいました」

実際に、おちかは少しずつ落ち着きを取り戻していた。呼気も静かになってきた。が、藤吉はまだ顔を伏せたまま、恥じ入るように固まってしまっている。

「わたしが親《ちか》しく思っていた人が、同じように親しい人を殺めてしまいました」

黙りこむのが寂しくて、おちかはするするとそう語った。

「今でも悲しくてたまりません。ほんの一時でも、あのときの出来事を心の隅に片付けてしまうことができません。叔父叔母《おじおば》のこの家で、安らかに日々を過ごしていても、わたしの心は騒いだままです。何も終わっておりません」

わたしは、人の心というものがわからなくなってしまいました。人というものが、闇雲《やみくも》に恐ろしくなってしまいました。そう言って、おちかはようやく口を閉じた。

しゃべってしまって、気が済んだ。一方で、自分で自分に驚いていた。あたしはなぜ、こんなことを打ち明けてしまうのだろう。

目の前の来客は、つい半刻《はんとき》前までは見ず知らずの他人であった。いや今だって、よく考えてみれば、藤兵衛という名前以外は詳しいことを知らない。この人が営む建具商の屋号さえ耳にしていない。

なのになぜ、叔父叔母にさえすべては打ち明けていない心の底を、すらりと口に出して、聞かせてしまうのだろうか。

「お嬢さんが――」

藤吉はゆるゆると顔を上げ、まぶしいものでも見るように、瞼《まぶた》を半ば閉じている。

「寂しいお顔をしていると、先ほど私は申し上げました」

「はい、おっしゃいましたね」

「それは思い過ごしではなかったようです」

彼の口元に、うっすらと笑みが浮かんだ。

「やはり、ご縁なのでしょう。私が今日こちらに伺い、そこに曼珠沙華《まんじゅしゃげ》の紅《あか》い花が咲き、ここにあなたがいらしたことは」

何かを吹っ切るように息を吐いて、彼はおちかに向き合った。

「私の兄の話を続けてもよろしゅうございましょうか」

「お客様がお辛《つら》くないのでしたら」

藤吉はひとつ、うなずいた。

「吉蔵兄はお縄を頂戴《ちょうだい》し、神妙にお裁きを受けました。その結果、遠島《えんとう》になりました」

親方をはじめ周りの人びとが、少しでも罪が軽くなるよう、必死の嘆願をしてくれたおかげだという。

「本来なら、死罪になってもいたしかたないところだったのですよ。なにしろ――酷《むご》い殺《あや》め方でございましたからね」

「でも、喧嘩《けんか》が高じての、いわばはずみでございましょう？　お兄様は、わざとその大工を殺めたわけではありません」

藤吉は首をかしげた。言いにくそうに、ちょっと口をすぼめる。

「そこがそれ、カッとなると我を忘れる吉蔵兄の怖いところでして」

殺された大工の亡骸《なきがら》は、顔が潰《つぶ》れて見分けがつかぬほどの有様だったという。

「兄が金梃《かなてこ》をふるっているあいだ、当然のことながら、そばにいた大工や職人たちは、束になって止めにかかったのですよ。それでも兄は止まらなかった。羽交い締めにされれば振りほどき、金梃を取り上げようとする者があれば突き飛ばし、殴られれば殴り返して退けて、なおも大工を打ち続けたのです」

ぞわりと寒くなって、おちかは自分の身を抱いた。藤吉の言葉から連想される光景もまた、おちかの経験したおちかの事件のそれにつながるものだったからである。だが、今度は努めてそれを顔に出さないようにした。もう藤吉の昔語りを遮りたくなかったからだ。

この話をすっかり聞き出してしまうことは、今や、おちかにとっても大切な試みとなっていた。なぜかはわからない。が、どうしてもそうだという気がした。

「その執拗《しつよう》さ、これでもかこれでもかという残酷なやり口に、お役人様方は、兄が従前からこの大工に何かしら遺恨を抱いておったのではないかと疑ったのでした。つまり喧嘩は口実で、兄は先《せん》からこういう機会を待っていたのではないか、と」

ならば、お裁きは厳しいものになる。

「けっしてそんなことではない。吉蔵は、日頃はむしろ気が優しく、喧嘩や争いごとは嫌いな性質だった。今度のことは、確かにやりすぎではあったけれど、それも若気の至り、よくよく腹の虫を抑えかねたからであって、吉蔵は企《たくら》んで人を殺めるような男ではない。そう言って、皆で兄をかばってくださいました。お今さんは、自分の破談の経緯《いきさつ》まで明らかにして、寛大なお裁きを請うたのです。世間の目など怖くない、あたしの恥など何でもない、あたしのために喧嘩してくれた吉《きち》さんを助ける方が大切だ、と」

「吉蔵さんご自身は、どのようにおっしゃっていたのでしょうか」

おちかの問いに、藤吉はふと表情を消し、抑揚のない声でこう答えた。

「ただ、あいすみませんと謝るばかりでございました」

四

思い出せば、今も心に疼《うず》くものがあるのだろう。

悲しみに翳《かげ》り、苦しみに歪《ゆが》んだ顔をすると、人はたいてい歳よりも老いて見えるものだ。が、今の藤吉はどういうわけか、おちかの目には違って見えた。心細げで寂しげな表情に、若いというかいっそ幼いような色がある。

そうか、と気がついた。

この人は、優しかった兄さんが人を殺め、罪を受けてこれから遠く流されてゆくのだと知らされたとき、たった八つの幼子《おさなご》だったのだ。当時のことを心に蘇《よみがえ》らせると、藤吉のなかに、そのころの、兄さんとの別れが辛くてたまらなかった子供が戻ってくる。その子供の顔が、今の彼の顔にかぶってくるのだ。

「お嬢さんは、遠島がどういうものなのか、よもや詳しくご存じではありますまいが」

先ほど思わず取り乱してしまったおちかの心中を察しているのか——おちかがもう藤吉の語りを遮るまいと決めているのと同じように、藤吉もまた、おちかの心の痛い部分に触れないように用心しているのだろう、そっと窺《うかが》うような口調だった。

「はい、幸いなことに存じません」

藤吉は微笑した。「ひと口に遠島と申しましても、江戸から送られる先はひとつではございません。それでも吉蔵兄のころには八丈《はちじょう》、三宅《みやけ》、新島《にいじま》の三つの島になっておりましたが、その昔は七島もあったそうでございます」

遠島と決まっても、船が出るまでは罪人は牢《ろう》屋敷に留《とど》められる。

「そのあいだに、身内の者が米や銭を届けて持たせることもできるのです。姉と私には何の力もございませんが、差配さんと親方が、島での兄の暮らしが少しでも楽になるようにと奔走してくださいまして、おかげで差し入れ物をすることがかないました。お今さんが、せめて吉さんを温《ぬく》い寝床で寝かせてやりたいと、新しい蒲団《ふとん》を差し入れる願書《ねがいがき》を出したのですが、これは認めていただけませんでした。島送りの罪人は、それまで牢で使っていた蒲団を持っていくのがしきたりなのだそうでした」

罪人が、己《おのれ》がどの島に送られるのか知るのは出帆の前夜である。これを島割《しまわり》というそうだ。吉蔵は八丈島と決まった。

「八丈は、三島のなかでは流人《るにん》がいちばん暮らし易いと評判の島です。私がこれを知ったのは、兄を乗せた用船が鉄砲洲《てっぽうず》沖に三日のあいだ停泊しているときでございまして、差配さんに教えていただきました。やれ嬉《うれ》しやと、子供心にも安堵《あんど》したものです」

この三日の停泊中に、願い出れば身内の者は罪人に会うことができる。また罪人が文を出すことも許される。吉蔵は拙《つたな》いひらがなで、差し入れに礼を述べ、今となってはもう誰も会いに来てくれるな、誰にも合わせる顔がないと綴《つづ》った文を寄越《よこ》した。

「ですから私どもは誰も参りませんでした。差配さんは私に、船が鉄砲洲にあるうちは、朝に夕にそちらを拝んで兄さんの無事を祈ろうと、ご自分も一緒に拝んでくださいました」

手を合わせるたびに、藤吉は泣いた。声をあげて泣いたという。泣いても泣いても涙は涸《か》れなかった。

「兄の船は春船でございました。今でもよく覚えておりますが、その数日、朝にはよく靄《もや》が立ちました。差配さんは、私があまり泣くから靄が立つのだ、靄が流れれば用船のなかの兄にもそれと知れるので、泣いてはいけないと叱ったものです」

兄さんはいつ帰ってこられるんでしょう。幼い藤吉は差配人に訊《き》いた。親方にも訊いた。誰もいつとは答えてくれなかった。いつか。いつかきっとと言うだけだった。

「結局、吉蔵兄が戻るまで十五年の歳月がかかったのでございました」

「それでも、元気でお戻りになったのでございますね」

おちかは声を明るくして問いかけた。藤吉もふと頰を緩めてうなずいた。

「戻って——参りました」

そのころ藤吉は、ある建具商の奉公人となっていた。

「十五の歳から奉公にあがり、ちょうど手代《てだい》に引き立てていただいたばかりのころでした。先《せん》にも申し上げましたが、私は建具職人になりたかった身でして、それがかなわなかった分、商人としては何とか早く、しっかりと身を立てられるようになりたいと思っておりました。ですから、己で口にするのもおこがましい言葉ではございますが、よく精進し働いたと思います。旦那《だんな》様も、私のそういう気持ちをよく汲《く》んでくださるお優しい方でした」

さらに、藤吉は差配人の柿爺《かきじい》とひとつの約束を交わしていた。

「差配さんは、私の奉公を世話してくだすって間もなく、卒中で倒れました。臨終が近いとの報《しら》せを聞き、親代わりの人のことだからと、私は旦那様に願い出てお許しをいただき、最期を看取《みと》るため長屋に戻りました」

駆けつけた藤吉に、もうしゃべることもできず、涙の溜《た》まった目を片方しかまばたくことのできない差配人は、死の床で、しきりと口を動かそうとした。声にはならない。しかし、何度も何度も繰り返されるうちに、藤吉には、柿爺が何を言おうとしているのかわかった。

「きちぞう——と、差配さんは言っていたのです」

最期まで案じていたのだ。

柿爺の手を固く握りしめ、藤吉は約束した。兄さんが戻ってきたら、私が面倒をみます。兄弟仲良く暮らします。安心してください。

その場には、吉蔵の親方も居合わせた。彼もまた涙を落としながら、

「吉が島から帰ってきたら、また俺のところで使ってやる。あいつは腕がよかったから、大丈夫だよ。ちゃんと所帯を持たせて、あんじょう面倒みるから」

後のことは案ずるなと言い聞かせたのだそうだ。安堵して、柿爺は死んだ。

「親方は人情に厚いお人柄です。その約束をたがえはしませんでした。いよいよ兄が戻るときには、霊岸島《れいがんじま》の御船手番所《おふなてばんしょ》まで迎えに出向いてくださったのです」

しかし私は――と言ってから、何かが喉《のど》につっかえたかのように、藤吉は言葉を切った。

しかし。いい。では、行かなかったのだ。

無理もないと、おちかは思った。「それはもう、お店奉公の立場ではそうそう出歩くわけには参りませんでしょう」

「いいえ、違うのです」

吹っ切るようにかぶりを振って、藤吉はおちかを見た。

「ほかでもない身内のことです。たって願い出れば、またお許しをいただけたことでしょう」

私は願い出なかったのですと、藤吉はひと息に言い捨てた。

「そもそも、島送りの兄がいることを、私はお店に隠していたのです。今さら申し出られるわけがございません」

おちかは両手を膝《ひざ》に、ただ、再び群雲《むらくも》に覆われる月のように陰ってゆく藤吉の目元を見つめていた。

「有り体に申し上げましょう。私は決まりが悪かったのでございますよ。流罪になった兄がいることを、お店の誰にも知られたくなかったのです」

何と言葉を返していいものか、おちかは困った。

優しい差配人がいて、頼りがいのある親方がいて、その二人に支えられ、藤吉は立派に育ちあがった。八歳のときに泣いて兄と別れた子供は、その帰りを待ちながら奉公にあがり、追い使われる小僧から立派に手代にまで成り上がって、そこへ待ちに待った兄が帰ってきたのだ。藤吉の心のなかには、柿爺との約束も残っていたはずだ。今さっき、自分の口でそう語ったばかりではないか。

それなのに。

おちかの当惑を、藤吉はよくわかっているようだった。

「おかしな話でございましょう」と、弱々しく笑って目を背ける。その目の先には閉じた障子があり、その向こうには曼珠沙華《まんじゅしゃげ》の紅《あか》い花が揺れている。

時は流れるものです。小さく呟《つぶや》くように、そう言った。

「島送りの兄を見送ったころの私は、世間の怖さ冷たさをまったく知らぬ幸せな子供でございました。吉蔵兄が罪を犯したことはわかっても、その重さを感じてはおらなんだ。重たいものは、柿爺と親方が代わりに持ってくれていたからです」

八つの子供も一年経てば九つになり、二年経てば十になる。世間知がついてくるに従って、藤吉は、兄がどんな恐ろしいことをしでかしてしまったのか——いや、世間様がそれをどれだけ恐ろしいものとして見るのか、そして遠ざけようとするものか、だんだんと知るようになった。

それはまさに、今まで肩代わりしてもらってきた重たいものを、自分で背負うようになるということであった。

「世間様は兄を忘れません。吉蔵兄のしでかした不始末を、いつまでも覚えていました。忘れたように見えても、何かの拍子にひょいと掘り出す。取り出して、私にも思い出させるのです。口にした人に悪気はなくても、私の身には、そのたびに堪《こた》えました」

あの藤吉という子の兄さんは、仲間の大工をそれはそれは酷《むご》い手口で殺《あや》めて、島流しになっているんだよ――

「申しましたように、私の奉公先を決めてくれたのは差配人の柿爺です。ですからお嬢さん、素直に考えるならば、その柿爺が奉公先に、吉蔵兄のことを隠すはずはないとお思いでしょう?」

藤吉の言うとおりだったから、おちかはこっくりとうなずいた。

「最初のうちはそうだったのですよ。柿爺は私の奉公先を探すとき、私の身の上を包み隠さず打ち明けて、それでもいいというお店を選んでくれたのです」

「そういうお店はあったのですよね?」

ありましたと、藤吉は、まだ障子を見やったままでうなずき返す。

「ありましたが、いざ奉公にあがると、何と申しますか……煮崩れるように風向きが悪くなるのですよ」

「お兄さんのことを持ち出して、あなたを苛《いじ》めたり陰口をきくような人が現れるということでしょうか」

「左様《さよう》でございますね」

やっとおちかの顔に目を戻して、藤吉は微笑んだ。

「それが世間様というものです。私のご主人や奉公仲間に、実は藤吉の兄はこれこれでと、わざわざ言いつけにくる人もありました。もちろん、悪気があってのことではありません。そういう御注進をする人は、そのお店のためを思っているのですから」

結局、そういう風向きで、藤吉は奉公先を三つ仕損じたという。

語り疲れてひと息、軽い空咳《からせき》を落とした藤吉を前に——ああ、まだお茶をお持ちしていないままだ——おちかは心のなかで考えた。

確かに世間とはそういうものなのだろう。だがこの場合は、吉蔵が人を殺めたそのやり方、事の次第がまた、輪をかけて悪かったのではないか。

日頃は穏和で真面目な職人だった。だが、怒り出したら手がつけられず、止めても止まらないほどに激して、人を金梃《かなてこ》で打ち殺した。見ようによっては、もともと乱暴だったり手癖が悪かったりする者よりも、これはかえって始末に悪い。気質《たち》なのだから。

しかもそういう気質というものは、兄と弟で、たぶんに似通っているのじゃないか。おとなしくて働き者のこの藤吉も、油断がならないのではないか。ひと皮剝《む》いたら、兄と同じ顔が出てくるのではあるまいか。

雇い先のお店の主人が、一緒に働く仲間たちが、そういう疑いと不信を抱いてしまうのも、無理な話ではないかもしれない。無論、彼らに向かってひそかな告げ口や悪口を囁《ささや》く人びとの心持ちも同じである。

もしかしたら、藤吉も。

もしかしたら、人殺しの兄さんに似ているのじゃないか。

何よりも悪いのは、藤吉自身にも、それを邪推だと突っぱね切れないことだ。今この場で身の証《あかし》をたてることはできない。時をかけて、己の働きぶりと気立ての如何《いかん》を見てもらい、私は兄のような短気者とは違いますという信用を勝ち取るよりほかに術《すべ》はない。だが相手方は、そこでかける年月が不安だ、嫌だというのだからどうしようもない。

ふと見ると、藤吉は優しい眼差《まなざ》しをおちかに向けていた。

そして言った。「私は、どんなときでもけっして怒らないようにしておりました」

あ――と、おちかは両手で口元を押さえた。

「怒れば、そらみたことかと言われるだけでございますからね」

「どんなにかお辛《つら》かったことでしょう」

藤吉は笑い、おどけるように眉《まゆ》を上げ下げしてみせる。口もあわあわと動かして、ひょっとこのお面のようだ。

「それがすっかり習い性になりまして、今では怒り方を忘れてしまいました。これ、このとおり。この顔はどう捻《ひね》っても怒り顔にはなりません」

藤吉を慰めたかったから、おちかは笑みをこしらえた。この方の笑顔は泣き顔に見える。きっとあたしもそうなんだろう。自分で気がついていないだけだ。

「ひとつには、私も怖かったということがございます」と、藤吉は続けた。「堪忍袋の緒を切れば、私も吉蔵兄さんと同じようになってしまうのではないかと思うと、恐ろしかったのです」

己がいちばん、己を信じられぬ。

「そういう次第でしたから、十五の歳にあがった建具商のときは、私は柿爺《かきじい》に泣いて頼んだものです。今度という今度は余計なことを言わず、吉蔵兄さんのことは黙っていてくれろと。柿爺も仕方がないと思ったのでしょう、ですから、お店には隠したままだったのでございます」

ならば、藤吉が吉蔵を迎えに行くことができなかった心情はよくわかる。

「柿爺との約束を、忘れたわけではございませんでした。むしろ、忘れてしまいたいのに、忘れられないのが嫌でした。振り切ってしまいたいのに、振り切れないのが歯がゆくてたまりませんでした」

「でも」と、おちかは抗弁した。「あなたが奉公先のことでそんな辛い思いをしたことを知っていながら、あんな約束をさせた差配さんも厳しいでしょう。意地悪です」

藤吉はちょっと目を瞠《みは》った。

「やはり、お嬢さんは優しい方だ」

「いえ、誰でもそう思います」

「柿爺は、私の本音を知っていたからこそ、あえて約束させたのですよ。あれは末期の願いではありません。今わの際《きわ》の念押しだったのです」

吉蔵を見捨てるんじゃないぞ、と。

「ほかのお兄さんやお姉さん方は？　あなたが一人で背負わなければならないわけもございませんでしょうに」

いつの間にかおちかは、「お客様」ではなく「あなた」と呼びかけるようになっていた。ひどく不躾《ぶしつけ》なことだろう。だが、この場で生まれた不思議な心の親《ちか》しさが、自然とおちかにそうさせたのである。

これまででいちばん弱ったような困ったような笑顔になって、藤吉は言う。「誰もおりませんでした。みな、逃げたのです。それもまた世間というものです。それぞれに生業《なりわい》を持ち所帯を持ち、自分の生きる道を得てしまえば、兄弟姉妹とて他人です。血のつながりなど、何の足しにもなりません」

私も逃げたかった――思いを込めて、藤吉はゆっくりと呟《つぶや》いた。

十五年の歳月は、兄を慕って靄《もや》の立つほど泣いた弟を、その兄に背中を向けようとする男に変えてしまった。

「ですからね、お嬢さん。私は何度も願ったものです。心の内で想うだけでなく、お稲荷《いなり》さんや神社に詣《もう》でるたびに、手を合わせて願いました。吉蔵兄さんが帰ってこなければいい。どうぞ吉蔵兄さんを江戸に戻さないでくださいまし、と」

流人の島での暮らしは厳しい。もとの暮らしの倍は速く歳をとるという。病や怪我《けが》で亡くなる者もいる。一方で、赦免となっても、今さら帰る場所もあてもなく、そのまま島に居ついて暮らす者もいるという。

「滅相もない願いです。罰があたるのも不思議はありません」

ため息と一緒に言葉を吐き出し、突然、藤吉はぞわりと身を震わせた。眉間《みけん》が狭まり、手が跳ね上がって胸元を押さえる。まるで、目に見えない何かが藤吉の心の臓をぐいとつかみ、締めあげて、彼の息をとめようとしたかのようだった。

一瞬のことで、おちかはどうすることもできず、ただ腰を浮かせただけだった。やがてその刹那《せつな》は通り過ぎ、藤吉は軽く息を切らしながらも笑顔に戻った。

「ああ、おさまったようです」

「ご気分が――」

「いえいえ、大丈夫です。ときどきあるのでございますよ。歳ですなぁ」

おちかは身軽に立った。「少しお休みください。すぐ、お茶をお持ちいたします」

藤吉は遠慮したが、その顔は急にげっそりとして、片手はまだ胸にあてられていた。

熱いお茶と、何か甘い物を。おちかは台所へ走った。

この時刻、台所には人がいない。湯を温めなおし、小皿を出す。水屋《みずや》に羊羹《ようかん》が入っていたので、手早く切って盛りつける。

おちかがばたばたと動き回っていると、廊下を足音が近づいてきて、番頭の八十助が顔を出した。

「おやお嬢さん、お客様はお帰りですか」

呑気《のんき》なことを言う。ようようお茶をお持ちするんですよと、おちかがわざと少しばかり口を尖《とが》らせて言うと、番頭はぺんと音をたてて自分の額を叩《たた》いた。

「これはしたたり!」

顔をくしゃくしゃにして、ぺこぺこ謝る。ちょっとおちかに近づくと、声をひそめた。

「どうにも難しいお話になりそうな雲行きで、あたしはああいうのが苦手なんです。

それにあのお客様も、お話し相手にはお嬢さんをご所望のように思いましたもので」

そして八十助は、不思議そうに目をぱちくりさせた。

「それにしても、ずいぶんと長話をされていますなぁ。お嬢さんもまたよくお相手をなすって」

八十助も、おちかの身の上の詳しいことを知らない。世間知らずで内気な娘だというふうにだけ思っているのだろうし、事実おちかはそのように扱われてきた。

おちかはふと、心に針が刺さるような思いをした。もしも番頭さんが、わたしの身に起こったことを知ったらどうだろう。

もちろん、まずは「気の毒に」と同情してくれることだろう。でも、わたしにも一抹の責めを負わせて然《しか》るべきだとも思うかもしれない。

自分の心にある思いを、他人がどう受け取るかはわからない。蓋《ふた》を開けてみせるまではわからないのだ。そしてひとたび蓋を開け、それを覗《のぞ》き込んだときに生まれる他人の思いを目のあたりにしたとき、自分自身の心のなかも、それにつられて変わってしまうかもしれない。

幼かったころの、ただ一途《いちず》に兄を慕う想いを保ち続けることができなかった藤吉を、いったい誰が責められよう。

適当に言い繕って、おちかは急いで黒白の間に戻った。声をかけて唐紙を開ける。

藤吉が、庭に面した障子のそばに、ふらりと立っていた。

片手を桟に、今にも開けようとしている。

五

立ちすくんだまま、とっさにおちかは声を張りあげた。「お客様！」

己の耳にも、裂けて破れた声に聞こえた。

藤吉はその声を耳で聞いたのではなく、あたかもそれが礫《つぶて》となって背中にあたったかのようにぐらりとよろめき、障子の桟に手を触れたまま振り返った。

「ああ、お嬢さん」

おちかは真っ直ぐ座敷を横切り、盆を小脇に、障子にしっかりと片手をかけた。

「何をなすっていらっしゃるんです」

おちかの高い声に、藤吉は叱られた子供のように身を縮め、目をそらし、後ずさりして障子から離れた。

「あ、あいすみません」

哀れなほど萎《しお》れたその様子に、おちかは我に返って恥ずかしくなった。

「いえ……わたくしこそ不躾なことをいたしまして」

見れば、盆に載せた湯飲みのなかから茶が溢《あふ》れてしまっている。せっかくきれいに並べた羊羹が濡《ぬ》れている。顔から火が出そうだ。

と、藤吉もそれに気づき、照れたような笑いを浮かべて言った。「そのまま頂戴《ちょうだい》いたします。お嬢さん、どうぞお座りください」

そして先に席に戻った。おちかは穴があったら入りたい気分である。

「急に、確かめたくなりました」

きちんと正座して姿勢を整え、藤吉は小さく言った。

「あれが——まだそこに咲いていることを」

曼珠沙華《まんじゅしゃげ》の花のことだろう。妙な話だ。根をおろして咲いている花が、ちょっと目を離した隙にどこへ行くということはあるまい。たかだか半刻《はんとき》や一刻《いっとき》ばかりで枯れ落ちるということもあるまいに。

藤吉は、何か別のことが気になったのではないか。ほかのことを確かめたかったのではないのか。疑い問いかける言葉が口先までのぼってきたけれど、おちかはこらえた。

半分がたこぼれてしまった茶の残りで喉《のど》を湿して、藤吉は語りの続きを始めた。

「吉蔵兄のことを、お店には固く伏せていたわけでございますから、もちろん私が兄に会うことはございませんでした。兄が戻って五日、十日、十五日――日が経っても、私はできるだけ兄のことを想わないようにしておりました。親方に任せておけば万事よし。自分はもう関わりたくないと、心に蓋をしているような按配《あんばい》でございました」

吉蔵の親方の方からも、何も報《しら》せてはこなかった。むろん親方も、藤吉が兄のせいで奉公先を仕損じたり、苦労が多かったことを知っている。他の兄姉たちが逃げ散ったことも承知している。強いて藤吉に何か言ってやったところで、また苦しめるだけだという配慮があったのだろう。

ところが、吉蔵が戻ってひと月ほど経ったころ、藤吉の奉公先に、お今が訪ねて来た。

「お今さんはある材木商のところに縁付いて、もう十年は経っておりました。三人の子宝に恵まれ、身体つきもふっくらしましてね。見るからに幸せそうで、まだ姑《しゅうとめ》さんが達者でおられましたから若お内儀《かみ》ではありますが、それでも相応の貫禄《かんろく》を身につけておられて」

小女を一人連れ、お今はわざわざお店の正面から客としてやって来た。家の内々の修繕のことで相談がある、ついてはここの手代の藤吉さんはあたしの古い知り合いだから、呼んではくれまいか――。

おかげで、藤吉はゆっくりお今と対面することができた。

「小上がりの座敷にお通しすると、お今さんはお供の小女も帰しておしまいになりましてね。藤吉さん、久しぶりだねと懐かしげに頬を緩ませて」

だが、話はもちろん、建具の修繕のことなどではなかった。

「いっぺんでいいから、吉さんに顔を見せてやってくれまいか、ということでした」

吉蔵は親方のところに身を寄せて、仕事の手伝いをして暮らしているという。

――あたしたちがあれこれ案じていたよりは元気だし、職人としての腕も鈍ってない。おとっつぁんもひと安心でしょう。

――お今さんは、ときどきご実家にお帰りになるんですか。

――そう頻繁には顔を出せないけど、何だかんだ用事を見つけては、ついでに寄るようにしてるのよ。吉さんの顔を見たいしね。

明るくそう言って、覗き込むように藤吉の顔を見たという。

――あんたは、吉さんに会いたくない？

「私は、上手《うま》い返答を思いつきませんでしたので、黙っておりました。するとお今さんはため息をついて、仕方がないねというようなことを、小さな声でおっしゃいました」

藤吉は、手をついてお今に頭を下げた。申し訳ございませんが、吉蔵兄さんをよろしくお願いいたします。丁寧を通り越し、懇願のような口調になった。吉蔵のためではなく、己のための懇願だった。私は会いに行かれません。もう縁切りに願います、と。

お今はそれを、悲しそうに見つめていた。

「あんたの立場はよくわかると、お今さんは言いました」

――でもね、やっぱり直《じか》に確かめておきたかったの。だって吉さんが、島から帰って以来、弟たち妹たちのことばっかり言うんだもの。一日だって忘れたことはなかったって。俺が馬鹿なことをしでかしたばっかりに、あいつらには辛《つら》くて寂しい思いをさせた。みんな達者か、今はどういう暮らしをしてるって。早く会いたい、顔が見たいって。

あまりに吉蔵が熱心なので、最初のうちは、弟たち妹たちが会いに来られない理由をいろいろ並べ立て、言を左右に言い訳してくれていた親方も、とうとう根負けしたそうだ。

――つい三日前になるかしら。おとっつぁん、吉さんに、本当のことを打ち明けたの。

藤吉一人を除き、他の弟妹たちは音沙汰《おとさた》さえないこと。藤吉だけは近くにいるが、吉蔵には会えない事情があること。藤吉には、とりわけ辛いことが多かったこと。

――藤吉の気持ちをよく汲《く》んで、呑《の》み込んでやらなくちゃいけないよ。責めちゃいかん。恨んでもいかん。おまえは島帰りなんだ。この先も一生消えないものは、その腕の入墨《いれずみ》だけじゃない。

　ここで藤吉はつと目を動かし、おちかを見た。

「江戸では、罪人の左腕に二重《ふたえ》の入墨を入れます」

　左肘《ひじ》の少し下のあたりを指で示してみせる。

「親方がこのことを言って聞かせたとき、吉蔵兄は袖《そで》をめくって腕の入墨を出し、そこへはらはらと涙をこぼして泣いたそうです」

　吉蔵とて、己が罪人になったことで、肉親に迷惑をかけたことぐらいはわかっていた。が、わかっていることと身に沁《し》みることはまた別だ。心のどこかには、それでも頼る気持ちがあったろう。許して、受け入れてもらえるのではないかという期待もあったろう。

　しかし、弟妹たちは離れていった。人殺しの兄のせいで、しなくていい苦労を強いられた。兄さんとは、もう肉親ではない──

　言葉でその真実を突きつけられて、

「吉蔵兄は、俺はてめえに都合のいい、甘いことばかり考えていた、ろくでもない兄だと、その日はずっと頭を抱えていたと、お今さんは言いました」

　十五年は長い。江戸と八丈島という距離の隔てがなかったとしても、人の心が変わるには充分過ぎるほどに長い。

黙って俯《うつむ》く藤吉の前で、お今は涙ぐんだ。

――あたしだって藤吉さんを責められない。吉蔵さんを待っていてあげられなかったんだからね。

「待っている――？」

問い返したおちかに、藤吉はうなずいた。

「吉蔵兄が八丈に流されたとき、お今さんは親方に、こんなことが起こったのも、もともとはあたしのせいなのだから、吉さんが帰ってくるまで待っている、そして吉さんと所帯を持つんだと言ったのだそうです」

吉蔵はお今に片恋をしていた。

「お今さんも気づいていたそうです。ただ、親方にはお今さんの下に跡取りの息子がおりましたから、お今さんを嫁に出したがっていた。お今さんも、吉蔵兄が事件を起こすまでは、とりたてて兄に気持ちが向いてはいなかった。だから例の壊れた縁談話もあったわけでございまして」

だが、こうなった以上は事情が変わったと、お今は親方に言い張ったそうだ。

「しかし親方は、そんなお今さんを叱り飛ばしました。おまえが吉蔵を待つというのは、想いがあるからじゃなくて、ただ吉蔵に借りができたと思うからだ。そんなもんで上手くいくわけがねぇ。とんでもねぇ話だ、さっさと嫁に行っちまえ、と」

——そんな気持ちでおまえがうちにいちゃ、かえって吉蔵には酷になる。

当時の親方の口調を真似たのだろう、語る藤吉は、そこだけ声に勢いをつけ、巻き舌になった。

「だからお今さんは他所《よそ》に嫁いだ。そして幸せになった。親方の考えは正しかったし、お今さん本人もそれはよくよくわかっているはずだ。なのに、今も吉蔵兄のことで後ろめたさを抱えている。だから涙も出る。吉蔵兄が不憫《ふびん》だというような、優しい気持ちを洄《か》らしていない。しかも、それをわざわざ私に言いにくる——」

私は、と言って、藤吉は空唾《からつば》を呑んだ。

「むらむらと腹が立って参りました」

膝《ひざ》の上で、両手が拳《こぶし》になった。

「お今さんに——でございますか」

今ひとつ藤吉の気持ちがわからずに、おちかは小さく問いかけた。と、藤吉は伏せていた顔を上げ、かっと目を瞠《みは》った。

「とんでもない。吉蔵兄にでございますよ」

あれほど皆に迷惑をかけ、苦労をさせておきながら、今も皆に気にかけてもらっている。お今さんは泣き、親方は心を砕いている。柿爺《かきじい》は今わの際にも吉蔵のことばかり口にした。誰もかれもが吉蔵、吉蔵、吉蔵だ。

「兄は人殺しなのですよ。兄のせいで、私はどれほどか辛く悔しい思いをしたのに、そんなのはみんな置き去りだ。当のご本尊様でさえ、口ではわかったようなことを言い立てているが、本音はどうだか知れたものじゃない。可哀相なのは島帰りの我が身だけで、本当は私のことも、他の弟妹たちのことも、あれだけ俺が面倒みてやったのに、いざとなったら冷たい情なしの連中だぐらいに思っているのだろう――私には、そう思えてならなかったのです。腸《はらわた》が煮えくりかえるような気がしたのです」

そこで初めて、藤吉は吉蔵を恨んだ。

「それまでは兄を厭《いと》い、逃げるような気持ちばかりが先に立っておりました。いくばくかの後ろめたさもあったのです。でも、お今さんとの対面を境に、私は変わりました」

兄さん、なぜおめおめと帰ってきたのだ。なぜ島で死んでしまわなかった。心の底からそう思うようになった。

「先ほどもお話ししましたが、吉蔵兄が島におるうちに、どうか帰ってこないでくれと願ったことはありました。しかし、あの程度の願いは本物ではなかった。兄が帰ってきたことで、私はいよいよ兄が許せなくなったのです。今度こそ本当に、心の芯《しん》の芯から、私は兄を恨んで呪いました。もしもこのまま兄が親方のもとで平穏な暮らしをつかみ、親方が望んでいるような立派な職人としてやり直して、女房をもらい子の親となり、幸せに生きてゆくようなことがあるならば、お天道《てんとう》様は間違っている。私はこの先もずっと、吉蔵兄の所業が露見しはしないかと、口さがない誰かがまたぞろひょいと告げ口するのではないかと怯《おび》えながら暮らしていかねばならないのに、当の兄だけがその苦しみを免れて、まわりの人びとの同情を集め、温かく見守られるようなことがあるとしたならば、世の中にこれほどの理不尽はあるでしょうか？」

　怒る藤吉の目には焔《ほむら》の輝きが灯《とも》り、瘦《や》せた頰には血の気が戻った。水を浴びせられたようにぞっとして、おちかは思わず半身を引いた。しかし、藤吉はそれにも気づかない。

「吉蔵兄など死んでしまえばよいのだ。私は本気でそう思い、人殺しの兄に、その大きな罪にふさわしいむくいが降りかかることを望んだのでした」

　吉蔵はことのほか酷《むご》い手口で人を殺《あや》めた。命をとられた大工の男は、どれほどか無念だったろう。痛かったろう。苦しかったろう。

「世に亡者《もうじゃ》というものがあるならば、どうか現れて吉蔵兄に祟《たた》ってほしい。ほかでもない身内の、血を分けた実の弟の私がそう願い、それを望むのです。朝に晩に、夢のなかでさえも希《こいねが》うのです。どうして亡者の耳に届かぬわけがありましょう」

　では、届いたというのか。殺された大工の怨霊《おんりょう》が現れたとでもいうのか。

声に出して問うことも恐ろしく、ただ目を見開いているおちかがそこにいることを忘れたかのように、藤吉は一人で息を切らせ、目尻《めじり》を吊《つ》り上げて無惨に笑った。

「それからちょっきり十日後のことでございます。吉蔵兄は、親方のところであてがわれていた四畳半の座敷の鴨居《かもい》に荒縄をかけ、首を吊って死にました」

おちかは身体の震えをとめることができず、じっと座っているのも苦しくなってきた。藤吉は身じろぎすることもなく、瞠った目は空《くう》を睨《にら》み据えている。

「お兄さんは」と、おちかはようやく口を開いた。「亡者を見たのでしょうか」

あなたが願い、あの世から呼び戻した亡者を。金梃《かなてこ》で打ち殺された顔を。

藤吉の身体から力が抜けた。肩が下がり拳がほどけて、口の端もゆっくりと緩んでゆく。そして、まばたきしながらおちかを見た。

「兄が死んだという報《しら》せは、今度もお今さんが持ってきてくれました。おかげでお店の皆には知られることもなく、私はどうにか口実をこしらえて、お今さんと一緒に親方の家へと駆けつけることができました。ええ、それはそれは勇んで参ったものですよ」

吉蔵の死に顔を見るために。死んだことを確かめるために。おちかの心の目は、まるで仇討《あだう》ちを果たしたかのように勝ち誇り、弾むように駆けてゆく彼の姿をありありと見た。

藤吉に、親方とお今は、北枕に寝かせた仏の顔を見せた。吉蔵は、死してなお、詫《わ》びるように眉《まゆ》を下げ口を歪《ゆが》めていたという。

「鴨居からおろしたときには、閉じた瞼《まぶた》から涙がいくつも滴り落ちたと、親方が声を詰まらせて教えてくれました」

藤吉は親方の真似をして声を詰まらせ、お今を真似て泣き顔をつくった。まさか親方の前で喜べまい。お今の前で、やれ嬉《うれ》しや、してやったりと手を打つこともできまい。

「そのとき私が感じていたのは、これでもう吉蔵兄のことで悩まされることはないという喜びのほかには、ただひとつだけ――亡者への畏敬《いけい》とでも申しましょうか。私の切なる願いを聞き届けてくれた大工の怨霊への、感謝の気持ちとでも申しましょうか」

今ここでこうしている、実直そうで優しげで、一人語りのなかでも折々におちかの心中を察してくれる温かな心の持ち主が、そこまで冷たくなれるものなのだろうか。きつく抑えられ、行き場を失った怒りと憎しみは、ひとたび解き放たれたときには、そこまで人を醜く変えてしまうものなのだろうか。

醜い？　自問して、おちかはかぶりを振った。あたしだって、他人《ひと》のことを言えたものじゃない。

「こうして見ると、兄さんはずいぶんと老けたし、ひとまわり小さくしなびてしまったな……淡々と思い、だからどうということはない。私は冷めきっておりました」

そこまで語って、やっと息を継ぐことを思い出したというように、藤吉はわななくようなため息をついた。

「兄にあてがわれていた座敷は、小さな庭に面していました」

急に変じた話の風向きに戸惑い、おちかはただうなずいた。

「親方は自分の家のことになると無頓着《むとんちゃく》で、庭は荒れ放題でした。名もない草花が生い茂り、枯れてはまた新しい芽が出て伸びて、野山のような眺めになっておりました」

そのなかに、ひと群れの曼珠沙華《まんじゅしゃげ》が咲いていたという。

とうとう曼珠沙華が現れた。おちかはひそかに固唾《かたず》を呑《の》む。

「兄が戻ったのは秋船でございましたからね。それでも、もう秋もだいぶ深まっておりましたから、花の色は褪《あ》せておりました。枯れかけたまま風に吹かれ、乾いた音がするようでございました」

さわさわと囁《ささや》くように、乾いた骨を風が撫《な》で、儚《はかな》い音がたつ。

「吉蔵兄の顔を元通り覆った後で、親方が私を見返って、庭の曼珠沙華を指さしました」

——十日ばかり前からか、吉の奴、あの花に魅入られたようになっていた。藤吉がお今に会い、兄への恨みを燃やし始めたときからだ。

——あいつめ、暇があるとここに一人でぼんやり座り、曼珠沙華の花を眺めていた。陰気な花だ。何がそんなに気に入ったと、親方は尋ねたことがあるという。

——あれは赦免花《しゃめんばな》とも呼ぶからな。吉蔵が、もしや自分の身に重ね合わせているんじゃないかと思ったんだが。

すると、吉蔵はうっすら笑ってこう答えた。

——あの花のあいだから、ときどき、人の顔が覗《のぞ》くんですよ。

おちかは、藤吉の目を見つめた。ひと呼吸遅れて、藤吉も見つめ返した。うなずいた。「ええ、吉蔵兄は、はっきりそう言ったというのです」

いったい誰の顔だと、親方は問いかけた。あんなところに人がいるわけがない。

薄ら笑いを消さぬまま、吉蔵は答えたという。俺のよく知っている顔です。俺を怒っている人の顔ですよ、親方。

「私は——」

藤吉はゆるゆると手を持ち上げ、おちかから隠れるように顔を覆った。

「どんなにか、私は嬉しかったですよ、お嬢さん。ああ、それこそが殺された大工の顔だ。亡者の顔だ。兄を怒り、兄に祟って現れたのだ。そうか、こういう形で私の願いは聞き届けられたのだと思いました」

曼珠沙華。またの名を赦免花。死人花《しびとばな》。

薄気味悪い、刈ってしまおうと、親方は言ったそうである。だが吉蔵はうんと言わなかった。あのままにしておいてください。あれでいいんです。

――あいつは、俺に会いに来てるんだから。ああして、会いに来てくれたのだから。

そう語り、笑いながら、吉蔵は涙を浮かべていたという。

――ひょいと見ると、花陰から俺を見つめているんです。俺も見つめ返して、そのたびに謝ります。すまなかった。何もかも兄さんが悪かった。

兄さんが。

耳を疑い、聞き返そうとしたおちかに先んじて、両手で顔を覆い身を折って、藤吉はひと息にぶちまけた。

「吉蔵兄が見ていた顔は、曼珠沙華の陰から覗く顔は、この私だったのです！　亡者ではありませんでした！　兄を罰してくれろと亡者に頼むほどにねじくれた、この私の生霊《いきりょう》こそが、死人花の陰から兄を睨み、兄が詫びても詫びても許さずに、とうとう死に追いやってしまったのです」

六

伊兵衛とお民が出先から帰ってきたとき、おちかは一人で黒白の間にいた。縁先に座り、曼珠沙華の花を眺めていた。

番頭の八十助から、首尾を聞いていたのだろう。夫婦は着替えもそこそこに、揃って黒白の間に顔を出した。

「お客様のお相手を、よく務めてくれたそうだね。ご苦労だった」

「八十助が、お客様が長話をしていかれたのは、お嬢さんのお取りもちが上手だったからですと褒めていましたよ」

口々におちかを労《ねぎら》ってくれる。おちかは頭を下げ、叔父《おじ》さん叔母《おば》さんの御用はいかがでしたとか、お疲れでございましょうとか、ふさわしいことを言おうと思うのだが、できなかった。叔父叔母の優しい眼差《まなざ》しに触れたら、もう止めようもなく涙が溢《あふ》れてきてしまったのである。

驚く叔父夫婦に、おちかは藤吉の話をすっかり語って聞かせた。今度は誰も合いの手を入れることのない一人語りだが、おちかは時折、確かめるように庭先の曼珠沙華の花へと目をやった。傾いてきた秋の陽のなかで、紅《あか》い花は静かに佇《たたず》んでいる。

話を聞き終えると、伊兵衛は深い吐息《といき》をもらした。お民はおちかに寄り添い、背中を撫でてくれている。

「これはまた、不可思議な因縁話に触れてしまったものだ。大変だったね」

伊兵衛の言葉に、お民は少し目尻《めじり》に険を浮かせて夫を睨《にら》む。

「ですからあたしは、新太《しんた》を遣《や》ってお客様をとりやめにした方がいいと言ったんです」

新太というのは、三島屋に今は一人だけいる丁稚《でっち》の名である。

「おちかがどんな辛《つら》い思いをして実家《さと》を離れてきたのか、あなただってご存じでしょう。もう人が死んだの、誰かに殺《あや》められただのの話は、耳に入れたくないんです。おちかが可哀相じゃありませんか」

けんけんと叱られて、伊兵衛は気圧《けお》される。すまない、すまないと手で制して、

「しかし八十助は、松田屋《まつだや》さんはおちかと話せてたいそう嬉しかったと、重々礼を述べて帰っていかれたと言っていたよ……」

考え込むように低く呟《つぶや》いた。うなだれていたおちかは、顔を上げた。

「あのお客様のお店は、松田屋さんというのですか」

「ああ、そうか。先様はおっしゃらなかったのだね」

建具商であることは本当だが、主人の名前は藤兵衛ではないと、叔父は言った。

「お店の場所も、私は知っているけれど、おまえには言うまい。松田屋さんは、二度とここへおいでになることはないだろうから。今回限りのご縁だったようだ」

「それでよござんすよ」と、お民はおかんむりである。「若い娘をこんなに怖がらせて、いったい何が面白かったのでしょう。人の悪いにもほどがあります」

怒る女房を横目に苦笑して、伊兵衛はつとおちかの顔に目を移すと、膝頭《ひざがしら》を回して向き直った。

「ねえ、おちか。松田屋さんは、己の生霊が吉蔵という兄さんを責め殺してしまったのだと打ち明けたあと、この座敷ではどんなご様子だったね？」

堰《せき》が切れたかのように言葉を溢れさせて、身をふたつに折り、藤吉は打ちのめされたように突っ伏していた。だが、しばらくして起き直ると、その顔には安らかな表情が戻っていた。目尻にこそ赤みがうっすらと残っていたが、息も切れてはおらず、口調は穏やかなものに戻っていた。

「そしてわたしに、こんな話を聞いてくれてありがとうとおっしゃいました」

今まで誰にも話せなかったことだ。こうして口にすることができて、我が身の業が消えてゆくような気がする――

「ではお暇《いとま》しましょうとお立ちになるので、お見送りしようとしたら、お嬢さんはここにいてください、と。ですから八十助さんを呼んだのです」

その八十助が、お客様は機嫌よく帰られたと言ったのである。

「松田屋さんの言葉に嘘はないはずだ。本当にご気分が晴れていたのだろう。永年凝り固まっていた胸のしこりを吐き出して、身が軽くなったのだろう」

おまえの手柄だよと、伊兵衛は優しくおちかに言った。

「それだって、聞かされたおちかの方はたまったもんじゃありませんよ」

「まあまあ、そう尖《とが》るな」と、伊兵衛はお民を宥《なだ》める。「そして考えてごらんよ。松田屋さんはおちかに何度もおっしゃった。ここに曼珠沙華《まんじゅしゃげ》の花が咲き、おちかがいたことは何かの縁だと。おちかの顔が寂しそうだということも、すぐに見て取られた。だからこそおちかも、自分の身に降りかかった事柄について、詳しくは言えずとも、少しは語る気になったのだ。そうじゃないかね、おちか」

秘めた悲しみは相通じるものなのだ――と、伊兵衛は言う。

おちかには、叔父の言わんとするところがわかった。おちかのために怒っているお民の手をそっと取って、握りしめた。お民はおちかの目を覗き込み、すぐに強く握り返してくれた。

「おまえたちはどう思う？」

伊兵衛は庭の曼珠沙華を見つめて、お民とおちかに問いかけた。

「松田屋さんは、兄さんが死んだ後、曼珠沙華の花が怖くなった。もちろん、この花を見ると兄さんを思い出すからだ。自分のしたことを思い出すからだ。しかしその折、松田屋さんが見る曼珠沙華の花の陰から覗《のぞ》く顔は、はたしてどちらの顔だったのだろう」

「まだ顔が——覗くっていうんですか？」

お民は納得がいかないようだ。目をぱちぱちとしばたたき、夫の顔と庭先の紅い花を見比べている。

「おう、そうさ。おちか、松田屋さんはそこまで打ち明けられたのだろう？」

そのとおりだったから、おちかはしっかりうなずいた。

「曼珠沙華が怖いということまではわかりますよ。でも、どうしてそこから顔が覗くんです？」

困惑するお民に、顎《あご》をそらして、伊兵衛は明るい声で笑った。

「おちか、おまえの叔母さんはこれこのとおり、気性も真っ直ぐ、生きる道も真っ直ぐだ。誰にも後ろ暗いところがない。私は大したお内儀《かみ》を持った。男冥利《みょうり》にも、商人冥利にも尽きるというものだ」

おちかは微笑んでうなずき、残っていた涙を指先で拭《ぬぐ》った。

お民は「何ですか二人して」と笑う。「あたしだけ除《の》け者になったようだわ」

「しかし私は、そこそこ暗いものを持ち合わせているからね」と、伊兵衛は続ける。

「松田屋さんの、そこに顔を見た理由《わけ》がわかる気がする」

「叔父さん」と、おちかは言った。「わたしは、藤吉——いえ松田屋さんは、ご自分のお顔を見たのだと思います」

吉蔵亡き後、秋がめぐり来るたびに、曼珠沙華が咲くたびに、紅い花の揺れる間《はざま》に、藤吉は己の顔を見た。吉蔵兄を怨《うら》み、早く死んでしまえ、まだこの世におめおめと居残っているのかと詰《なじ》り、怒りに燃える眼《まなこ》で睨み据える、己のものとは思いたくない顔を。

そうかと、伊兵衛は小さく言った。

「私は、松田屋さんは兄さんの顔を見たんじゃないかと思うのだがね。松田屋さんに涙を浮かべて謝り、許しを請う苦しい顔だ。その顔が、赦免花の隙間から覗いている——」

おお嫌だと、お民が震えた。

「松田屋さんは、打ち明け話を済ませた後、ここで確かめていこうとはなさらなかったのかね？」

おちかはかぶりを振った。「実は、そうなさいますかと伺ってみたのです。わたしが座を外しているあいだに、一度は障子を開けようとなさっていたくらいですし……」

今ならわかる。あのとき藤吉は、三島屋の庭の曼珠沙華のなかにも、顔が覗いているかどうかを見ようとしていたのだ。そうせずにはいられなかったのだ。

しかし、おちかの勧めを、藤吉は断った。

「先ほどは軽率だった、これぱかりはお嬢さんにはお見せできませんから、と」

いきなり、お民がさっと気色ばんで、おちかの肩を抱いた。「それはあなた、松田屋さんと一緒に障子を開けてしまったら、おちかにも、死んだ吉蔵という人だか、松田屋さん本人の生霊だかの顔が見えるからという意味ですか！」

「違いますよ、叔母《おば》さん」と、今度はおちかがお民を宥めた。「わたしには何も見えなかったはずです。ただ松田屋さんは、打ち明け話をした後に、曼珠沙華の陰からどんな顔が覗いているか——いえ、その顔がどんな表情をしているのか確かめるのは、自分一人でしなくてはならないことだとおっしゃったのです。わたしに見せられないというのは、その顔と相対《あいたい》するときのご自分の顔を、わたしに見せてはいけないという意味でしょう」

「恥ずかしかったのだろう」と、伊兵衛も言う。「だから急いで帰られたのだよ」

夫と姪《めい》の顔をくるくる見比べて、それから曼珠沙華の花へと目をやって、お民は小娘のようにくちびるを尖らせると、ふうと言った。

「やっぱり、あたしにはさっぱりわかりませんよ。ぜんたい、どういうお話なんでしょう。その、吉蔵という人に打ち殺された大工が亡者になって祟って出たというのなら、わかりがいいんですけれど」

「そうだね、だからおまえは善《い》い女だと言うんだよ」

伊兵衛は、永年連れ添った古女房に、しんそこ愛《いと》おしそうな眼差《まなざ》しを投げかけた。


それから二日後のことである。

台所におしまといたおちかは、伊兵衛に呼ばれた。主人の使う奥の間ではなく、黒白の間においでという。

伊兵衛は一人で縁側にいた。曼珠沙華の花は、藤吉——松田屋の主人が帰った後、まるで役目を終えたかのように急に枯れ落ち、見る影もなくなってしまった。紅《あか》い色が消え、庭には秋の枯れみが増した。

襷《たすき》を外して襟元と袖《そで》を整え、きちんと座ったおちかに、伊兵衛は言った。「さっき使いが来て、報《しら》せてくれた。松田屋さんが亡くなったそうだよ」

おちかは目を瞠《みは》るだけで、すぐ返答ができなかった。ああ、やっぱりと思う気持ちと、驚きとが混ぜこぜになってこみ上げてくる。しかもその驚きの方には、わたしはなぜ「やっぱり」なんて思うのだという気持ちも入っていて、二重三重にもつれていた。

「もともと心の臓に病がおありで、先《せん》にも寝付いてしまったことがあったとかで」

　おちかは両手で胸を押さえた。「ここでお話をしているときにも、息が詰まって胸苦しそうになったことがありました……」

「そうか。医者にはかかっていて、薬ももらっていたが、重々気をつけて養生するように、きつく言われておられたそうだ」

　今朝、いつもより起きてくるのが遅いので、様子を見に行った家人が、寝床のなかで冷たくなっている主人を見つけたのだという。

「眠ったまま逝《い》ったようで、安らかなお顔だったと聞いた」

　寿命だったのだねと、伊兵衛は言い足した。それから二人でしばし黙り込み、枯れ草と芒《すすき》の穂が揺れる庭を眺めていた。

　やがて伊兵衛が口を開いた。

「昨日、松田屋さんはお一人で半日がた出かけておられてね。戻ると着物から線香が匂うので、倅《せがれ》さんが――ああ、この人が跡取りだよ――いぶかしんで、寺へでも行ってきたのですかと尋ねると、長いこと無沙汰《ぶさた》をしていた人に挨拶《あいさつ》に行ってきた、と」

　会いに行ったのか。吉蔵に。

「久しぶりだった、懐かしかったと言ったそうだ。それにしてもこの季節、寺にも墓にも曼珠沙華がよく咲いているものだねと、笑顔で話しておられたそうだよ」

　今度は、鼻先につんとこみあげてきたものを押し戻すために、おちかは手を顔にあてた。

「私の考えがあたりか、おまえの考えがあたりか、どちらとも知れないままになってしまった。でもねぇ、松田屋さんが曼珠沙華《まんじゅしゃげ》のなかに見に行った顔は、どちらの顔だったにしても、笑っていたのだろう。きっと笑っていたはずだと、私は思うよ」

曼珠沙華が咲いていたよと、藤吉が笑顔で言えたのだから。

「松田屋さんは、許してもらえたということなのでしょうか」

伊兵衛はおちかを見返った。

「そうではないよ。許したのさ」

藤吉が藤吉を――と言った。

「心のなかに固く封じ込めていた罪を吐き出したことで、ようやく、自分で自分を許すことができたのだよ」

そのきっかけを作ったのはおちかだと、伊兵衛は続ける。

「だからおまえの手柄だと言うのだ」

「わたしはただ、お話を聞いただけです」

「だが、考えてごらん。なぜ松田屋さんがおまえを選んだのか」

悲しみは相通じると、一昨日《おととい》、伊兵衛にそう言われたばかりだった。

――お嬢さんは優しい方だ。

藤吉の、温かな声音が耳元に蘇《よみがえ》る。

——こんな話などするべきではなかった。

狼狽《ろうばい》して案じるときには、痩《や》せた顔からさらに色が抜けていた。

「おちか」

呼ばれて、おちかは背を伸ばした。

「おまえもいつか、そうできると良いね」

「叔父《おじ》さん……」

「おまえにも、誰かにすっかり心の内を吐き出して、晴れ晴れと解き放たれるときが来るといい。きっとそのときが来るはずだが、いつ来るのかはわからない。そしてその役割は、ただ事情を知っているというだけの、私やお民では果たすことができないのだろう。おまえが誰かを選び、その誰かが、おまえの心の底に凝《こご》った悲しみをほぐしてくれる」

穏やかだが自信に満ちた伊兵衛の口調に、おちかの心は従いそうになる。従ってしまいたい気持ちは山々だから。でも一方で、そんな虫のいい望みを抱くことでまた罪を重ねてしまうような気がして、おちかはぐっと目を閉じた。

月日を数えてみるならば、事が起こったのは半年前だ。あれから今まで、自分はどうやって暮らしてきたのだろうと、呆《あき》れるような気持ちになる。反面、まだ半年しか経たないのかと、なかなか遠ざかってくれない過去に、がんじがらめになっている自分を見つける。

半年前、生家の旅籠《はたご》商いに精を出し、日々を忙しく暮らしているおちかに、縁談が舞い込んだ。

縁談が来ることは、別に思いがけない話ではなかった。おちかは十七という年頃だし、家には兄の喜一《きいち》がいて、後継ぎに心配はない。むしろ嫁き《い》遅れて居座られ、手強い小姑《こじゅうと》になられる方が困ると、半ばは冗談半ばは本気で、当の喜一にもからかわれていたくらいだ。

いずれはどこかへ縁付くことになる。おちか自身もそう思っていたし、幸か不幸か、今までのところ想い人にもめぐり合ってはいなかった。両親が良いという縁談ならば、受けるのが筋だ。商人の娘というのは、たいていはそのようにして所帯を持つものなのである。

縁談の相手は、おちかの生家と同じ川崎宿の旅籠「波之家《なみのや》」の長男坊で、実は、以前にも一度この話が持ち上がったことがあった。三年ほど前になる。

その折は、この長男坊――良助《よしすけ》の行状が荒れていた。小博打《こばくち》や悪所通いで家から金を持ち出しては蕩尽《とうじん》し、両親《ふたおや》からはやれ勘当だ縁切りだと叱られたり泣かれたり、波之家ではしばしば上を下への大騒動が起こっていた。そこへ、こういう道楽は嫁を持たせれば落ち着くと入れ知恵する者がおり、手近にいたおちかにお鉢が回ってきたのである。

放蕩者《ほうとうもの》の若旦那《わかだんな》を改心させるために嫁をあてがう。世間に珍しいことではない。だからおちかは、波之家からの申し出に、両親と兄が烈火の如く怒ったことに驚いた。とりわけ喜一の怒りは激しく、うちのおちかは火消しじゃねぇ、手前《てめえ》の倅の道楽に手をつけられねぇぼんくら親と、その脛《すね》をかじって遊び呆《ほう》ける輪をかけてぼんくらな倅と、まとめておちかに尻《しり》を持たせようったってそうはいくもんか、たとえお大師様が夢枕に立って、おちかを波之家に嫁にやれとお告げをくださったってやるもんか――と、仲人《なこうど》役の寄合頭《よりあいがしら》に啖呵《たんか》を切ったのには見蕩《みと》れてしまった。

思えば、あのときおちかは十四、放蕩盛りの良助は十九だった。これでおちかがもう少し年長なら、喜一の考えも違ったのだろう。

真っ赤になって怒った喜一はそのころ二十一歳で、自分もまた十八、九ばかりには、いっときではあったが遊びを覚え、親には心配をかけ、まわりに説教されても、熱が冷めるまではやめられなかった覚えがあった。こういうものには潮時がある。まともな男なら、潮が引けば道楽はやむ。それでやまないなら一生やまぬ。それを待って見極めようともせず、まだほっぺたに産毛が残っているようなおちかを嫁におっつけて、手っ取り早く始末をさせようという大雑把《おおざっぱ》な了見が、喜一には許せなかったのである。

また、そんな自分のせいで十四の小娘を不幸にするかもしれないことを気にもかけぬ、良助の男気のなさにも腹を立てていた。

そういう次第で、三年前に一度起こり、しぼんでしまった縁談である。また来たことは意外だったが、よく聞いてみると、今度は良助本人のたっての希望だという。

彼はすっかり道楽から足を洗っていた。喜一の言うように、熱が冷めたのである。そうなると、三年前に、喜一に手厳しくやり込められたことが腑《ふ》に落ちてきて、いたく感じいったのだ。もとより、同じ宿場で同じ商いだから、子供のころから互いによく知る間柄ではあるが、こうしてあらためて見直して、おちかを嫁とし喜一を義兄《あに》と呼ぶことに、良助の心は強く惹《ひ》かれたものらしい。

つまりは、いっぺん道楽の水を浴びて、ちょうど喜一がそうだったように、良助も大人になったのだ。

そういう彼は、十七となったおちかの目にもすっきりと映った。好いた惚《ほ》れたではない。だが、好ましい存在ではあった。だから今度の話はとんとん進んだ。喜一と良助はよく親しみ、ゆくゆくはふたつの旅籠をひとつにまとめて、川崎宿一の大旅籠にしようなどと、夢を語らっていたくらいだ。

しかし、両家の誰もが喜び、落ち着くときには落ち着くところへ落ち着くものだなどと納得していたこの成り行きに、一人だけ剣呑《けんのん》な思いを抱く者がいた。それも、おちかのすぐそばに。

今も時折、おちかの脳裏に、その者の顔がふいとよぎることがある。おちかが最後に見た顔だ。おちかに向かって呼びかけた顔だ。

——俺のこと忘れたら、許さねぇ。

忘れるものか。忘れられるならどんなに楽か。おちかは目を閉じて身を硬く縮め、その面影をやり過ごそうと息を止めた。

気がつくと、伊兵衛がこちらを見つめていた。おちかを助けてやることのできない歯がゆさを、こらえるように目を細めて。

第二話　凶宅

一

松田屋藤兵衛《とうべえ》がこの世を去り、彼とのひとときの語らいの思い出のみが残って、おちかの日々はまた平穏なものに戻った。

が、三島屋主人《あるじ》の伊兵衛《いへえ》の身辺には、藤兵衛の死の報《しら》せがあってから後《のち》、少々変わった動きが起こり、間もなく、家人や奉公人たちが顔を見合わせては首をひねるような事態にまで立ち至った。

何かといえば——頻々《ひんぴん》と人が訪ねてくるようになったのである。

商人《あきんど》の家だから、もともと人はよく出入りする。それだけなら何の不審もない。だが、伊兵衛を訪ねてくるこの新手の客人たちには、今までの客にはない特徴があったのだ。

まずは、口入屋《くちいれや》が多い。なぜわかるかといえば、彼らが口々に名乗るからである。三島屋様直々《じきじき》のお声がかりで参上いたしましたと、それぞれに恐縮しながら案内《あない》を受けて奥の間へ通ってゆく。それで、おやこの口入屋さんたちはみんな、旦那様《だんな》に呼ばれてきているのだとわかり、それがまた奉公人たちの不審のたねになった。三島屋が懇意にしている口入屋なら、先《せん》からちゃんとあるのだから。

ところが、何番目かの来客に、その当の懇意の口入屋がやって来た。神田明神下《かんだみょうじんした》に店を持つ坊主頭の老人だ。一刻《いっとき》ほど伊兵衛と熱心に話しこんでから、さあ帰ろうという彼の袖《そで》を、沓脱《くつぬ》ぎのところでぐいとばかりにとらえたのは、三島屋番頭の八十助《やそすけ》だった。

「ねえ、灯庵《とうあん》さん」

八十助は口入屋の老人を屋号で呼んだ。

「ほかでもないあたしとあんたの付き合いだから、真っ直ぐに訊《き》きますがね。今日は旦那様と何のお話があって来たんです？」

口入業は、ずばり生身の人を相手の商いである。そこで永年精進するならば、ほかの商売にはない垢《あか》も溜《た》まれば灰汁《あく》も出る。灯庵老人の顔は皺《しわ》だらけなのに脂ぎっており、立ち姿は精悍《せいかん》にも見えるが腰は曲がっており、ふるまいは慇懃《いんぎん》だが女子供を見る目には年甲斐《としがい》もない色毒《しきどく》があり、男どもを見る目には量り売りの芋を見るような素っ気無い険があり、つまるところ、奉公人たちにあまり快く思われていない人物であった。

このときも灯庵老人は、どこぞの沼のヌシの巨鯉《きょごい》のような目をどろんと動かして、

「おお、なんだあんたらは何も聞いてはおらなんだのか」と、切り返した。あの声を聞くだけで胃袋のあたりがねじくれてきそうな感じがすると、古参の女中のおしまが顔をしかめる独特の胴間声《どうまごえ》である。

「三島屋さんがお話しになっておらんのなら、私からあんたらに話すことはできまいよ」

八十助は食い下がった。「だがね、このところ、あんたのご同業が何人も旦那様に呼ばれて来てるんだよ。旦那様が何をお考えなのか、あんただって気にならんかね」

「ならんね」と、灯庵老人は笑う。「そういう連中を手配してこちらへ伺わせとるのは、私だからね」

八十助も、物陰からこっそり彼と灯庵老人のやりとりを盗み聞きしていたおしまとおちかと丁稚《でっち》の新太《しんた》も、これにはさらに耳をそばだてた。

「何だって」

「ついでに言うなら、八十《やそ》さんよ。あんた、もう少し客の人品骨柄《じんぴんこつがら》を見る目を鍛えんと、これからもっともっと大けなお店《たな》になろうというこの三島屋の番頭は張れんよね」

灯庵老人が伊兵衛に請われ、これまでに三島屋を訪ねるよう斡旋《あっせん》した客たちは、口

入屋ばかりではない。読売《よみうり》の頭《かしら》もいれば小者《こもの》もいたという。読売は瓦版屋《かわらばんや》、小者というのは、岡っ引きが使い走りにしている子分のことだ。

八十助は文字通りあんぐりと口を開けた。

「そんな連中を通わせて、旦那様は何をなさろうというんだろう」

「さてさて」灯庵老人は痩《や》せた歯茎を剥《む》き出してにんまり笑った。「それは仕掛けをごろうじろだ。なぁに、あわてることはない。伊兵衛さんは奉公人を悪いようにするお方じゃなかろうが」

「そりゃ……わかってるけども」

当惑する八十助を置き去りに、灯庵老人は薄べったい履物をぺたぺたと鳴らして歩き出し、表へ通じる引き戸の敷居をまたぎながら、肩越しに投げ捨てるように言った。

「立ち聞きするときは、手前《てめえ》の影をよく見んとなぁ。身体《からだ》隠して影隠さずじゃあ」

喉《のど》を鳴らして笑いながら去ってゆく。おしまとおちかは目と目を見合わせ、そら同時に足元を見た。なるほど。

「あ〜、ばれてたんだ」と、新太が幼い声をあげ、おしまにぴしゃりと頭をぶたれた。

「ホントにいけすかない爺《じじい》だよ」

灯庵老人が消えた方をきつい目つきで見据えながら、おしまは口を尖《とが》らす。

「でも、旦那様ったらいったい何を企《たくら》んでいらっしゃるんだろう？」

「企むなんて、言葉が過ぎますよ」

おちかは言って、ちょっぴり笑った。新太がぶたれたところを痛そうに押さえている顔つき手つきが、何とも可笑《おか》しく可愛らしい。おしまの手はよくしなる。軽く叩《たた》かれてもけっこう効くのだ。これも年季だろう。

「お店に何かあるんだろうか。あたしら、お暇《ひま》になるんだろうか……」

八十助一人が、本心から不安がっていた。

それから後もまだ四、五日、よくわからない新手の来客の伊兵衛詣《もう》では続いた。そしてぱたりと途絶えた。

まる一日、誰も来ない日があって、おちかは再び「黒白の間」に呼ばれた。

「どうやら細工は整った」

開口一番、伊兵衛はそう言った。この間の八十助の憂い顔や、気丈なおしまでさえも苛《いら》ついていたことを思うと、面憎いほどにいつもと変わらぬ顔である。

「まあ、何の細工でございますか」

思わず、おちかも口を尖らせてしまった。伊兵衛は飄然《ひょうぜん》と懐手《ふところで》をしたままだ。

「おまえに、ひとつ仕事を任せようと思ってね」

ずっと下ごしらえをしていたのだ、という。

「今日から、ここはおまえの〝黒白の間〟になる」

意味がわからず、おちかはただ目を見開いた。伊兵衛は微笑する。

「私と碁敵《ごがたき》の場合は、まさに勝負の黒白を争ったわけだけれど、おまえの場合は、そうだな、この世に起こる物事の白と黒とを並べて見るという意味合いになろうかね。必ずしも白が白、黒が黒ではなく、見方を変えれば色も変わり、間《はざま》の色もあるという——うむ、そうだね」

上機嫌で呟《つぶや》き、一人でうなずいている。

「叔父《おじ》さんったら、何をおっしゃってるのか、あたしにはわかりません」

伊兵衛は微笑こそそのままだが、にわかに、姪《めい》に対する叔父の顔から、奉公人に対する主人の顔に変わった。眉間《みけん》の皺、頬の張り、口元の線——どこがどう違ったわけでもないのに、すべてがぴしりと引き締まる。

おちかは、思わず座り直した。そして刹那《せつな》に、短い驚きと共に悟った。叔父さんが変わったことがわかるのは、あたしのなかに本物の奉公人の部分ができたからだ、と。使われる側の者として、伊兵衛を見る目が生まれたからだ。

「今日から、五日に一人の割で、この座敷にお客様が来る。そしておまえを相手に物語をなさる。どんな内容のお話になるか、私にもまだわからん」

「ちょ、ちょっと待ってください」

伊兵衛はかまわず続けた。「聞き手はおまえ一人だ。そういう約束で人を集めたから、違《たが》えるわけにはいかない。話を聞き終えたら、おまえはそれを心のなかでよく吟味して、次のお客様が来るまでのあいだに、今度は私に語って聞かせておくれ。その折には、おまえがその話をどう思うかということも聞かせてほしい。そのときの聞き手は私一人だが、おまえがそうしてほしいというのなら、お民《たみ》でも誰でも一緒に呼んでかまわない」

すらすらと一方的に言いつけられて、おちかはようやくあわて始めた。

「叔父さん、どういうことなんです？　約束とか、人を集めたとか――」

あっと思って、手を口元にあてた。

「それ、このごろの怪しいお客さんたちのことですか？　口入屋さんや読売や、岡っ引きの子分まで呼び寄せたりなさって」

「おや、知っていたのか」

「灯庵さんから聞きました」

伊兵衛は、（私は今ににやにやしているよ）と見せつけるためのにやにや笑いをした。

「盗み聞きしたのだろう。そして悟られたろう。皆、同じことをするんだよ」

おしまも懲りんな、と呟いた。

「灯庵の爺様《じいさま》だけは、どうやっても出し抜けんぞと何度も言って聞かせているのに、かえってムキになっているんだろう」

確かにあのときも、おしまに脇腹を突っつかれ、ちょっとおいでよ、話を聞いてみようよと誘われたのだった。でも、おしまはこれまでにもそんなに盗み聞きをしていたんだろうか。そちらの方に驚いて、おちかの心は余所見《よそみ》をしてしまった。

「あんなしっかりした女中さんが、そんなこと……」

「誰にでも悪癖のひとつやふたつはあるものだ。だからといっておしまが性質《たち》の悪い女中だということじゃない」

ホラ、これもそういうことだと、軽く手を打った。

「何が白で何が黒かということは、実はとても曖昧《あいまい》なのだよ」

このままだと煙《けむ》に巻かれそうだ。おちかは劣勢を巻き返すために、膝《ひざ》を乗り出して伊兵衛に詰め寄った。

「叔父さん、あたしには女中としての仕事がございます。五日に一度だろうと、ここでのんびりお客様のお相手などしてはいられません」

「だから、これもおまえの仕事だと言っているのだ。おしまには私から話す。あれはよく心得ているから、けっして否《いや》とは言うまい」

退路は最初《はな》からないのだった。

「いったい、あたしに何をさせようというおつもりなんです」

「だから、人の話を聞くだけだ。江戸中から――いや近在からも来るかもしれんな。ほうぼうからここへ集まってくる人びとの抱えてくる、不思議な話を。ちょうど、おまえが松田屋さんの話を聞いたようにして拝聴すればいいのだ」

「なんで、そんな人たちが集まってくるんです？　三島屋は袋物屋ですよ」

伊兵衛は得意そうに頬を緩める。「だからさ、それが細工だ。私が集めたのだよ。大勢の口入屋や読売や岡っ引きの伝手《つて》を頼って、筋違橋《すじかいばし》先の三島屋が不思議なお話を集めております、お持ちの方はどうぞお寄せくださいまし、お礼は差しあげますと、触れて回ってもらったのだよ」

そういうことだったのか。ようやく腑《ふ》に落ちたが、だからといって納得できるものではない。

「叔父さんたら、それ――何なんです？　新しいお道楽でございますか？」

お金と手間をかけて、酔狂にもほどがある。

「そうだね。道楽だ」

「だったら、ご自分でなさいまし」

「嫌だよ」伊兵衛はまるで子供のように舌を出した。まあ、何だろう！　新太だって、こんなことはやらない。

「私は忙しい。昼日中《ひるひなか》、いちいち客に会ってなどいられない。だが話は聞きたいからね、だからおまえが私の代わりを務めて、店を閉めて私がゆっくりしているときに、要領よくまとめて聞かせてくれればいいのだ」

我がまま勝手もいいところだ。呆《あき》れ返ってものも言えない。それをいいことに、伊兵衛は立ち上がりかけた。

「では、よいね。最初のお客様は八ツにお見えになる約束だ。あと半刻《はんとき》もないから、着替えなさい。ここで湯を沸かして茶菓を出せるよう支度させるから、そちらの面倒はなくなるよ」

「待ってください、叔父さん！」

まさか袖《そで》をとらえるわけにもいかないから、おちかは声を張り上げた。

「お言い付けだとおっしゃるのなら、わかりました。いたしましょう」

「うむ。感心な心がけだ」

伊兵衛はうそぶく。おちかは、おしまが新太にしたように、うんといい音をたててその額を張ってやりたくなった。

「でも、今日初めてお会いする人と二人きりで、さあ話を聞き出せと言われても困ります。あたしは岡っ引きでも差配人さんでもないんですから、何をどう水を向けたら上手に話を聞き出せるのかわかりません」

「松田屋さんにしたようにすればいいのだ」

「あれは——成り行きで」

「今度も成り行きでいいじゃないかね」

伊兵衛のひょうきんな口つきは、おちかをからかっているかのようだ。

「叔父さん、不思議な話を聞かせてくれたらお礼を払うと言い広めさせたんですね？」

「そうだよ」

おちかは平手でぱんと畳を叩《たた》いた。伊兵衛の額の身代わりである。

「迂闊《うかつ》なことをなさったものですね。お礼のお金目当てに、作り話をする人が来るかもしれませんよ」

伊兵衛はまったく動じなかった。

「作り話でも、それとわからなければ同じだろう？」

「だって——」

「作り話か真実《ほんとう》の話か、おまえには見抜けるかね？」

おちかはぐっと詰まった。伊兵衛はまたぞろ、あからさまなにやにや笑いを浮かべる。

「もしもそれと見抜けたなら、おまえの手柄だ。しかしおちか、その場合にはまだ先がある。なぜその客が作り話をしたのか、礼金が欲しかっただけなのか、そこまで見

抜けねば仕事は終わりにはならないよ」

「無理ですよ！」

おちかの抗議は聞き流された。

「それにおちか、ひとつの話がまるまる作り話のときには、まだ易しいよ。話のなかの、ある一部分が違っていたり、削られていたり、付け足されていたりすることだってあるだろう。その場合も、嘘と真実を見極めた上で、語り手がどうしてそんなことをするのか、おまえは考えてみなくてはなるまいね。そして私に教えておくれ」

ますます無理だ。難しすぎる。返す言葉を失ったおちかを置き去りに、伊兵衛はすいすい出ていってしまった。

「そうだ、茶菓子には、おまえの好物をあげるからね」

そこだけあやすような口ぶりで言って、音もたてずに障子を閉めた。おちかはしばらくそちらを睨《にら》みつけ、それから思いっきり舌を出して、あかんべえをしてやった。

八ツの鐘と共に、八十助の案内で黒白の間を訪れたのは、おちかより十ほど年長の、すらりとした美しい女だった。はっと人目を惹《ひ》く白い首筋に、太い格子柄の着物と濃い半襟が映えている。

伊兵衛が言っていたとおり、おちかが支度をしているあいだに、黒白の間には小さ

な火鉢と鉄瓶、茶道具の一式と、二種類《ふた》の茶菓子を収めた塗りの器が用意されていた。庭の曼珠沙華《まんじゅしゃげ》が散ると秋は急に足どりを速め、朝晩には爪先《つまさき》に冷えを強く感じるようになったこのごろだから、小さくとも火鉢の温《ぬく》もりは、秋の風を背に三島屋を訪れる客には、もてなしのひとつになるかもしれない。

客を連れてきた八十助は、不得要領を字で書いて貼り付けたような顔をしていたが、連れられてきた美しい客も、見るからに落ち着かない様子だった。座敷のなかを目でついばむようにそわそわと見回しながら、髷《まげ》に手をやったり襟元を直したりしている。

わずかな距離を隔てておちかと向き合うと、かの女はすぐ切り出した。「口入屋の灯庵さんからの口利きで伺ったんでございますが」

はい、とうなずいて、おちかは先を促した。間近に見ると、そして声を聞くと、自分より十ほど年長だという最初の読みは外れていたようだ。むしろお民叔母《おば》さんの方に近いくらいのお歳《とし》かもしれない。

そういえば、実家《さと》の母がよく、声にはその人の歳が出ると言っていた。思い出して、きゅっと懐かしくなった。

無論、とても美しい女《ひと》であることに間違いはない。髪は豊かで、黒々とした艶《つや》を湛《たた》えている。白髪のひと筋も見当たらない。涼やかな目元にすっきりとした鼻筋。くちびるの形は、人形師の手になるもののようだ。派手な格子柄を粋《いき》に着こなしていることと、島田くずしの髷と、それを飾る鼈甲《べっこう》の櫛《くし》の豪華な細工に、粋筋《いきすじ》の匂いが漂う。

「こちら様ではご主人が粋人《すいじん》で、何ですか新しい趣向の催しをなさるというお話は、本当なんでございましょうかしら」

不安そうというよりは、何かしら秤《はかり》にかけているような尋ね方だった。

おちかは大急ぎで考えた。伊兵衛からは何の助言もなかった。つまり、来客とのこうした初《しょ》っ端《ぱな》のやりとりをどう捌《さば》くかということから、おちかに任された仕事なのだ。

「灯庵さんは、どのような趣向の催しだと言っていましたでしょうか」

おちかの丁寧な問い返しに、女はちらと眉《まゆ》を動かし、白い歯を見せた。眉を抜かず、鉄漿《おはぐろ》もないこの女は人妻ではない。

「今風の……百物語をお望みだとか」

〝百物語〟のところは、くちびるの形でそれと読み取れるほどゆっくり、はっきりと発音した。

「いえね、その昔は流行《はや》った趣向なんでございましょ？　百人がひとところに集まって、一人ひとつずつ不思議な話をして、ひとつ終えたら百本の蠟燭《ろうそく》をひとつ消して、全部語り終えるとお化けが出るとかいうじゃありませんか。お嬢さんもご存じでしょう」

こちらの顔を覗《のぞ》き込むように、女は身を乗り出した。

「はい、話に聞いたことはございます」

「昔の人は優雅だったんですねぇ。今日日《きょうび》、あたしら誰もそんな暇なんてありゃしない。お大尽様が商人ばっかりになって、お大尽様になっても忙しがってるから、世の中もみんな、末の方まで忙しいんでしょう」

のっけから打ち解けた、気さくな口ぶりである。そこにひょいと手振りが交じる。飲み屋か茶屋にでもいるかのようだ。

「だもんでね、こちら三島屋さんのご主人は、百人いっぺんに集めるなんて悠長なことはやってられないけど、一度に一人ならいいだろうってね、不思議なお話の聞き集めをなさろうって思い立ったんだって聞きました。それで、聞き役は三島屋のお嬢さんだって、ね」

にっこりとおちかに笑いかける。おちかは微笑んでうなずいた。

「花嫁修業にしちゃ、変わったなさりようですわねぇ。ご苦労様でございます」

ぺこりと頭を下げられて、とうとうおちかは本気で笑顔になってしまった。

「お気遣いありがとうございます。当家の主人は吝嗇者《けちもの》でございますので、ひと晩に百本の蠟燭を費やして、蠟燭問屋を儲《もう》けさせるのが我慢ならなかったのでございましょう」

美しい女も笑った。「あらまあ、面白いお嬢さんだこと」

いただきますと、おちかの出した茶で軽く口を湿すと、ふと眼差《まなざ》しを泳がせて考えた。それから言った。

「あたしの持って参りましたお話は、この新しい趣向の百物語の始まりになるんでございましょうね。それにふさわしいかどうかはわかりませんが、まあ、あまり突飛《とっぴ》ではないということで、据わりがいいかもしれません」

お化け屋敷の話でございますからね——と、美しい女は切り出した。

二

女の名は、たかといった。但しこれには、

「そう名乗らせていただきます」

ということわりがついていた。松田屋藤兵衛——藤吉のときと同じである。

「これからお話ししますのは、あたしがまだおぼこ娘のころの出来事でございますよ。とはいっても、お話そのものが始まったのは、もっとう〜んと子供のころなんですけれどもね」

少し間を置いて、語り出しの言葉を思案しているらしい婀娜《あだ》っぽい横顔を、おちかは姿勢を正して見つめていた。

おたかの家は、父母と四人兄弟姉妹《きょうだい》の六人家族であった。おたかの上に兄の蓑吉《みのきち》、姉のおみつ、おたかがいて、弟が春吉《はるきち》である。

父の辰二郎《たつじろう》は錠前直しを生業《なりわい》としていた。店《たな》持ちではなく、道具箱を担いでの行商である。錠前の取り付け、取り外し、修繕が主《おも》な商いだが、持ち主が鍵《かぎ》を失くしてしまった錠前を開けたり、合鍵を作ったりすることもあった。

細かな手作業であると同時に、他人《ひと》様の家に入り込み、場合によってはその家の他聞を憚《はばか》る事情や懐具合まで推察することができるような立場に身を置く商売だから、がさつな者には勤まらない。口が軽い者もいけない。辰二郎は実直な人柄で、腕もよく、しかも近所の人たちから、

「辰さんは、手前《てめえ》の口にも錠前をかけてる」

と評されるほど口数の少ない男だったから、この稼業にはうってつけだった。

一家は、日本橋北の小舟町《こぶなちょう》の長屋に住んでいた。もろもろの問屋の多いところなので、女房のおさんは傘を張ったり線香を包んだり足袋《たび》を縫ったり、さまざまな内職に励んだ。子供たちもそれをよく助け、姉のおみつは物心つくと、近隣のお店へ子守奉公にも出た。気の優しいおみつは赤ん坊の世話が上手《うま》く、そうした評判はすぐに広まる。おかげで、どこかのお店で子宝に恵まれると、気のきく世話焼きがおみつに声を

かけてくれて、おみつはそこへ赤子を背負いに行くのである。もらえるのは駄賃程度のおあしだが、それでも有り難い。

一方で兄の蓑吉は、十になるやならずから父親の仕事を習い始めた。こちらもなかなか筋がよかった。けっして豊かな暮らしではないが、ひもじい思いをせず、火事に焼け出されることも、誰かが病で苦しめられることもなかった。まずは幸せな暮らしが続いていた。

こうして、ある年の冬の初めのことである。

辰二郎は足まめな男でもあり、陽のあるうちは、いつも、よほど遠くまでもよく歩き回った。遅く帰ってきた父親が、湯漬けをかきこみながら、何でもないように、今日はどこどこを回ってきたとだけぼそりと語り、それがすぐには場所の見当もつかないほど離れた町筋で、子供たちが大いに驚く——というのは、この家ではまったく珍しいことではなかった。

ところが、その日に限っては、おさんも子供たちも別のことで驚かされることになった。明かりが要るほどとっぷりと夜が更けてからようよう戻った辰二郎が、いきなり、皆に話があると切り出したのだ。末の春吉などもう寝ているのを、わざわざ起こせという。

「いったい何事なんですよ。それでなくたって帰りが遅いから心配してたのに」

いささかおかんむりのおさんに、飯はいいからと言って、辰二郎は狭い長屋のひと間のなかで正座した。何かひどく思い詰めたような顔をしている。

自然と、おさんと子供たちもあらたまる。寝ぼけ眼の春吉は母の膝《ひざ》に乗り、おみつとおたかはその脇で寄り添った。姉妹は年子で、十三と十二だ。長兄の蓑吉は十五歳、近頃では錠前屋の仕事の手順もずいぶんと呑《の》み込んで、年明けからは辰二郎の行商についていて歩こうかというくらいになっていた。長男としての自覚もでてきたものか、彼はいつもと様子の違う父と、不安げな母のあいだを取り持つようにして座った。

辰二郎は話し始めた。

「おまえたちも覚えてねぇかな。先に、雲がひとっかけもないくらいきれいに晴れ上がってさ、朝から気持ちのいい日和があったろう？　そら、俺が〝升屋《ますや》〟という菓子屋の大福餅《もち》を持って帰った日だ」

長屋暮らしに甘い菓子はぜいたく品だ。その言葉で、皆はすぐに思い出した。

「ああ、あれ。おいしかったよ！」

おみつが飛びつくように言う。おさんもうなずいた。「気前のいいお土産だと思ったもんだけど、あの日は実入りがよかったからって、あんた言ってたよね」

「それが実は、そうじゃねぇんだ」辰二郎はかしこまる。「〝升屋〟ってのは立派な御用菓子どころで、もちろんお店の看板にそんなことが書いてあるわけじゃねぇが、構えからして、俺みたいな行商人風情が気楽に入っていかれるような店じゃねぇ。あの大福餅はもらいものだった」

「もらいもの？」

「うん。子供たちにおやりなさいって、いただいたんだよ」

菓子の升屋は小石川《こいしかわ》の安藤坂《あんどうざか》の近くにあるという。

「お屋敷の多いあたりだから、俺も今まで流して歩いたことがないわけじゃない。でも、いっぺんも御用の声をかけられたことはなかった。お客がついたためしがねぇ。だから、あのへんには縁がないんだろうと思っていたんだが――」

あの日の八ツを過ぎたころ、町筋をゆっくりと歩いてゆくと、昌林院《しょうりんいん》というお寺の先の生け垣のところに、着物が掛けてあるのに出くわした。目にも鮮やかな朱色の振袖《ふりそで》で、銀糸がきらきらと陽を弾《はじ》く。

思わず目を惹《ひ》かれて近づいてゆくと、生け垣の内には立派なお屋敷があった。板塀ではないし門がないからお武家様の家ではなかろうが、ぐるりと首をめぐらせなければ見渡せないほどの大きな家と広い庭だ。葺《ふ》き替えたばかりらしい整然とした瓦屋根《かわらやね》を半ば隠すほどに枝を張り伸ばした松の木立の間から、ちらりと白壁の土蔵が見える。

「お庭で虫干しをしていたんだ」

庭の立ち木という立ち木に、色とりどりの着物と帯が掛けてある。生け垣の上の振袖は、風にあおられて飛んでしまっていたのだ。

「ずいぶんと無造作なやりようだとは思ったよ。掛けてある着物も帯も、値の張るものだとひと目でわかる品ばかりだった」

道端にも、屋敷の庭にも人の姿は見当たらなかった。辰二郎は大きな声で、屋敷の方に向かって呼びかけた。ごめんくださいまし、錠前屋でございます。錠前の御用はございませんか——

行商の錠前屋には、虫干しをしている家を見逃すなという鉄則がある。虫干しをするほどの物持ちならば、蔵だの金庫だの、錠前の必要があることが多いからだ。

二度三度と呼ばわると、土蔵の白壁の方でちらちらと人が動いた。やがて、赤い襷《たすき》掛けの女中が木立の陰から顔を覗《のぞ》かせ、こちらに近づいてきた。

辰二郎は一礼し、生け垣に引っかかった振袖を丁寧に取り上げた。

「枝から落ちたようでございますよって、女中さんに返したんだ。ちょうどおまえぐらいの歳の人だった」と、辰二郎は女房に言った。

「そしたらその女中が、あんた錠前屋さんなら、ちょうどいいところに来たっていうんだよ。俺は正直、胸のなかでホクホクしていた。今まであたりのなかった道筋で、初めて引きが来たと思ったら、たいそうな家だ。女中の立ち居振る舞いの感じで、お武家じゃなくて商人の家だとはっきりわかった。商人でこの屋敷なら、こりゃ相当の金持ちだ」

辰二郎は女中の案内で、屋敷の横手から庭の内に入った。土蔵のある場所のそばに、奉公人たちが出入りに使うらしい木戸があったのだ。

土蔵のそばには、ほかにも女中が数人と、年配の男が一人立っていた。どうやら女中たちの束ね役らしい。家守《いえもり》か番頭だろう。

思ったとおり、赤い襷の女中は彼に、番頭さんと呼びかけた。小腰をかがめて挨拶《あいさつ》する辰二郎をさして、

「錠前屋さんですよ。やっぱり本当に、勝手に呼ばれて来ましたね」

土蔵の観音開きの扉は開け放ってあり、その厚さは優に辰二郎の掌《てのひら》の幅ほどあった。真っ白な漆喰《しっくい》が目に沁《し》みる。

番頭の男は扉のすぐそばに立っていた。だから漆喰の色が映っているのだろう。顔色が白く、血の気が抜けたように見える。しかも、ごま塩を通り越してほとんど銀髪のような白髪頭だったからなおさらだ。

その番頭の表情が、かすかに歪《ゆが》んだ。余計なことを言う——と、女中の言葉を咎《とが》めたように、辰二郎は感じた。

確かに、妙な言いようではある。勝手に呼ばれて来ましたね。誰が辰二郎を呼んだというのだろう。

ままよ、深くそう考えるほどのことでもない。肩の上の道具箱を軽く担ぎ直し、御用がございましたら承りますと、愛想よく売り込んだ。こちらのお蔵の錠前でございますか、ほかにも修繕などございましたらどうぞご用命くださいと口上を述べる。番頭の男は、こちらも渋い色合いの（たぶん紬《つむぎ》の裁ち落としだろう）襷を掛けて、痩《や》せた腕を剝《む》き出しにしていたが、その腕を身を守るようにしっかりと胸の前で組んでいる。

何か思案しているように見えた。

それに、まわりの女中たちの様子も少しおかしい。最初の赤い襷の女中がいちばんの年長で、残りは若い娘ばかりだが、ちらちらと落ち着かない感じで目と目を合わせ、辰二郎が何気なく笑顔を向けると、つと顔をそらしてしまうのだ。

商売柄、辰二郎も剣呑《けんのん》な錠前を扱ったことなら何度もある。いちばん嫌で気詰まりなのは、何といっても座敷牢《ざしきろう》の錠前だ。どうしてこんなものが要るのか。どうしてこれほど頑丈にしなくてはならないのか。無論、辰二郎がその場に入って錠前を付けたり直したりするときは、座敷牢の主《ぬし》はそこから他所《よそ》に移されているか、あるいは、これからそこに押し込められるのを待つ身の上で、いずれにしろ錠前屋の目の届くところにはいない。

それでも、気配はわかる。座敷牢と錠前が要ると決めたその家の者たちの、気鬱《きうつ》や後ろめたさも感じ取れる。時には、バツの悪さを押し隠すために、わざとのように錠前屋に乱暴な口をきく客もいる。もっとひどいのは、さんざっぱら入り組んだ注文をつけて作り直しを繰り返させ、これならけっして誰にも開けられないな、なかの者が逃げ出すことなどできないなと、くどいほどに念を押した挙げ句に、代金をねぎる客だ。おまけに、こんな忌まわしいものに高い金を払えるかと言い捨て、唾《つば》を吐くようにおあしを投げつけられたときには、さすがの辰二郎も腹を立てた。もう二年ほど前、江戸では名の知れた呉服問屋の、別宅でのことである。誰がその座敷牢に押し込められたのか、とうとう知る機会はなかった。

ともあれ、そういう場数を踏んでいる辰二郎だから、この番頭の男と女中たちの、そわそわしているくせに沈鬱だ——という雰囲気に、今さら驚くことはなかった。

どうにも臭う。この虫干しは、ただの虫干しではなさそうだ。土蔵の中身を出して空《から》にして、代わりにそこに誰かを入れようとしているのではないか。普請直しをして座敷牢を造る手間を省き、有りものの蔵をその用に使う場合もある。

もしそうならば辛《つら》い話ではあるが、こちらは商売である。忍びないだの、可哀相だなどと仕事を選り好みしていては口が干上がってしまう。辰二郎は笑顔を崩さなかった。

と、番頭の男が腕組みを解き、肩を落として長いため息を吐き出した。そのまま足元に目を落として、

「仕方がない」と呟《つぶや》いた。これまた、何が仕方がないのかわからない。

番頭は懐から、紫色の袱紗《ふくさ》に包んだものを取り出した。恭しい手つきで開いてみせる。

古びた錠前が出てきた。横が八寸、縦が四寸ほど、横長の長四角で、四隅に押さえの金具が付けてある。それ以外の部分は、すべて木でできていた。すっかり黒ずんでいる。

「これは珍しい」

辰二郎は正直に声をあげた。金物の錠前ならいくらもあるが、木製のものは、江戸市中ではほとんど目にすることがない。辰二郎も、話に聞いたことがあるだけだった。

「ちょっと見てもらえませんかね」

番頭が、錠前を袱紗ごと辰二郎に差し出した。辰二郎は、さっき豪奢《ごうしゃ》な振袖を取り上げたときに負けず劣らず、貴重なものを扱う手つきになった。またこの大型の錠前は、ずっしりと持ち重りもするのだった。

上部に付いている取っ手のような部分を扉に引っかけ、取っ手を本体に押し込む形式になっている。開けるときには、下部に開いている鍵《かぎ》穴に鍵を差すのだ。いわゆる南京錠《なんきんじょう》である。

番頭と女中たちにぐるりを囲まれたまま、辰二郎はじっくりとこの錠前を検分した。

実にしっかりとして、狂いのない美しい作りだ。金具に銅が使ってあり、わずかに緑《ろく》青《しょう》が浮いているが、それがまた古色を添えている。

「鍵の方も木で作られているのでございましょうね」

一緒に見せてもらわなければ、錠前の動きがわからない。だから当然、そう尋ねた。が、番頭は白髪頭をゆっくりと横に振った。

「鍵はないんですよ」

「はあ」と、辰二郎は間抜けな声を出してしまった。「ございませんのですか」

女中たちは一様に下を向き、てんでに自分の履物を見ている。襷掛けの年長の女中だけが、開け放たれたままの土蔵の扉の奥、ここからでは覗くことのできない暗がりの方に目をやっていた。

「そうしますと、どうやって開けられたのです？　こちらは、このお蔵の錠前ではございませんのですか」

「いや、この蔵のですよ。ずっと扉にかかっていたんです」

「でしたらば……」

なかの着物や帯を出すためには、錠前を開けなければならなかったはずである。

辰二郎は、もう一度錠前を検《あらた》めた。壊して開けたのかと思ったからだ。が、鍵穴はきれいに開《ひら》いているし、どこかを切ったり、こじ開けたりした痕《あと》もない。

「錠前屋さん、ひとつ相談なんだがね。この錠前の鍵をこしらえてはくれないだろうか」

ちょっと目を瞠《みは》ってから、今度は間抜けな合いの手ではなく、返事のつもりで辰二郎は「はあ」と応じた。開けるだけなら、鍵なしで何とかして開けた。だが、今度この錠前を掛けるときには、鍵を持っておきたい。そういう依頼なのだ。

「ありがとうございます。ぜひともそうさせていただきたいところでございます。木の錠前というのは、金《かね》のものが出回る前の、ひと時代もふた時代も昔のものなのでございます。今日日《きょうび》、大変貴重な品でございますよ」

少しは驚いたり感心したりしてくれるかと思ったのに――せめて「ああ、そうなのか」という相槌《あいづち》ぐらいあると思ったのに、番頭も女中たちも、依然、後ろめたそうに顔を曇らせているだけである。

「ですから手前も」

商人らしく振る舞う辰二郎は、一人だけ場が読めず、取り残されているような気分になる。

「これまで扱ったことがございません。そこが悩みどころで――この場で、はいお引き受けいたしますとお返事いたしますと、とんだ安請け合いになってしまうのです」

番頭は短く、「ふん」と応じた。そして、まだ蔵の奥を見つめたままの襷《たすき》掛けの女中の視線を遮るように、片手を蔵の扉にかけて、ゆっくりと押して閉めた。

扉のそばにいた若い女中があわてて跳びのく。番頭がもう片方の扉を閉めにかかると、襷掛けの女中があわてたように進み出て、手伝った。蔵の扉はぴっちりと閉じてしまった。

「あいすみません」

小声で、女中が番頭に謝るのが聞こえた。

「そうすると、しばらく時がかかるということかね？」

番頭の問いに、辰二郎はうなずいた。

「お預かりすることになりますし、そうしてあれこれ調べてみても、手前の手には余るということになるやもしれません。それでは申し訳が立ちません」

呆《あき》れるくらい素早く、番頭は辰二郎の懸念を退けた。ぞんざいな感じでさっと手を振り、

「そんなのはかまわないんだよ。やるだけやってみてくれればいいんだ。あんたに預けよう。今日ここへ通りかかったのが何かの縁だと思って、引き受けてはくれまいか」

口調は丁寧だった。番頭であれ家守であれ、これだけの屋敷の奥を切り回す立場の者が、一介の行商人に向かってこんな慇懃《いんぎん》な口をきく必要などない。

だが、その丁寧さの後ろに、何か言うに言われぬ暗く冷ややかなものを、辰二郎は感じ取った。番頭が、どうしてもそうしなければおかしいというときしか、辰二郎の顔を真っ直ぐ見ないことも気になる。こうしていると、女中たちの顔色もおかしいとわかってくる。何だか怯《おび》えているようじゃないか。

この申し出は断った方がいい。辰二郎の勘が目を覚まし、ざわざわと胸の奥をゆさぶって、そう告げている。実際、いえそれではやはり手前の気がすみませんから——という言葉が口の端までのぼってきた。

なのに、手は自然に動いて、錠前を紫色の袱紗に包み直している。

「左様《さよう》でございますか。それでしたら、手前の方で引き受けさせていただきます」

舌が勝手にしゃべったかのようだった。

「そうかい。ありがとう。本当に助かるよ」

そう言って、番頭の顔に初めて微笑みのような緩みが浮かんだ。赤い襷の女中が、ほっと息を吐く。歳若い女中たちは、あさっての方に目をそらしたままだ。

白漆喰《しっくい》の眩《まぶ》しい土蔵は、辰二郎たちを見おろすように建っている。気がつくと、一同は蔵が落とす影のなかにすっぽり入ってしまっているのだった。

「まず預かり証をお渡しいたします。この場をお借りしてよろしいでしょうか」

「かまわないよ」

辰二郎が道具箱を降ろして蓋《ふた》を開けると、番頭は女中たちに、着物と帯を片付けるようにと命じた。女中たちは、待ってましたとばかりにさっと散った。

赤い襷の女中だけが、小走りに庭を引き返して行きながら、辰二郎を振り返った。辰二郎はその顔を見なかったが、女中が足を止めたのはわかった。

「手前がこの錠前をお預かりしているあいだ、代わりの錠前が御入用《ごにゅうよう》になりますね？」

「いや、要らないよ」番頭は迷わずすぐに答えた。「そんな心配はない。それより錠前屋さん、もうひとつ頼みがあるんだが」

あんたには女房子供があるかと訊く。おりますと辰二郎が答えると、番頭は半歩、詰め寄るように前に出た。

「じゃあ、おかみさんや子供たちには、けっしてこの錠前を見せてはいけないよ。それだけは固く約束しておくれ」

三

「それ、あたしたちのことだろ？」

おさんがきょとんと目を瞠って問い返す。膝《ひざ》の上の春吉も同じ顔をしている。

「おうさ、ほかに誰がいるっていうんだ」と、辰二郎は苦笑した。

女子供にこの錠前を見せてくれるな。辰二郎はこの頼み――というより命令を、錠前が貴重なものだからだと解釈した。珍しがって遊び半分にいじり回されてはかなわないという意味だ。

「だから、手前も職人です、勝手のわからねぇ女房やガキどもに、大事な商いの預かりものをいじらせるようなことはいたしません、とお答えした。正直、ちょっとむかっ腹が立ったが、顔に出すわけにもいかねぇ」

それでも番頭は、さらにしつこく「けっして、けっしてだよ」と念を押した。

「でまぁ、その日は錠前を引き取って、預かり証を渡して帰ることになったんだがな」

帰りしなに、さっきの赤い襷掛けの女中が木戸のところまで追いかけてきて、「子供さんたちに」と、大福餅《もち》の包みを渡してくれたのだった。遠慮する辰二郎の懐に、まだほの温かい包みを押し込むようにする。

「ごめんなさいよ、いろいろ変わった注文をつけて」

ひどく気まずそうに、そう呟《つぶや》いた。さらに加えて何か言いたそうな顔をして、背後を気にしている。庭では、あの番頭と目下の女中たちが歩き回り、虫干しした着物や帯を検めながら、ぼそぼそ話をしたりしている。

言いにくそうな女中のそぶりに、辰二郎は水を向けた。「こちらは、日頃は留守宅になすっているお屋敷ですか」

物持ち、金持ちの家ならそういうこともなくはない。が、女中は奇妙に痛そうに顔をしかめると、「人はいますよ」と、ぶっきらぼうに言った。「詮索《せんさく》はおよしなさいよ」

懐に大福と、釈然としない思いを抱えて、辰二郎は立ち去った。

その足で堀江町《ほりえちょう》へ向かうことにした。一丁目の貸家に、辰二郎の師匠である錠前職人の清六《せいろく》が住んでいる。一人娘が近くの大きな草履《ぞうり》問屋に嫁ぎ、またこの嫁ぎ先が嫁を可愛がってくれているものだから、おかげで悠々自適の隠居暮らしのできる還暦を過ぎた老人だ。連れ合いには先年先立たれ、自身は年齢から目を病んでいるのだが、親思いの娘夫婦が気の利く小女を一人つけて世話してくれているので、何ら困ったことはない。

わからないことがあったら、この師匠に相談する。それは、一本立ちの錠前職人になってからも変わらぬ辰二郎の習慣だった。昔は鬼のように怖かった清六も、隠居してからはぐっと角がとれた。辰二郎が頼ってゆくと、まだおめえはそんなことも自分でどうにかできねぇのかと口先では言うものの、顔はほころんでいる。

清六は目が弱り、日々薄闇《うすやみ》のなかにいるようなものだが、錠前職人としての腕はまったく鈍っていなかった。触っただけで、その錠前の仕組みがわかる。壊れていればそれがどこだかわかるし、直し方を教えることもできるのだ。親方は指先に眼がついていなさるんだと、辰二郎は思う。

「親方は元気にしてるんだね？」と、おさんが口を挟んだ。「あたしら、もうずいぶんとご無沙汰《ぶさた》だから」

うん——とうなずいてから、辰二郎はちょっと妙な言い回しをした。

「そのときは達者だった」

これも娘夫婦が工夫してくれた、指で触れればどの駒かわかる特別あつらえの将棋のおかげで、退屈とは無縁の日々だ。可愛い盛りの孫も、折々に遊びに来る。

「あたしがお金持ちの商人のところにお嫁に行けば、おとっつぁんにも、いずれはそういう思いをさせてあげられる」

おみつが張り切ってそう言った。本人は充分に本気である。辰二郎夫婦は笑ったが、じっと黙って父親の話を聞いていた蓑吉は、

「余計な半畳を入れるんじゃねぇ」と、ぴしゃりと叱った。「それより父ちゃん、親方は何て言った？　その錠前を見せたんだろ？」

辰二郎は生真面目《きまじめ》な長男に向き直り、ひとつうなずいてみせた。

「さっそく見てもらったよ」

木の錠前か、俺が若いころにはたくさん扱ったもんだ、懐かしいな——と呟《つぶや》きながら、清六は手のなかで錠前を転がし、撫《な》で回し、重さや形を確かめている。そのあいだに、辰二郎はすいすいと事情を語った。

と、清六がつと首をかしげた。「なあ、辰二郎。この錠前は傷んじゃいねぇか」

「傷むって——内《なか》の細工のことですか？」

辰二郎にはわからなかったが、清六には一目瞭然《りょうぜん》なのかもしれないと思ったから、そう問い返した。

「いや……」清六はしきりとまばたきをしながら辰二郎の方に目を向けた。目玉が乾きやすいのか、病む前よりまばたきが多くなった。

「手触りがおかしいからよ」

おまえは感じないか、と逆に問われた。

「どうおかしいんです？」

「ぬるぬるしやがる」

まるで腐っているかのように。

辰二郎は驚いた。この錠前は確かに古びて黒ずんでいるが、触った感じはさらりと乾き、角々はきっちりと立っている。押してへこむようなところもない。

「もういっぺん触ってみろ」

清六に錠前を返されて、辰二郎は念入りに検《あらた》めた。ぬるぬる、ぬるなどまったくしない。

「そうか。妙だな」

俺の道具箱をくれと、清六は言った。隠居しても道具箱は取ってあるし、手入れも続けている。

清六は指先で道具を選び、あれか、これかと試しながら、細い錐《きり》の先が曲がったようなものとか、先っぽに小さな輪がついているのとか、取っ替え引っ替え鍵《かぎ》穴に差しては探ってみる。

「えらく簡単な作りだなぁ」

本当にこれが蔵の錠前なのかと、清六は尋ねた。左手にあの錠前を、右手に道具をつかんで、弱った目を細めている。

「はい、間違いないですよ」

「虫干しの着物は豪勢だったと言ったな？」

「そりゃもう、金糸銀糸できらびやか――」

そのとき、清六がうっとうめいて錠前を取り落とした。右手の道具もくるりと回って膝の上に落ちる。

右手の人差し指から血が流れ出していた。

「親方！」

辰二郎は急いで手ぬぐいを取り出し、血を拭《ぬぐ》おうと清六の手に触ったが、老師匠はそれを押し返して、ふたつの眼《まなこ》の真ん前まで手を持ってきた。それから、落ちた錠前を拾い上げると、傍らに置いてあったあの紫の袱紗《ふくさ》の上に置いた。

その手つきは——何か刃のあるものを扱うかのように慎重だった。

「俺が下手をしたんじゃねぇよ」

指の血を口で吸い取り、清六は、その手を辰二郎の顔の前に差し出した。

「傷を見てみな。道具で突いたんじゃねぇ」

辰二郎は師匠の片手を恭しくつかんで、彼もまた眼をくっつけるようにして見た。

小さいがギザギザの傷口は、嚙《か》み傷のように見えた。

「こいつのせいだ」

清六は、袱紗の上の錠前を目で示した。

「いじられるのが嫌なんだろう」

辰二郎は一瞬、ぞくりとした。が、とりあえずは笑ってみた。「まさか親方、錠前は生き物じゃござんせんよ」

「いんや、生き物だ」

この台詞《せりふ》を聞くのは初めてではない。清六は前々から、ときどき戒めるような口調になっては、辰二郎にこう言い聞かせることがあった。錠前は生き物だ。命がある。

人様の思いがこもる品物には、魂が宿ることがある。

「だけど手を嚙むなんざ……犬や猫じゃあるまいし」

「そういう性悪の錠前も、たまにはいるんだ。おめぇはまだ、出合ったことがないだけだ」

これが初お目見えだなと、勢い込んでいるような、身構えているような顔になる。

「こいつをひと晩——いやふた晩、俺に預けちゃくれまいか」と、清六は言い出した。

辰二郎に否はない。もともと、彼には珍しい木の錠前で、しかも鍵がないときているから、一人ではこの後の段取りのつけようがなくて相談に寄ったのだ。

「願ってもねぇことです。でも師匠、どうなさるんで」

「なに、ちっといじって躾《しつ》けてやるまでよ」

また、相手が生き物であるかのような言い方をした。挑んでいるようでもあった。

「それと、このことは誰にもしゃべっちゃならねぇ。おさんにも子供らにも黙ってな。余計な心配をさせちゃ可哀相だ」

そういう次第で、辰二郎は家族には何も言わなかった。升屋の大福餅《もち》だけは有り難くみんなでいただいた。

「約束どおり、二日経って親方のところへ行ったんだ」

と、清六はひどく真剣な様子で、ちょうどあの錠前をいじっているところだった。素っ気なく、もう二日ほしいと言う。それきり何を訊《き》いても生返事で、辰二郎になどかまっている時間が惜しいという様子だ。

辰二郎は承知したが、親方の右手の人差し指に、まだきっちりと、細く裁った晒布《さらしぬの》が巻き付けてあることに気がついた。しかもその晒に、ちょっぴりではあるが血が滲《にじ》んでいる。

「親方、また噛まれたんですか？」

そっと尋ねてみたが、清六は顔を上げさえしなかった。仕方ないので、家の仕切りを預かる小女に、そっと尋ねてみた。

「この二日、親方はずっとあの錠前をいじっていなさるのかな？」

いつも陽気で、コマネズミのような働き者の小女は、辰二郎の問いに待ってましたとばかりにうなずいた。

「そうなんですよ。あたしがお世話をするようになってからこっち、こんなことは初めてです。ご飯も食べずに、よっぴてあの錠前をいじり回していらして」

指先の眼で見ることのできる清六には、昼も夜もない。明かりがなくても仕事はできる。それにしても少々度が過ぎる。

「昨日なんか、将棋のお誘いがあったんですけどね、それも断ってしまわれたんです」

清六には、彼が盤面と駒を触りながら将棋を指すという決まりを呑《の》んだ上で、盤上の勝負を楽しんでくれる相手が幾人もいるのだそうだ。彼らが訪れて一局申し出ると、清六は大いに喜び、いっぺんだって断ったことがなかった。風邪で熱が出ていたって、臥《ふ》せっているのをわざわざ起きようとして、客にさすがに今日はやめておけと止められたことさえあったという。

「指の傷は？　まだ血が出てたよな」

「ええ、見かけより深いみたいですね」

錠前いじりの道具は先がうんと細くなっているから、ちょっと突いただけでもそうなることはある。

「でも親方、そんなことを忘れちまうくらい夢中になっておられます」

子供のいたずらを見るように、小女は笑っている。が、そのあとで少し気になることを言い足した。

「ねえ辰二郎さん。何か臭いませんか」

辰二郎は小鼻を広げてくんくんとしてみた。

「臭うって、何がだい？」

「それじゃあたしの気のせいでしょうか。一昨日《おとつい》あたりから、どうかするとふっと鼻先をよぎるんですよ。金気臭いような、生臭いような……嫌ぁな臭いが」

辰二郎はもういっぺん盛大にくんくんとやってみたが、何も感じない。

小上がりの三畳の奥の座敷では、清六がこちらに背中を向け、首を下げ、両肩を丸めるようにしてあの錠前をいじっている。かすかに音がする――

「嫌だよ、あんた」と、ここでおさんが大きめの声を出した。「気味が悪いじゃないか。陽がくれてから、そんな話であたしらをおどかさないでおくれ」

咎《とが》められて、辰二郎も我に返った。子供らは揃って目をまん丸に、口を半開きにして彼の話に聞き入っている。春吉はおさんの膝《ひざ》の上で身をよじり、抱きつくような恰《かっ》好《こう》になっていた。おみつとおたかはぴったりと身を寄せて、手を握り合っている。

蓑吉だけが正座を崩さず、怪訝《けげん》そうな半目になっていた。

「ああ、ごめんよ。怖がらせようとしたわけじゃねぇ。ただ、この先のことを決めるには、おまえらにもひととおり知っておいてもらった方がいいと思ったんだが――」

辰二郎はごしごしとうなじをこすった。

「やっぱり、これは俺とおまえだけの話にしておくか。子供らはもう寝かせよう」

「嫌だよ」と、おみつが口を尖《とが》らせた。そうよそうよとおたかも尻馬《しりうま》に乗る。

「ここまで聞いていて、終わりがどうなるかわかんないなんて、もっと怖いよ」

うんうんと、春吉もまん丸目のままに首を振る。

「だけどなぁ……」

「父ちゃん、いいよ話してくれよ」と、蓑吉が言った。初めて、ひと膝父親の方に近寄った。「この先のことっていぅのが気になる。おいらは平気だ。おまえらもいいだろ？　父ちゃんも母ちゃんも兄ちゃんもいるんだ。何も怖いことなんかねぇよな？」

うん！　妹弟《きょうだい》たちは声を揃えた。

「そうか。うん」辰二郎は息をついた。「それでな、また二日経って、俺は親方のぅちへ行った。すると親方はいなかった――」

小女があわてて出てきて、親方は越後屋《えちごや》さんへ伺ってます、という。越後屋とは親方の娘の嫁ぎ先である。

「この前辰二郎さんが来た日の夕方に、若奥さんが坊ちゃんを連れて来られたんですよ」

親方の娘と孫である。

「お天気のいい日でしたから、どこぞへお出かけになったとかで、お土産をたんと持っていらしたんです。そのときも親方はあの錠前をいじってらして、最初は、若奥さんがお声をかけても返事もしないんです」

それでも、その場は小女も加勢してどうにかこうにか清六を錠前から引き離した。じぃじ、じぃじと懐いて可愛い孫に、清六もようよう気分が変わったらしく、娘と孫たちは、そのまま彼と一緒に夕食をとることになった。

「若奥さんも心配になったんでしょう。だって親方ときたら、この何日かでどんどん頬がこけてゆくようで」

寝ない、食べないが続いていたのだそうだ。さらにもうひとつ、気がかりがあった。

「辰二郎さん、親方の指の怪我《けが》、覚えてるでしょう?」

もちろんだ。あの錠前に嚙《か》まれたという傷である。二日経っても血が出ていた。

「あの傷が腫《は》れ始めていて――」

人差し指の先が倍ほどに膨れていたのだそうだ。清六の娘は心配して、医者に診てもらえと勧めたが、これくらいは酒で洗っておけば治ると、父親は笑い飛ばした。

「それで、若奥さんがたはお帰りになったんですけども……」

翌朝早々に、越後屋から奉公人が使いに来た。坊ちゃんが高い熱を出して寝込んでしまったというのである。

「夜中に大泣きをして目を覚まして、そのときにはもうあんかみたいに熱くなってたんだそうです。それでもう大騒ぎで」

越後屋の手配で医者が来て、昨夜食べたものがいけなかったのではないかと、調べている最中だという。それで清六にも報《しら》せにきたのだ。

「じゃ、親方も越後屋さんに?」

「──おめえは触るな。俺がやる」

辰二郎と小女の二人がかりで清六を抱き支え、彼があの錠前を取り出して、七輪の火にくべるのを見守った。

「真っ黒な煙が出て、錠前は焼けちまった」

しんとして固まっている女房子供に、辰二郎はそう語った。

「親方は、あれが炭みたいに焦げるまで焼いて、焦げたのを火箸《ひばし》で突き崩して、粉々になるまで目を離さなかったよ」

それでようやくほっとしたのか、がくりと気を失った。

「俺はそばについていた。半刻《はんとき》ほどしたら親方は正気づいてさ、俺の手にすがるようにして言うんだ」

おまえにはすまんかったが、あの錠前はもうない。本当は俺がじかに謝るのが筋だが、このとおりで動けない。だからひとっ走り錠前を預かったお屋敷に行って、これこれこうでと話して、頭を下げてきてくれ、と。

「否《いや》も応もねぇ。俺は行ったよ。行ったさ」

安藤坂のあの屋敷には、例の家守だか番頭だかの男が、赤い襷《たすき》掛けの女中と二人きりでいた。番頭は帳面のようなものを付けており、女中は庭を掃除していた。

「俺がしゃべり出すと、あの番頭さん、みなまで聞かないんだ」

だいたいのことは察しがつく、と言った。そして、とんでもないことを持ちかけてきた。

「錠前屋さん。お客からの預かりものを燃してしまったとあっちゃ、あんたも気が済むまい。だからひとつ、別の頼みを聞いちゃくれまいか」

この屋敷に住んでくれ、というのである。

辰二郎は女房と子供たちの顔を見回した。幸い、春吉はくたびれて寝入ってしまっている。

「一年だけでいい。来年の今頃、そうさな、小雪がちらつくころまでだ」

その約束を果たしてくれたなら、御礼に、あんたに百両あげよう。

四

百両という言葉を、厳かに噛み味わうように口にしてから、おたかは目を上げておちかの顔を見た。

にこり——と笑う。美人絵が急に動いて、微笑みかけられたかのようだった。

「ひょっとしたら失礼なことを伺うのかもしれませんけど、お嬢さん」

はい、と、おちかはちょっと座り直した。

「お嬢さんは、三島屋さんのご養女でいらっしゃいますのかしら」

実の娘ではないと見抜いているのだ。

「左様《さよう》でございます。わたくしは当家の主人伊兵衛の姪《めい》にあたります」

事情があって実家《さと》から離れ、今はこちらに身を寄せているのだ——ということも話そうとしたのだが、おちかが先を続けないうちに、おたかはやんわりと割り込んできた。

「ああ、やっぱり。いえいえ、それで何がどうということじゃございませんのよ。ごめんなさいましね」

深く詮索《せんさく》するつもりはないのだ、と示しているのだ。しかしおちかは不思議だった。

「ちっともかまいません。でも、なぜおわかりになるのでしょうか。わたくしが伊兵衛を、おとっつぁんと呼ばなかったからですか」

おたかは目元に皺《しわ》を寄せて楽しそうに笑う。

「しっかりしたお店《たな》のお嬢さんなら、たいていそうでございますよ。自分の両親《ふたおや》のことでも、外様に向かっては、主人、お内儀《かみ》と呼ぶもんです」

ならば、なおさら謎解きをしてほしい。

「お嬢さんが、あたしが〝百両〟と申しましたとき、たいそうびっくりなすったからでございます」

「まあ」と、おちかは口に手をあてた。それを見て、おたかはますます笑顔を広げる。

「そういうお顔をなさると、お嬢さんはとっても可愛らしいですねぇ。お雛《ひな》様が動いているようだわ。うらやましい」

からかわれているのではないようだ。おちかは照れくさかったけれど、素直に礼の言葉を述べた。

「小さいときから、三島屋さんくらいの身上《しんしょう》のおうちで育ったお嬢様なら、百両ぐらいでびっくりなすったりしませんよ。ですからあたし、こちらのお嬢さんは、三島屋さんにおいでになってから、そんなに日が経ってないんだなと思ったんですの」

世間知による眼力というものか。

「でも、百両は三島屋にとっても大金です。叔父《おじ》も叔母《おば》も、いきなり百両と言われたら、さっきのわたくしと同じように目を丸くすると思います。夫婦で、担ぎ売りからようようここまでにしたお店ですから」

「あら、じゃあ試してごらんなさいまし」

驚いたりなさいませんよと、おたかは優しい言葉つきながら、きっぱりと言った。

「商人がお金を動かす裁量は、お店の構えで決まるものじゃありません。家柄の古い新しいも、たいして関わりはございませんよ」

「では、その裁量は何で決まるのでしょう」

「勢いで決まるんです」

三島屋はずっと上り調子で、今もその勢いが止まらない。だから、

「昔はいざ知らず、今のあなたの叔父様は、あなたがだいたいこのぐらいだろうなと思うより、倍も三倍もの大きなお金を、商いで動かしていらっしゃるはずですよ」

おたかはそう言って、まあ、こんなのは余計なお話ですけれどと、冷めてしまった茶に手を伸ばす。おちかはあわてて急須《きゅうす》を引き寄せた。すっかり話に引き込まれ、もてなしの方を忘れ切っていた。

「ずっと話し続けて喉《のど》が渇かれたでしょう。ひと息入れてくださいませ」

「それじゃ中入りで、少しお嬢さんにも助《す》けていただきましょう。薄気味悪い土蔵に、何とも不吉な錠前のかかっていたその屋敷に、百両と引き替えに、あたしたち一家は移り住んだと思われますか？」

おちかは迷わず、うなずいた。

「そんな話を聞いて素通りするなんて、とてもできない相談でしょう」

「なにやら曰《いわ》くありげなお屋敷でございますのよ。それでも、あたしの父と母は小さな子供らを連れて移り住んでいいと決めたとおっしゃいますの？」

「それは……いろいろ悩んだとは思いますけれど」

でも、報酬は百両だ。それがこの話のもっとも忌まわしい匂いのする箇所ではない

のか。

おたかはつと顔を伏せ、自分の手元を見た。

「あたしの父は、最初《はな》からこの話に乗り気でございました」

謎めいた錠前の引き起こした不気味な出来事に直《じか》に遭遇したのは、その時点では辰二郎一人である。その彼がいちばんその気になっていた。

「百両の威力でございますよ」と、おたかは続ける。「一年、ほんの一年だ。それだけ我慢すれば、百両が転がり込んでくる。みんなもっといい暮らしができる」

何より、辰二郎夫婦は念願の店を持つことができる。

「母は、真っ向から反対いたしました」

夫を説きつけるのに、おさんはこう言ったという。

――あんた、肝心なのは百両の重みだよ。あたしらにとっての百両じゃない。先様《さきさま》にとっての百両の重みだ。

「それは、先様にとってのあたしたち一家の命の値段でもあると申しましてね」

清六と彼の孫の身に起こったことを考えれば、例の屋敷には、きっとそこに住む者の命を危うくするような何かが待っているのだろう。家守だか番頭だかを務める男は、それをふまえて百両と値踏みしているのだ。

「屋敷に住めば、必ずひどいことになる。可哀相だから百両くれてやろう、たいした

「はい。行ったきりなんです」

小女は身を揉《も》むようにして案じている。辰二郎は留守番を頼んで自分も越後屋に走った。

着いてみると、間の悪いことに清六はさっき家に帰ったと奉公人が言う。とって返す前に、辰二郎は坊ちゃんの容態を訊いた。

「さっぱり熱が下がらなくて、ずっと譫言《うわごと》を言ってばかりです」

大の男の奉公人が、半べそをかいている。

「怖い、怖いよぉ、あっちへやってよ——そう言って、手でそらを掻《か》いて、なんかこう、追っ払うような仕草をなさるんですよ。まったく、どんな病にとっつかまっちまったんでしょう」

辰二郎の背中に悪寒が走った。それと共に思い出した。あの屋敷の家守だか番頭だかの男が、こちらを見据えるようにして言ったことを。あんたの女房子供に、この錠前を見せてはいけない。

「越後屋の坊ちゃんが、錠前を見たかどうかはわからねぇ」

その女房子供を前に語りながら、いつの間にか辰二郎の額には冷たい汗が浮いていた。

「けども、親方と一緒に夕飯を食うあいだ、錠前とひとつ場所にいたことは違いねぇ。

ひょっとしたら目に入ったかもしれねぇ」

「だって袱紗《ふくさ》に包んであったんだろう？」

蓑吉の問いに、おさんが言った。「小さい子供は、何でもひょいと触ったりいじったりしてみるもんだからね。わからないよ」

清六の家に駆け戻ると、彼は小女に支えられるようにして立っていた。やっと厠《かわや》に行って戻ってきたところだという。

「親方も具合が悪いんですか？」

尋ねておいて、自分のその問いかけを追うように、辰二郎はあっと叫んだ。

「親方の右手が、ぱんぱんに腫れ上がってるんだよ」

医者の手当てを受けたのだろう、きっちりと晒布《さらしぬの》が巻き付けてある。その下から油紙がはみ出していた。

清六の顔からは血の気が失《う》せていた。それでいて頬のあたりは青黒くむくんでいる。

小女が床を延べている。辰二郎は清六を抱きかかえ、寝かしつけようとしたが、清六はいやいやをして彼を押しのけた。

「それより、七輪に火を熾《おこ》してくれ。早く早く、かんかんに熾すんだ」

とっさに、辰二郎は親方が何をしようとしているのか悟った。だから手早く言われたとおりにした。ついでに紫の袱紗も取ってこようとしたが、

「──おめえは触るな。俺がやる」

辰二郎と小女の二人がかりで清六を抱き支え、彼があの錠前を取り出して、七輪の火にくべるのを見守った。

「真っ黒な煙が出て、錠前は焼けちまった」

しんとして固まっている女房子供に、辰二郎はそう語った。

「親方は、あれが炭みたいに焦げるまで焼いて、焦げたのを火箸《ひばし》で突き崩して、粉々になるまで目を離さなかったよ」

それでようやくほっとしたのか、がくりと気を失った。

「俺はそばについていた。半刻《はんとき》ほどしたら親方は正気づいてさ、俺の手にすがるようにして言うんだ」

おまえにはすまんかったが、あの錠前はもうない。本当は俺がじかに謝るのが筋だが、このとおりで動けない。だからひとっ走り錠前を預かったお屋敷に行って、これこれこうでと話して、頭を下げてきてくれ、と。

「否《いや》も応もねぇ。俺は行ったよ。行ったさ」

安藤坂のあの屋敷には、例の家守だか番頭だかの男が、赤い襷《たすき》掛けの女中と二人きりでいた。番頭は帳面のようなものを付けており、女中は庭を掃除していた。

「俺がしゃべり出すと、あの番頭さん、みなまで聞かないんだ」

だいたいのことは察しがつく、と言った。そして、とんでもないことを持ちかけてきた。

「錠前屋さん。お客からの預かりものを燃してしまったとあっちゃ、あんたも気が済むまい。だからひとつ、別の頼みを聞いちゃくれまいか」

この屋敷に住んでくれ、というのである。

辰二郎は女房と子供たちの顔を見回した。幸い、春吉はくたびれて寝入ってしまっている。

「一年だけでいい。来年の今頃、そうさな、小雪がちらつくころまでだ」

その約束を果たしてくれたなら、御礼に、あんたに百両あげよう。

四

百両という言葉を、厳かに噛み味わうように口にしてから、おたかは目を上げておちかの顔を見た。

にこり――と笑う。美人絵が急に動いて、微笑みかけられたかのようだった。

「ひょっとしたら失礼なことを伺うのかもしれませんけど、お嬢さん」

はい、と、おちかはちょっと座り直した。

「お嬢さんは、三島屋さんのご養女でいらっしゃいますのかしら」

　実の娘ではないと見抜いているのだ。

「左様《さよう》でございます。わたくしは当家の主人伊兵衛の姪《めい》にあたります」

　事情があって実家《さと》から離れ、今はこちらに身を寄せているのだ――ということも話そうとしたのだが、おちかが先を続けないうちに、おたかはやんわりと割り込んできた。

「ああ、やっぱり。いえいえ、それで何がどうということじゃございませんのよ。ごめんなさいましね」

　深く詮索《せんさく》するつもりはないのだ、と示しているのだ。しかしおちかは不思議だった。

「ちっともかまいません。でも、なぜおわかりになるのでしょうか。わたくしが伊兵衛を、おとっつぁんと呼ばなかったからですか」

　おたかは目元に皺《しわ》を寄せて楽しそうに笑う。

「しっかりしたお店《たな》のお嬢さんなら、たいていそうでございますよ。自分の両親《ふたおや》のことでも、外様に向かっては、主人、お内儀《かみ》と呼ぶもんです」

　ならば、なおさら謎解きをしてほしい。

「お嬢さんが、あたしが〝百両〟と申しましたとき、たいそうびっくりなすったからでございます」

「まあ」と、おちかは口に手をあてた。それを見て、おたかはますます笑顔を広げる。

「そういうお顔をなさると、お嬢さんはとっても可愛らしいですねぇ。お雛《ひな》様が動いているようだわ。うらやましい」

からかわれているのではないようだ。おちかは照れくさかったけれど、素直に礼の言葉を述べた。

「小さいときから、三島屋さんくらいの身上《しんしょう》のおうちで育ったお嬢様なら、百両ぐらいでびっくりなすったりしませんよ。ですからあたし、こちらのお嬢さんは、三島屋さんにおいでになってから、そんなに日が経ってないんだなと思ったんですの」

世間知による眼力というものか。

「でも、百両は三島屋にとっても大金です。叔父《おじ》も叔母《おば》も、いきなり百両と言われたら、さっきのわたくしと同じように目を丸くすると思います。夫婦で、担ぎ売りからようようここまでにしたお店ですから」

「あら、じゃあ試してごらんなさいまし」

驚いたりなさいませんよと、おたかは優しい言葉つきながら、きっぱりと言った。

「商人がお金を動かす裁量は、お店の構えで決まるものじゃありません。家柄の古い新しいも、たいして関わりはございませんよ」

「では、その裁量は何で決まるのでしょう」

「勢いで決まるんです」

三島屋はずっと上り調子で、今もその勢いが止まらない。だから、

「昔はいざ知らず、今のあなたの叔父様は、あなたがだいたいこのぐらいだろうなと思うより、倍も三倍もの大きなお金を、商いで動かしていらっしゃるはずですよ」

おたかはそう言って、まあ、こんなのは余計なお話ですけれどと、冷めてしまった茶に手を伸ばす。おちかはあわてて急須《きゅうす》を引き寄せた。すっかり話に引き込まれ、もてなしの方を忘れ切っていた。

「ずっと話し続けて喉《のど》が渇かれたでしょう。ひと息入れてくださいませ」

「それじゃ中入りで、少しお嬢さんにも助《す》けていただきましょう。薄気味悪い土蔵に、何とも不吉な錠前のかかっていたその屋敷に、百両と引き替えに、あたしたち一家は移り住んだと思われますか？」

おちかは迷わず、うなずいた。

「そんな話を聞いて素通りするなんて、とてもできない相談でしょう」

「なにやら曰《いわ》くありげなお屋敷でございますのよ。それでも、あたしの父と母は小さな子供らを連れて移り住んでいいと決めたとおっしゃいますの？」

「それは……いろいろ悩んだとは思いますけれど」

でも、報酬は百両だ。それがこの話のもっとも忌まわしい匂いのする箇所ではない

のか。

おたかはつと顔を伏せ、自分の手元を見た。

「あたしの父は、最初《はな》からこの話に乗り気でございました」

謎めいた錠前の引き起こした不気味な出来事に直《じか》に遭遇したのは、その時点では辰二郎一人である。その彼がいちばんその気になっていた。

「百両の威力でございますよ」と、おたかは続ける。「一年、ほんの一年だ。それだけ我慢すれば、百両が転がり込んでくる。みんなもっといい暮らしができる」

何より、辰二郎夫婦は念願の店を持つことができる。

「母は、真っ向から反対いたしました」

夫を説きつけるのに、おさんはこう言ったという。

——あんた、肝心なのは百両の重みだよ。あたしらにとっての百両じゃない。先様《さきさま》にとっての百両の重みだ。

「それは、先様にとってのあたしたち一家の命の値段でもあると申しましてね」

清六と彼の孫の身に起こったことを考えれば、例の屋敷には、きっとそこに住む者の命を危うくするような何かが待っているのだろう。家守だか番頭だかを務める男は、それをふまえて百両と値踏みしているのだ。

「屋敷に住めば、必ずひどいことになる。可哀相だから百両くれてやろう、たいした費えじゃないと思っているのか。それとも、百両は高いが、それだけ出してもあたしたちを身代わりに立てたいと思っているのか。どっちなんだかよく考えてごらんよ。母はそう申しました」

おちかは素朴に感じ入った。「あなたのお母さんは、賢い人ですね」

「ありがとうございます」

おたかは優美にするりと頭を下げた。

「ですけどね、お嬢さん。女の——とりわけ女房の賢いのは、ただそれだけじゃ持ち腐れなんですよ。それを生かすも殺すも、相方《あいかた》の亭主の賢さ次第でございますからね」

辰二郎には、おさんが言うことの意味がわからなかった。百両は、右から見ても左から見ても百両だ。重さに変わりがあるもんか。おめえは百両、ほしくはねぇのか。

「さっき、あたしがお嬢さんに失礼なことをお尋ねしてまで、百両と聞いて驚くかどうかなんて話をいたしましたのは、このことがあったからでございます」

夫婦のうちでは、商人はおさんの方だった。辰二郎はどこまでも職人であったのだ。真の商人は、金のやりとりを決めるとき、相手にとっての価値を先に考えて駆け引きをする。自分がどう思うか、どれほど利益を得るかということは二の次だ。が、辰二郎はそういう秤《はかり》を持ち合わせていなかった。

「いくら話し合っても噛《か》み合わなくて、母も焦《じ》れてしまいましてね。お見舞いがてらに親方のところへこの話を持っていって、どうしたらいいか聞いてこいと申しました」

女房に叱られて、辰二郎はしおしおと出かけていった。清六があの錠前を焼いてから、四日後のことだった。

清六の手の腫《は》れはほとんど引いていた。越後屋の孫息子も、熱が下がって嘘のように元気になっているという。辰二郎は安堵《あんど》して、相談事を切り出すことができた。

清六はいい顔をしなかった。胡乱《うろん》な話だと、辰二郎を叱った。が、

「止めても無駄だろう。おめえはもうすっかりその気になっちまってる」

諦《あきら》めたようにそう嘆いて、ただし、子供らは俺に預けて行けと言った。一緒に移り住んではいけない。

「内心では不安に思っていた父は、その案に飛びつきました。すぐ安藤坂の屋敷に馳《は》せ参じましてね」

その日は番頭が一人だけでいた。女中たちは姿を消していた。番頭は所在なげで、暇を持て余しているように見えたという。

屋敷の様子に、おかしなものは感じられなかった。もっともその日は、土蔵には近づかなかったのだけれど。空き家らしく荒れて寂しい風情の漂う座敷や廊下は、きれ

いに拭《ふ》き清められ、雨戸もほとんどが開け放たれて、そこここに初冬のやわらかな陽がさしかけている。

辰二郎が、わたしら夫婦二人だけで移り住みますと言うと、番頭は、さも不愉快そうに顔をしかめた。

「それじゃ話が違う」

辰二郎は大いに困惑した。この家守だか番頭だかを務める男は、冷たく意地悪な人柄には見えない。現にあの錠前を辰二郎に託すときには、女子供を近づけるなと忠告してくれた。なのに今は、曰くありげなこの屋敷から子供らを遠ざけようという提案を、怒ったような顔をして頭から蹴《け》り飛ばす。

「子供らもみんな連れておいで。でないと、百両は払えないよ」

辰二郎もさすがに不審を覚え、清六と孫息子の身に何が起きたかということまでくまなく話した上で、理由を問いただした。先《せん》とはお話の筋が違うように思います。いったい、このお屋敷には何がございますんですか。

何もないと、番頭は言った。

「障りがあるのは、あの錠前だったんだ。お屋敷にも土蔵にも何もない。錠前が焼けて消えてしまったからには、ここには何の怪しいことも残ってはいない」

ならばなぜ、辰二郎たちに百両払ってまで一年住めというのだ？

「そりゃ、何もないことを確かめたいからだよ。念のためさ。あんたらには、その労賃を払おうというんだ。百両で不足があるとは思えないがね」

いいんだよ、あんたが断るというのなら、ほかをあたるまでだ。辰二郎の鼻先に百両をぶらさげて、それをひょいひょいと揺するような言いようである。

今度こそ辰二郎は釣り上げられてしまった。ただ「いい話」だと思っているうちはまだ余裕がある。「飛びついて握りしめないと、たちまち他所《よそ》へ逃げてしまういい話」となると、余裕も思案も吹き飛んでしまう。

辰二郎は意固地な顔つきになって長屋に帰ってきた。

「母はたいそうがっかりしていました。でもねぇ……父はもう、百両に目がくらんでおりましてね。何が何でもあたしらを連れて安藤坂の屋敷に行くんだと言い張るばかり。もう、相談も話し合いもあったもんじゃありませんでしたよ」

結局、辰二郎一家は早々に荷物をまとめて安藤坂の屋敷に引っ越すことになった。

「みんなで大八車を押しましてね。長い道のりでした」

そう言って、おたかはゆるゆるとため息を吐き出した。眉根《まゆね》をかすかに寄せている。が、表情からは、そこから先にはどんな恐ろしい成り行きが控えているのか——と、おちかを身構えさせるような色は浮かんでいなかった。

それが不思議に思われて、おちかは口を開いた。いわば、声に出して考えるために。

「辰二郎さんが最初に安藤坂のお屋敷を訪れたとき、出てきた女中さんは、〝錠前屋が呼ばれて来た〟というようなことを言ったのですよね」

おたかはうなずいて、ふっと目を細める。

「それを、番頭の男は咎《とが》めたんです」

「他聞をはばかることだったのですね」

だからこそ、洒落《しゃれ》ではなしに、そこに鍵《かぎ》がありそうではないかと思えてくる。

「怪しい錠前は、土蔵にかかっていた――」

きらびやかな衣装を納めた蔵である。

「そもそも、鍵のない錠前が、どうして開いたのでございましょう。番頭さんたちは、どうやって開けたのでしょう」

錠前は壊れてはいなかったのだ。

「あたしは存じません。父も、番頭の男から教えてはもらえなかったのじゃないかと思います。聞いていたなら、あたしたちにも話してくれたでしょうからね」

おちかは短くうなずいた。そして言った。

「その錠前は、勝手に開いたのではないでしょうか」

ひとりでに。

「どういう曰《いわ》くや理由があるかはさて置いて、時が来ると――あるいは錠前の気が向くと、勝手に開くことがあったのではないでしょうか。そういう錠前だったのですよ」

おたかはさらに、ぎりぎりまで目を細め、熱心におちかの方に半身を傾けている。

「ですが、それはお屋敷の方々にとって嬉《うれ》しいことではなかった。できれば、少しでも早く、錠前を元のようにかけてしまいたかった。つまり錠前を閉じるということです。だから辰二郎さんに、鍵をこしらえてくれと頼んだのです」

「だったら、〝錠前屋が呼ばれて来た〟という言い回しはおかしくありませんかしら。お屋敷の方たちが〝錠前屋を呼んだ〟というのならわかりますけどね」

おたかは、反論というより、おちかの考えの先を聞きたくて問いかけているようだった。それに励まされ、おちかは続けた。

「もちろん、番頭さんたちも錠前屋を呼びたかったんでしょう。でも、そうする前に錠前屋の方からやって来た。それを〝呼ばれた〟と言うならば、意味合いはひとつしかありません」

錠前そのものが、錠前屋を呼んだのだ。

「なぜかしら」

さらにおちかを鼓舞するように、おたかは疑問をぶつけてくる。

「錠前は勝手に開いたのでしょう？　手前《てめえ》が開きたいと思ったからサ。だったら、手前の意思に背いて鍵をかけられるのは嫌なはずでございますよ。なのに何で、鍵をこしらえてもらうために錠前屋を呼ぶんです？」

「でも、鍵は作れませんでした」

触れただけで、清六は手を腫らした。錠前がぬるぬるしていると気味悪がった。

おたかは言う。「作れないなら、錠前が錠前屋を呼んだって仕方がありませんわよね」

「ごめんなさい。確かに、つじつまがあいませんね」

おちかは、今度は口をつぐんで懸命に考えた。さっきのおたかと同じように、眉間《みけん》に皺《しわ》が浮いている。

はっとして、顔を上げた。「清六さんがその錠前を焼いてしまったあと、土蔵はどうなったのでしょう？　別の錠前をつけてくれと、家守だか番頭だか正体のわからないその男は、辰二郎さんに頼みませんでしたか？」

なぜかしら、おたかはとても満足げな笑顔になった。今にもくつくつ笑いそうだ。

「それがね、頼まれなかったんですの」

辰二郎一家が住んでいた一年間、安藤坂の屋敷の土蔵には、錠前がかかっていなかった。

「かけなくていいと、番頭さんに言われたんです」

ほかの何よりも土蔵のことが気になったらしいおさんは、真っ先にそこへ足を向けたのだ。そして土蔵に錠前がないことを見て取り、不用心だと番頭に告げた。なにしろ、見るからに高価《たか》そうな衣装でいっぱいなのだ。

「だけど錠前は必要ないって、番頭さんは言うんです。放っておいてかまわないってね」

おさんと子供たちが番頭と顔を合わせたのは、その日が初めてのことだった。これという特徴もない、どこにでもいそうなお店者《たなもの》に見えたという。格別に意地悪そうでも、冷酷そうでもなかった。

「それでもあたしら、お屋敷に住み着いてから、何度か試してみたんです」

土蔵に新しい錠前をかけようとした。辰二郎はそれが商いである。いくらでも作れたし、工夫もできた。

おたかは口元に苦笑を刻んでかぶりを振る。

「まるっきり駄目でした。どんな錠前を持っていったって、ちっともかからないんです」

そうだろう、そうだろう。場違いかもしれないが、おちかは嬉しくなってきた。思わず、声が高くなった。

「それで腑《ふ》に落ちるじゃありませんか！」

おたかが軽く首をかしげる。「お話の筋が通りますかしら」

「はい。土蔵は開けっ放しになりました。たったひとつだけ、そこにかけることのできたあの錠前が失くなってしまったからです」

木でできた〝障りのある〟おかしな錠前は、そのようにしたかった。土蔵を開けてしまいたかった。

「それには、自分が消えて失くなることがいちばんです。だから錠前屋を呼んで、触らせて、障りを起こしたのじゃないでしょうか」

さらに言うなら、番頭と女中たちも、そのことを知っていたのではないか。だから女中は「錠前屋が呼ばれて来た」と不用意に漏らし、番頭は、「女子供を近づけるな」と忠告したのだ。かよわい女や幼い子供が、錠前の障りにあたっては気の毒だと思ったから。

「それなら、あの屋敷では先からそういうことが繰り返されてきたのかしら」

「だと思います」

辰二郎以前に〝呼ばれた〟錠前屋たちは、錠前の障りに触れその不吉さを知ることはあっても、壊すまでには至らなかった。辰二郎のときだって、実際に手を下したのは師匠の清六だ。経験を積み眼力のある老職人だからこそ、こんな錠前が世にあってはいけないと、すぐさま迷いなく判断をつけて、お客からの預かりものであっても焼き捨てるべきだと踏ん切ることができたのではないか。

「薄気味悪い錠前は、本丸ではないんです。本丸は土蔵の方なんですよ。錠前が壊されたがっていたというのは正しくなくて、土蔵が錠前を壊したがっていた——というのが本当なのではないでしょうか」

夢中でしゃべっていたおちかは、ぱちりぱちりと手を打つ音に我に返った。見ると、おたかが拍手をしている。

「お嬢さんも、賢いおつむりをお持ちでございますねぇ」

愛《め》でるような眼差《まなざ》しになっている。おちかはかあっと頰が燃えた。

「あいすみません。余計なことを申しました」と、ぺたりと手をついた。

「何をおっしゃいますやら。こういうお人だからこそ、三島屋さんは、この百物語の聞き手に、あなたを据えられたんですねぇ」

お嬢さんのおっしゃるとおりなんですよと、おたかは言った。またふうっと息を吐いて、少しばかり遠い目になった。

「例の番頭さんはね、あたしたちがお屋敷に住み着くと、半月に一度の割で、様子を見にやって来ました。そういう折に、こっちだってわからないことばっかりで腹が煮えますし、興味もありますからね、何だかんだ探りを入れますでしょう。そうすると、ちょぼちょぼと小出しにではあるけれど、話してくれることがあったんです」

ええ、だから芯《しん》から悪い人じゃありませんでしたと、懐かしそうに呟《つぶや》いた。

「その話をつなぎ合わせると、大筋、たった今お嬢さんが推量なすったようなことになるんです」

土蔵の錠前は、ときどき不意に、ひとりでに外れてしまう。土蔵の力が、それを閉ざしておく錠前の力に勝つときがあると、そうなるらしいと番頭の男は言ったそうだ。

「いつそうなるか、屋敷の者にはわからない。だから落ち着いて住んでいられないって」

それでも、おそるおそる様子を見ていると、いつの間にかまた、ひとりでに錠前がかかっている。少なくとも、清六があの錠前を燃やしてしまうまでは、ずっとそれを繰り返してきた――

「それで、皆さんが住み着いたら、お屋敷では何が起こったのです?」

正体が何であれ、錠前によって土蔵に封じられていたものは、自由になった。辰二郎一家はそのなかに放り込まれたのだ。

一瞬、おたかはひたとおちかを見つめた。おちかも、まるで想い人と相対するように見つめ返す。

と、おたかが小娘のようにぷっと噴き出した。

「それがね」

片手をひらひらと振って、こう言った。

「何も起こらなかったんですよ。ええ、なーんにも、ね」

五

おたかは、安藤坂の屋敷に移り住んで、最初に雪を見た日のことをよく覚えていた。ほんの半刻足らず、ざくざくした白い欠片《かけら》が雨に交じって降っただけだったが、それに気づくと、母のおさんが急いで暦に印をつけたからである。

番頭の男との約束は、「来年の冬、小雪がちらつくころまでこの屋敷にいる」ことである。つまりは来年の今頃。ならば、これから一年ということだ。

その日ですでに、小舟町の長屋を離れて半月ほど経っていた。屋敷での暮らしにも形がつき、すっかり落ち着いていた。

とりあえずは、何事も起こっていなかった。怪しい物音も、人影も、何ひとつない。拍子抜けするほど静かなものだった。

それでも辰二郎は、家移りしてから五日間は行商に出なかった。六日目に出始めて早めに帰り、女房子供が変わりなく過ごしているのを知ると、七日目からは長屋にいたときと同じように商売に励むようになった。家族の誰もそれを咎《とが》めはしなかった。

広大な屋敷に、座敷は数え切れないほどいくつもあったが、おたかたちが使っていたのは台所を含めてほんの三つで、半分以上の座敷には、最初に番頭の男に連れられてぐるりと回ったとき以外、足を踏み入れたことがない。雨戸も閉《た》てたきりだった。番頭も、それで一向にかまわないと言った。

「あんたたちの使い勝手がいいところだけ使いなさい。ほかの座敷のことは気にしないでいいよ」

おさんはきれい好きだったし、それでは屋敷が傷むと心配した。

「せめて三日に一度ぐらいは、どのお座敷にも風を通すようにした方がいいんじゃありませんか」

すると番頭は笑って、「あんたが気になるならそうすればいいけれども、これからの季節、迂闊《うかつ》に雨戸や障子を開けようもんなら、寒くてたまらないよ。まあ、陽気がよくなったらやってごらん」

実に親切な口調でそう言うのだった。

謎と言えば、この番頭の男の態度がいちばん謎で、それは屋敷に移り住んで何日経とうと解けるものではなかった。おたかの両親の鼻先に百両をぶらさげて惑わし、子供も連れて移り住んでこなければ話はご破算だと悩ませておいて、いざおたかたちが移ってくると大喜びで迎え、屋敷中をくまなく案内してくれて、好きに使えというのだ。何かを案じている様子も、怯《おび》えている様子もない。逆に、いい鴨《かも》が葱《ねぎ》を背負《しょ》ってやってきたとほくそ笑んでいるとか、もっと言うなら、これでこの家の災いを辰二郎一家におっつけてしまえると胸を撫《な》で下ろしているような風もない。

何より番頭は、例の土蔵に近づいてはいけないと言わなかった。

「お屋敷のなかのどこに入ってもかまわないけれど、あんたたちの心持ちとしては、気味の悪い場所もあるだろう」

そんな言い方をするだけだった。いつ、何度問いかけても、返事は同じだった。あんたらは、この屋敷で好きなようにしていればいい。してはいけないことは、ひとつもない。

番頭が様子見に訪ねて来るのは必ず昼過ぎで、たいてい、子供らに甘いものを土産に持ってきて、おさんに茶を一杯ふるまってもらって、一刻ほど話し込む。何か足りないものはないか。変わったことはないか、子供らは元気か。相手をするおさんもだんだん馴染《なじ》んできて、ありふれた世間話をすることもあった。というより、世間話ぐらいしかすることがなかったのだ。

安藤坂の屋敷では、その後もずっと、何事も起こらなかったから、三月《みつき》もすると、土間の一角にこしらえた仕事場に籠《こも》っていることの多い蓑吉は別として、おたかたち下の姉妹弟は、屋敷中を遠慮なく駆け回って遊ぶようになった。最初のうちはおっかなびっくりでも、何もないことに慣れるのは速い。いや、というより、三人の子供たちは、安藤坂のこの来歴も持ち主も知れない屋敷が、実に居心地のいい家だということを、日々の積み重ねのなかで体感していったのだった。

広くて、暖かくてきれいで、申し分のない家だ。そりゃもう、狭っ苦しくて造りがやわで、すきま風の吹き込む裏長屋の四畳半なんぞとはわけが違う。

やがては土蔵にも入り込み、おみつとおたかの姉妹は、そこに仕舞い込まれているきらびやかな着物をこっそりと引き出して、肩に引っかけてみたりするようにもなった。無論、あとでおさんに見つかると（たいていは春吉が告げ口するのだ）、こっぴどく叱られたものだが。

そうやって冬を越し、新年を迎え、春が来て庭に梅の香が漂い、ついで桜が咲き乱れる。梅雨が来て、五月晴れがあって、蝉が鳴き騒ぎ、真夏の強い陽射しと濃い影が、屋敷の内と外とをくっきりと照らし分ける。

蝉が死に落ち、秋の虫の音が聞こえて、やがて庭の立ち木が葉を落とし始める。季節の変わり目にさしかかるたびに、おたかはこの屋敷が美しいことにあらためて気づき、衣替えするように風情を変えてゆくその様に、飽きず見蕩《みと》れるようになった。

安藤坂の屋敷は、おたかたちが来たときから荒れていなかったし、長屋暮らししか知らず、こんな大きな家の手入れの仕方も使い方も心得ていないおたかたちが入り込んで暮らしても、さらに荒れることはなかった。

おたかは、ふと思ったことがある。この家は生き物なんじゃないか。あたしたちが何もしなくても、自分で着替えて、自分でお化粧して、自分で髪を結って、いつも身ぎれいにしているんじゃないのか――

どうして「お化粧」なんて思うのか。家に男も女もあるわけはないのに。

ううん、でもこのお屋敷は女の人だ。だって、土蔵にはたくさんのきらびやかな着物が納まっていた。それにそう――ここではいつも、甘やかないい匂いがしている。ちょうど、着物に薫《た》きしめたお香のような。

そう、土蔵のなかの、あの着物と同じだ。

暦に印をつけた日から、数えてちょうど三百六十日が過ぎて、凍えた曇り空からちらちらと白い欠片が舞い始めた。おたかはそのとき庭にいて、焚《た》きつけにする枯れ枝を集めていた。ああ、雪だと思うと、自然と涙がわいてきた。

このお屋敷とお別れだ。両腕で枯れ枝を抱きしめて、ひととき、温かな頬に小雪を受けて佇《たたず》んでいた。

その翌日の夕方、辰二郎が商いから戻るころを見計らったように番頭の男がやって来て、約束の一年が過ぎたから、屋敷を出て行ってかまわないと告げた。

「いろいろとありがとう。あんたらはよくやってくれました」

初めて、番頭が深く頭を下げたことを、おたかはよく覚えている。

「——というお話なんでございますよ」

しんなりと、胸の前で両の掌《てのひら》を音をたてずに打ち合わせて、おたかは微笑んだ。

笑顔を向けられたおちかは、ただぽかんと座っているしかなかった。穴があくほどおたかの顔を見つめて、見直して、しかし相手の艶《あで》やかな微笑には変わりがなく、柔らかくすぼめるように閉じられたくちびるが続けて動き出す気配もない。

「これ、だけでございますか？」

ようよう、いささか腑《ふ》抜けた声を出して、おちかは尋ねた。「お話はここで終わりなんでございますか？」

「はい」と、おたかは悪びれない。

「でも——だって、あなたは最初に、お化け屋敷の話だとおっしゃいました」

「ええ、申しましたねぇ《え》」

ケロリとしている。眼差《まなざ》しには、ますます興に乗ったような色が宿る。おちかをからかっているつもりか。

確かにからかわれているのだ。おちかは憤然となった。自分でも、己の眉《まゆ》がきりりと吊《つ》り上がる音を聞いたように思った。

「いくら何でも、これはあんまりでございます。わたしは商いの才も世間知もない小娘でございますが、ここには三島屋主人伊兵衛の名代として座っております。お客様が小娘のわたしをおからかいになるのはご勝手でございますが、三島屋を侮られるとあっては、黙ってはおられません」

しっかりと面《おもて》を上げ、相手の目を見据えて言い放ったおちかに、おたかが動じる風はなかった。笑みはさらに柔らかく蕩《と》けて、

「お嬢さんは本当に賢くていらっしゃる」と、甘い節回しに乗せて謡うように呟《つぶや》いた。

癪《しゃく》に障るお世辞であり、嫌みだ。おちかはカッとなり、かえって言葉に詰まってしまった。胸の内ばかりが燃え上がる。

「ねえ、おちかさん」

おたかが初めておちかを名で呼んだ。

「あなた、このお家《うち》で、肩身の狭い思いをしてらっしゃるんでしょう」

何のつもりだ。唐突に話をそらして。

「いくら良くしてくださると言っても、叔父《おじ》さん叔母《おば》さんの家ですものね。それにあなたには、思い出したくないのに忘れられない、辛《つら》ぁい昔話がおありだし」

今度こそ、おちかは言葉を失った。己の耳が信じられない。今、この女は何と言った？

目を瞠《みは》るばかりのおちかに、するりとひと膝《ひざ》にじり寄り、おたかは声をさらに低めて、撫でるようにおちかを見回しながら囁《ささや》く。

「若い身空で、お気の毒な話でございますよ。でも、いくらあなたが悔やんだとて、亡くなった人は帰っちゃきません。起こってしまった出来事は消えません。ですから、あなたがお寺に入ろうなんていう考えをおよしになったのは重畳《ちょうじょう》でございました。もったいないにもほどがありますものねぇ」

おちかは目眩《めまい》を感じた。胃の腑がぐうっと持ち上がり、息苦しくなる。どうして？　おたかは何を言っているのだ。なぜこの話を知っている？　おちかの過去を。

「ど、どうして――」

あえぐように言いかけると、おたかはさらにすり寄ってきて、片手を上げ、優雅に指を伸ばしておちかのくちびるにあてた。

「何もおっしゃいますな。そんな怖いお顔をなすっちゃいけませんよ」

そのままの姿勢で、ちらりと横目を配り、まわりに人の気配がないことを窺《うかが》った。それから続けた。「あなたの身の上のことを、あたしはすっかり存じ上げています。三島屋さんに聞いたわけじゃござんせんの。あたしにはわかるんです。あなたのような方をお探ししておりますからね」

おちかはおたかの切れ長の黒い目を覗《のぞ》き込んでいた。魅入られたようになって、動けない。互いの呼気がかかるほどの間合いである。おたかの誘うような眼差しが、おちかの心の奥底にまですするすると入り込み、何から何まで見てとっている――

おちかの魂の形、そこに刻まれた傷の深さまでも。

「安藤坂の屋敷は、今もちゃんとございます」と、おたかは言った。「土蔵には、あなたによく似合う着物がたくさんしまってございます。あなたもあの家によくお似合いです。あの美しい庭も、あなたを気に入ることでございましょうよ、おちかさん」

おいでなさい、おいでなさいまし、な。

おたかはおちかの耳元で囁いた。睦言《むつごと》のような甘やかな響きだ。

「あたしと一緒においでなさいまし。そしてあの屋敷で暮らすんです。何も怖いことなんかございません。すっかり申し上げましたでしょう？　確かにあれはお化け屋敷でございます。でも、恐ろしいことなんかないんです。ただ、浮き世から離れたものを呼ぶときには、お化けと呼ぶしかないというだけ……」

どうしてと、おちかはかすれた声を出した。どうして、あたしが。

あら、易しいなぞなぞでございますよと、おたかは笑み崩れた。「おちかさんには、百両なんてお金は用がございませんわねぇ。でも、心の安らぎはご入り用でしょう」

安藤坂の屋敷に来れば、それが手に入ります――おたかがそう囁いたとき、廊下の奥の方からどたどたと足音が聞こえてきた。

「お嬢さん、おちかお嬢さん！」

八十助の声である。ついで、唐紙《からかみ》がからりと開いた。跳ね返って戻るほどの勢いだ。

そして男が二人、つんのめるようにして黒白の間に飛び込んできた。

一人は間違いなく八十助である。もう一人は、地味な色目の着物に真っ白な足袋《たび》をつけた、小柄な若者だった。商人かお店者《たなもの》だろうが、おちかのまったく知らない顔である。

その若者が、あっと声もなく口を開いて驚愕《きょうがく》の顔をしてから、おちかの隣に向かって叫んだ。「おたか姉さん！」

おちかははじかれたようにおたかを振り返った。おたかはまだすぐ間近に座っていた。美しく婀娜《あだ》っぽい笑みもそのまま、おちかのくちびるを押さえていた指も立てたままだ。

「姉さん、どうしてこんなところに」

若者が駆け寄って、おたかを両腕で抱き留めた。それと同時におたかがくずおれた。目が閉じ、両手がぽとりと畳の上に落ちる。気を失ってしまったらしい。

おちかには八十助が駆け寄ってきた。謹厳なこの番頭は、迂闊《うかつ》におちかに触れてはいけないと、踊りを踊るように両手をあわあわさせている。ろれつも回らない。

「お、おじょ、お嬢さん、ご無事で」

おちかはただただ動転していて、八十助の真っ青になった顔に見入り、ものも言えない。おちかの方から手を伸ばして彼の腕につかまると、八十助はあわあわ踊るのをやめてしっかりとおちかを支えてくれた。そしておちかを引きずるようにして若者とおたかから引き離した。

若者が、おたかを腕に抱いたままこちらを見返った。おちかは、ほとんど何も考えずにただ襟元を押さえてしゃんと座った。

「三島屋さんのお嬢さんでいらっしゃいますね。たいへん失礼をいたしました」

若者ははきはきと言った。うわずった声ではあるが、眼差しは落ち着いていて、口調も丁寧だ。くっきりと眉の濃い顔立《だ》ちである。

「この人は手前の身内で、確かにたかという者でございます。実は病人でございまして」

病人と、おちかは繰り返した。八十助が、そうなんだそうですよと急《せ》き込んで言う。

「本日の〝変わり百物語〟のお招きには、手前が伺うお約束になっておりました。それが、出がけに急用がさし起こりまして、手前が遅れておりますうちに、この人が勝手に三島屋さんをお訪ねしてしまったという次第でございます。まことに申し訳ございません」

おちかの胸苦しさが鎮まってきた。呼吸が楽になる。若者のきびきびした口上が、おたかの語りのあいだは時が停まったようになっていた黒白の間に、新鮮な風を呼び込んでくれた。

「あの、お医者様を呼びましょうか」

ぐったりと気絶しているおたかの顔色は紙のようだ。心配そうに、その顔を視線でひと撫《な》ですると、若者はかぶりを振った。

「お気遣い痛み入ります。それでも、外に手前の店の者たちを待たせておりますので、このまますぐ連れ帰ることにいたします」

「でも――」

若者はおちかに、一瞬だけ照れたような笑みを見せた。

「こういうことは先《せん》にもございました。ゆっくりと休ませれば、この人は元に戻ります。ご心配ありがとうございます」

「じゃ、お付きの人たちを呼んできます」

八十助が飛び立つように腰を上げる。あるいは逃げ出したのかもしれない。が、おちかはもうほとんど立ち直っていた。

そっと寄って、おたかの顔を覗いてみた。魂が抜けてしまったみたいに眠っている。時折、瞼《まぶた》がかすかに、寒気に耐える小鳥のように震えるだけだ。眠っていても美しい顔だが、あの艶《あで》やかさは消えていた。むしろ、幼い女の子の寝顔のようにさえ見えるのが不思議だった。

「ご病気といいますのは」

おたかの顔を見つめたまま、おちかは若者に小声で問いかけた。

彼はしばらく、答えなかった。おちかは目を上げて彼を見た。若者もまたおたかの寝顔を見つめていた。

「気の病、とでも申しましょうか」

言いにくいというより、どんな言葉でも言い表しようがないという悩みを、おちかはその返答から感じ取った。

「先ほど、この方を〝おたか姉さん〟とお呼びになりましたね」

若者はまた照れた。今度はひどく恥じ入ったようになって、「あいすみません」と言う。

「もしや、あなた様は春吉さんですか。この方の弟さんの」

若者の表情が、ふっとほぐれた。彼がこちらを向いたので、おちかは少し離れた。

「いえ、手前は春吉ではございません。申し遅れました、手前は、堀江町の草履《ぞうり》問屋越後屋の清太郎《せいたろう》と申します」

堀江町。草履問屋の越後屋。聞き覚えがある。おちかは「あ」と声をあげた。

「さっき、お話に出てきました。この方のお父さんの辰二郎さんの――」

師匠であった錠前職人清六の、娘が嫁いだ商家である。

と、清太郎と名乗った若者の顔もほころんだ。

「では、姉はお話をしましたか。手前の母方の祖父のことも？」

「はい。安藤坂のお屋敷の錠前に手を嚙《か》まれたという――」

清太郎は、三度恥ずかしそうに目をしばたたいて、おちかに言った。「その錠前の障りに触れて、大熱を出した子供が手前でございます」

今度はおちかも、「あら」とも「まあ」とも言えなかった。話の主が、いきなり目の前に現れたのである。

「姉はどこまで話したでしょうか。いえ、その……お嬢さんを安藤坂の屋敷へお誘いしたのではありますまいか」

おちかはゆっくりとうなずいた。清太郎が、痛ましいほどに顔を歪《ゆが》めて深々と息を吐く。

「ならば、さぞかし怖い思いをなすったことでしょう。いくらお詫《わ》びしてもお詫びしきれません。もっとしっかり、手前が姉さんを見張っておればよかったのですが」

血のつながりのない越後屋の清太郎が、おたかを「姉」と呼んでいる。姉さんという呼び方は、どこまでも親しげだし、見張っておればよかったという言葉は、彼が日頃おたかのそばにいるという意味を含んでいる。おちかにとっては、さらに謎が重なったように感じられるばかりだが、続けて問おうとするところへ、先ほどよりもっと賑《にぎ》やかな足音が近づいてきた。おたかを運び出すのだ。

とっさに声を潜めて、おちかは早口に問いかけた。「おたかさんたちご家族が、百両払ってもらうのと引き替えに、安藤坂のお屋敷で一年間暮らしたというお話は本当のことなのでございますね？」

清太郎はうなずいた。おちかの目を真っ直ぐに見ている。そこに怯《おび》えの色がある。

「姉さんたち親子六人で移り住みました。一年経って、戻ってきたのは一人だけでした」

それがこの人ですと、腕のなかのおたかの身体をそっと揺すった。おたかの瞼が、ふるふると震えた。

六

堀江町の草履問屋越後屋からは、それから三日後、再び清太郎が訪ねてきた。

このときはおちか一人でなく、伊兵衛も一緒に彼と会うことにした。三日のあいだに、おちかは叔父《おじ》にひととおりの経緯《いきさつ》を話したが、

「安藤坂の空き屋敷の怪は、まだ終わっていないのだな」

そう呟《つぶや》いて眉根《まゆね》を寄せた伊兵衛は、話の続きを心待ちにしていたのだ。

「あら叔父さん、この〝変わり百物語〟は、わたしの仕事じゃなかったんですか」

おちかがちょっとからかうと、

「清太郎さんというのは、なかなか様子のいい若者だそうじゃないか。嫁入り前のおまえと二人にするわけにはいかない。まあ、おまえがどうしても二人きりにしてくれというのなら、遠慮するが」

伊兵衛はおちかをからかい返した。

清太郎はお供に小僧を一人連れ、たくさんの手土産を持ってきた。このたびのお詫びと御礼の品なので、ささやかなものだがどうぞお納め願いますと頭を下げる。

「お姉様のお加減はいかがですか」

切り出したのはおちかである。いちばん気になることだ。清太郎がおたかのことを「姉さん」と呼んでいたので、それに倣う呼び方をした。

「ご心配をいただいて、痛み入ります」

清太郎はもう一度深く頭を下げる。そして、伊兵衛とおちかの顔を順番に見つめてから、

「もしよろしければ、姉と姉の一家に何が起こったのか、途切れた昔話の続きをさせていただきたいのですが」

「おお、それを待っていたんですよ」と、伊兵衛が頬をゆるめて膝《ひざ》を乗り出す。

清太郎は真顔のまま続けた。「ご一緒に、安藤坂までおいでいただくことはできますでしょうか」

おちかは驚いて叔父を見た。さすがの伊兵衛も虚をつかれたようだ。

「その、怪しい空き屋敷にですか」

「屋敷はもうございません」清太郎はゆっくり噛《か》みしめるように言った。「焼けて失くなってしまいました」

出向いて行っても見るものはない。

「ただ、屋敷がないことをお二人の目で確かめていただいた方が、このあとの話がわかりよくなると思うのです」

「わかりました。参りましょう」

伊兵衛は勝手に決めてしまった。

手回しよく、清太郎は駕籠《かご》を三台待たせていた。小僧は脇を走ってついてくる。えいほ、えいほという軽いかけ声にあわせて揺られながら、おちかは胸の奥で不安を噛んだ。話を聞くだけならまだしも、怪異の起こった場所に足を運んでゆくのはどんなものだろう。深入りのしすぎではないのかしら……。

叔父伊兵衛の子供じみた好奇心はともかくとして、清太郎の真意を測りかねる。どういうつもりなのだろう。

安藤坂に着くと、小僧と駕籠を坂の上り口で待たせて、三人は歩くことにした。秋の好天に、頭上には染め抜いたような青空が広がっている。寺と武家屋敷の多いところだから、あたりはひそやかに静まりかえって、聞こえるのは周囲を囲む木立の涼やかなざわめきばかりだ。もうしばらくすると葉が枯れ落ち、今度は骨を噛むような冷たい風が通りすぎるようになるのだろう。

「坂を半ばまで上ったところでございます」

先に立つ清太郎はうつむきがちだった。

ここだと指さされずとも、すぐにわかった。坂の左手に、出し抜けに空き地が現れたからである。歪《ゆが》みのない長四角の地所だ。間口も広いが奥行きも深い。

いかにも異様な眺めだった。そこだけ、あったはずの建物が根こそぎ引っこ抜かれてしまったかのように見える。地面が剝《む》き出しで、雨水を流す溝が掘ってある。

「ここが空き屋敷の跡なのです」

清太郎は、空き地に向かって手を合わせた。

「姉がお嬢さんにお聞かせした事が起こったのは、十五年前のことでございました」

清太郎の母方の祖父、錠前職人の清六は、弟子である辰二郎がここへ移り住むと決めたとき、もちろんいい顔をしなかった。子供らだけでも置いていけという提案を退の下を走り抜けて、捜しに捜した。

そしてようやく、あの錠前がかかっていた蔵の前に、おたかがぽつりと一人で座っているのを見つけたのだった。

みんなはどうした、おまえ一人で何をしている。みんなはどこへ行った。清六が声を嗄《か》らして問いかけても、おたかは何も答えない。目は開きっぱなしで、口元はとろんと緩んでいる。男の一人がおたかを抱き上げて、少女の身体にまったく力が入っていないことに驚いた。木偶《でく》人形のようだった。

とにかく、ここから連れ出そう。清六は戸板の上から指図を飛ばし、深い事情は知らぬまでも異様な状況に薄気味悪さを覚えていた男たちも、そそくさと立ち去ろうとした。

そのとき、おたかが暴れ始めた。

あたしはここにいる。あたしはどこへも行かない。ここにいるんだ、ここにいる！

叫ぶ声は、その歳の少女のそれである。が、一転して、ここにおいておいてと、おたかが男たちをなだめすかすように頼み始めると、その声と表情に、あろうことかしっとりとした色香が混じった。

――もうすぐこの子の番だから、もう少し待っていて。

女の声でそう言って、ひとつ息をすると、また少女の声に戻って泣き叫び始める。

まだ駄目なんだ！　まだあたしの番がこない！　あたしはここにいるんだ！

一同は、今やまったき恐怖にかられた。一人が後じさりして走り出すと、それがきっかけとなり、我先にと屋敷の外へ逃げ出した。清六も、戸板の上で冷や汗に濡《ぬ》れていた。


「おたか姉さんは、祖父のもとで暮らし始めました」

清太郎の語りは続く。おちかは、ふと気づくと、寒いわけでもないのに、自分の袖《そで》で身をくるむような恰好《かっこう》をしていた。

「祖父は、素性も正体もわからない例の番頭が、もしや姉さんのことでねじこんでくるのではないかと、人を頼んで見張ってもらいました」

さらに、清六は土地の岡っ引きに頼み込んで、安藤坂の屋敷の来歴や、その持ち主を調べてもらうことにした。手の込んだ拐《かど》かしかもしれないと、岡っ引きの方も腕まくりして取りかかった。

「何日経っても、おたか姉さんは口をきくようになりません。蔵の前で見つかったときと同じ様子に戻ってしまったのです」

目は開きっぱなし。表情はうつろだ。

「手前は、あの当時のおたか姉さんに、一度だけ会ったことがございます」

う。

女の子の形《なり》をして、女の子の目鼻がついた、空の袋が座っているように見えたとい
伊兵衛が、嗄れてしまった喉《のど》にしめりを加えて、それでもしゃがれた声で尋ねた。

「岡っ引きは何か調べあげてきたんですか」

清太郎はうなずいた。一段とうつむいて、顔が陰になってしまった。

「はい。ひと月ほどかかりまして……」

——悪いことは言わないから、あの屋敷には関わり合いにならねぇ方がいい。あんたの身のためだ。

渋面をつくって、岡っ引きは清六にそう言った。

——あれはもともとは武家屋敷で、町場の俺たちには手も目も耳も届かねぇことが多い。けども、胡乱《うろん》なことは間違いねぇ。

あの屋敷は、建てられてから百五十年経っているのだと教えてくれた。

——なのに、どこも傷んでねぇ。庭の手入れだって、庭師も植木職も、あの屋敷には一人も入ってねぇのに、あのとおりの眺めだ。

百五十年間、何の変化もない。

——ひとつだけ俺にもつかむことができたのは、あの屋敷の蔵、な。

あれはその昔、座敷牢《ざしきろう》がわりに使われていたことがあるらしいんだよ。

「誰がどんな事情で閉じこめられていたのかはわからない。ただ、もとの持ち主の武家は血筋が絶え、そして屋敷は主人が代わって」

代わっても、新しい主人のもとで、また誰かが蔵に閉じこめられるような事情が生まれる。それが数回続いて、とうとう誰も住まなくなった、という。

——なのに、廃屋にはならなかった。屋敷はきれいなままなんだ。

清六は、それは辰二郎たちに百両の話を持ちかけた男がいたからだろうと思った。番頭だか家守だか知らないが、屋敷を保ち、手入れする算段をしていた男である。が、岡っ引きは清六の目の前でゆっくりと首を横に振った。

そんな男はいない、と。

——ただ、あのあたりの口入屋の話だと、五年にいっぺんぐらいの割で、どこからかひょっこり湧いて出たように、仕立てのいい着物を着た番頭風の男がやってきて、あの屋敷の蔵の虫干しをやるから、二、三日のあいだ女中を都合してくれと言うそうだ。

そして雇われた女中には、法外な手当てをくれるという。二度と同じ口入屋には現れず、同じ女中も雇い入れない。

——辰二郎さんたちが会ったのも、その番頭なんだろう。

それは、正体が何であれ、いずれ人外のものだろう。

人間《ひと》ではない。

あるいは、あの屋敷そのものなのかもしれぬ。

関わり合うなと念を押して、岡っ引きは去った。俺ももう、ご免こうむるよ。

清六は、半端な疑念を抱いたまま置き去りを食った。どうにも気持ちの収まりがつかない。安藤坂の屋敷に因縁話がからみついていそうなことは知れたが、だからどうだという筋書きがきちんと見えない。

百両くれると持ちかけた番頭の男が、まともな人ではないだと？　屋敷そのものだと？

いったいどうやったら、屋敷が手足を生やしてそこらを歩き回れるというのだ。大金を目の前にぶらさげて他人を操れるというのだ。

そう――清六は一人で己の膝《ひざ》を叩いた。怪しい事柄はいくらもあるが、金の問題だけは話が別だ。

五年に一度、番頭の男は口入屋を通して女中を雇うという。その女中たちには大金をくれてやるという。ならば、その金には出所があるはずだ。その出所が、すなわち安藤坂の屋敷の本当の持ち主ということになるではないか。

もののけだの変化《へんげ》のものだのに、浮き世で通用するまっとうなおあしを都合できようはずがない。まさか、もらって数日経ったら木の葉に変わってしまう狸の小判でも清太郎は、伊兵衛を見るわけではなく、おちかからも顔をそむけ、だだっぴろい赤土剝《む》き出しの地べたに目を据えて、うなずいた。

「手前が最後に祖父の顔を見たのは、その日の真夜中もとうに過ぎたころのことでございました」

清六が越後屋を訪ねてきたのだという。

「そうして、そこまでの経緯《いきさつ》を手前の両親に打ち明けました」

俺は行ってきた。あの屋敷に行ってきた。おまえらは、何があってもあすこに近づいちゃならねぇ。けっして近寄るな。岡っ引きの言うことは正しかった。

熱にうかされたように早口でまくしたて、清六はぶるぶると震えていた。

「手前の両親はひどく心配しまして、祖父を越後屋に泊めることにしました。それほどに、祖父はひどく取り乱していたのです」

清太郎は心底怖かった。彼は一度、錠前の障りにあたっている。安藤坂の屋敷の話が、まわりの大人たちの口の端にのぼるたびに、思い出しては怯《おび》えていた。が、怖いからこそ、子供心にも成り行きが気になる。だからそのときも、両親の立ち騒ぐ物音を聞きつけてこっそりと起き出し、やりとりの一部始終を、障子の陰からこっそりと覗《のぞ》いていた。

清六の話は支離滅裂で、歯が鳴るほどに震えているから、なおさら聞き取りにくかあるまいし、番頭の男の後ろには、生身の人である金主が必ずいるはずなのである。岡っ引きはそれを忘れている。

清六はむらむらと腹が立ってきた。彼がこうしているあいだも、隣の座敷では小春日和の陽射しを浴びて、おたかが両目を開けっぱなしにして木偶人形のように呆《ほう》けている。あの子をあんなざまにしてしまった野郎は誰だ。そいつをとっつかまえて、ぎゅうという目にあわせてやらないことには、俺の腹の虫はおさまらねぇ。

清六は、安藤坂の屋敷に行こうと決めた。立ち上がり、支度にかかる。今にそうなるか、今にそうなるかと身構えながら、一張羅《いっちょうら》の着物を着て羽織を手に、履物に足を入れて外へ出る。

腰が抜けることはなかった。清六の両足はしっかりと彼を支え、歩みにも力がこもる。これなら大丈夫だ、乗り込んでやる――

話がここまできて、清太郎がひと息を継いだとき、おちかの傍らで伊兵衛が大きなくしゃみをした。

「さ、寒いな」

洟《はな》をすすり、照れたように小声で言う。

「話の腰を折って、申し訳ない。それで清六さんは、ここまで一人でやって来なさったのですね？」

座り込んでいるおたかの膝の上に、紫色の包みがちょこんと置かれていた。開けてみると、切り餅《もち》が四つ入っていた。

百両である。

清太郎は暗く陰った目を上げて、おちかを見た。「それからのことです。おたか姉さんはしゃべるようになりました。表情も動きます。ちょっと見には治ったようでした」

だが、そうではなかったのだ。

「お嬢さんに、安藤坂の屋敷に来いと誘いをかけたのは、おたか姉さんではありません。屋敷が焼けて失くなり、あのなかに棲《す》みついていたものは、新しい住《す》み処《か》を見つけなくてはならなくなりました」

魂を呑まれ、器だけになったおたかという少女は、うってつけの住み処だった。

「何のことはない、安藤坂の屋敷は、今はおたか姉さんの身体の内にあるのです。おたか姉さんは、そういう役割を引き受けたのでしょう」

百両は、その報酬だ。

おたかを訪ねて越後屋に来たのは、番頭の男だったのだ。

屋敷を守り、切り回す。屋敷が飢えることのないよう、そこに引き入れる新しい魂を探して集める――

伊兵衛がそっと近づいてきて、おちかの肩を抱いた。おちかは、叔父《おじ》の手に手を重ねた。

安藤坂の屋敷においでなさい。艶《つや》めいた声でおちかに呼びかけた、あれは真《まこと》のおたかではなかったのか。あなたによく似合う着物がたくさんしまってございます。あなたもあの家によく似合う。

「これまでにも、おたか姉さんがおかしなふるまいをすることはありましたが、すべて越後屋のまわりだけで済んでおりました。しかし、今度という今度はいけません」

清太郎は仁王立ちになったまま目を閉じた。

「いよいよ越後屋でも、姉さんのために座敷牢《ざしきろう》を造らねばなりますまい」

一陣の風が、三人を吹き倒そうかというほどの強さで吹きつけてきて、たちまち去った。おちかはそのとき、少女のおたかが心から愛し憧《あこが》れたというここの美しい庭で、木立が鳴る音《ね》を聞いたと思った。

第三話　邪　恋

一

越後屋のおたかの一件は、おちかの心に、おちか自身で承知しているよりもさらに濃い影を落としたようだった。

おちかは、よく夢を見るようになった。その筋書きは定かでなく、現れる人の姿も判然としない。男も女も、人の形こそしているが、目鼻立ちがはっきりしなくて、声も聞こえないのだ。

ただ、それらの夢のなかで、おちかはたいてい、ひどく怯《おび》えている。ひどく申し訳ない気持ちになって、しきりと謝っていることも多い。そして目を覚ますと、頬が濡《ぬ》れている。

万事に聡《さと》い叔父《おじ》の伊兵衛《いへえ》は、おちかのそういう様子をもちろん察していて、「黒白の間」に客を招くことを、あれ以来は控えてくれている。それだけでなく、おちかが気づいただけでも二度は、このことに絡んで、叔母《おば》のお民《たみ》と言い合いをした。この夫婦のあいだではいつもそうなのだが、言い合いといっても丁々発止の喧嘩《けんか》をするのではなく、叔父が叔母に叱られるのだ。今度の場合、お民がなぜ伊兵衛を叱ったのか、理由は明らかである。

〝変わり百物語〟などという面妖《めんよう》な趣向を考え出し、それにおちかを巻き込んだ夫の軽率を、お民は怒ったに違いない。

伊兵衛は、バツが悪そうな心配そうな——何か手の込んだいたずらをやらかし、これはちょっとやり過ぎだったと今になってうろたえている子供のような顔つきをして、時折、おちかの方に目を向ける。おちかは叔父を慰めたくて、平気な風で笑おうとするのだが、うまくゆかない。

自分でも、そういう自分を歯がゆいと思う。そしてまた、夜になると夢を見る。誰かに向かって泣いて謝っているのだが、ふと気づくと、その相手の顔がわからないという、心許《こころもと》ない夢を。

清太郎《せいたろう》に連れられて安藤坂《あんどうざか》を訪ねてから、十日後のことである。

朝の掃除を終えて、おちかはついぼんやりしてしまい、黒白の間の縁側にぺたりと座って、曼珠沙華《まんじゅしゃげ》が咲いていたあたりの、枯れた景色を眺めていた。と、唐紙《からかみ》の向こうから声がかかって、女中頭《がしら》のおしまが顔を出した。

「お嬢さん、ここにおいででしたか」

おちかは驚いた。確かにおちかは主人《あるじ》夫婦の姪《めい》だが、この三島屋には行儀見習いの女中としてあがっている。それは伊兵衛とお民の口から奉公人たちのあいだにもよく言い含められている事柄だし、おちか自身も、いちばん近くで立ち働いているおしまには、おちかを客分扱いしないよう、よくよく頼んでいる。事実おしまは、今までいっぺんだって、おちかを「お嬢さん」などと呼んだことはなかったのだ。

おちかの驚き顔に、おしまは口の端を引っ張ったみたいににっと笑って、唐紙を静かに閉めると、そこに座った。

「いえね、今日ばかりはお嬢さんとお呼びしていいんですよ。旦那《だんな》様のお言いつけですからね」

「叔父さんが？」

「はい。今日は、女中のおちかさんは一日お休みです。おちかお嬢さんにお戻りになるんですよ。それであたしは、お嬢さんのお供をするよう言いつかりました」

おしまは片手でぽんと胸を叩《たた》いた。

「何でもお言いつけくださいまし。幸い、お天気も好《よ》うございますよ。どこかへ出かけましょうか。お嬢さんは江戸にいらして、まだ浅草の観音様にお参りしてないでしょう？　それとも、新しい着物を仕立てに通町《とおりちょう》へでもいらしてみますか」

おしまの言うとおり、空は青く晴れ渡っている。晩秋の風は冷たいが、日向《ひなた》に出ればお天道様《てんとう》の光が身を包んでくれることだろう。買い物に、そぞろ歩きや物見遊山《ものみゆさん》に、絶好の日和である。

「叔父さんは、またどうしてそんな気まぐれを思いつかれたんでしょう」

おちかは小さく、こぼすように呟《つぶや》いた。

「藪入《やぶい》りはまだまだ先なのに」

おしまはおちかを見つめたまま、軽く首をかしげる。

「おわかりにならないはずはありませんよね。旦那様もお内儀《かみ》さんも、お嬢さんのことを心配なすってるからですよ」

あたしだって――と言って、おしまは困ったように下を向いた。

顔も身体もふっくらとしているが、よく見れば、女にしては少々はっきりし過ぎているくらいの、いっそ厳《いか》つい顔立ちである。が、この人の心根の優しいことを、おちかはすでに知っている。寝食を共にして立ち働き、ひと月も過ごせば、そんなのは誰にだってわかることだ。

「ごめんなさい」と、おちかは言った。言葉だけではなく、座り直して膝《ひざ》に手を置き、頭を下げた。

「よしてくださいよ。いけません」

おしまはさっと腰を上げて近寄ると、手を伸ばしておちかの肩を抱くようにした。

それはいかにも奉公人同士らしい気さくな仕草で、おしまは自分でもそれと気づいたのだろう、あわてて手を引っ込め、照れ笑いした。

「あたしったら、駄目ですねぇ。お嬢さん扱いも口ばっかりで」

少しも駄目ではなかった。おしまの太い腕から伝わる温《ぬく》もりが、おちかには嬉《うれ》しかった。どんなに言葉を尽くして「心配だ」と告げられるよりも有り難かった。

こみ上げるというより、ずっとそこで溜《た》まっていた涙が流れ出して、すっとひと粒、おちかの頬を伝った。

「お嬢さん……」

おしまは今度こそ、遠慮なしにおちかを優しく抱きかかえた。

「朝から泣くと験《げん》が悪いとか、嫌がる人もいますけどね。ええ、八十助《やそすけ》さんなんかかつぎ屋だから、そう言うに決まってるんですけど、あたしは気にしやしません。悲しいときは、朝だって晩だって悲しいんですから」

そんなおしまがそばにいるからこそ、おちかの涙はひと粒だけで済んだ。ひと粒で、胸のつかえが消えた。

消えた後に、あるふんぎりが残った。おちかは顔を上げて、言った。

「せっかくお休みをいただけるんなら――」

「わたし、今日はずっとここにいたいんだけど、いけませんか」

「ええ、ええ」

「お出かけにはならないんですか」

少し陽にあたったらいいのにと、おしまは心底残念そうに問い返す。

「それはわかっているんだけど、出かけて気晴らしするよりも、ゆっくりとこの座敷にいる方が、わたし、気持ちが休まるんです」

この座敷が、おちかの居場所だ。

「おしまさんは叔父さんから、ここにお客様をお招きしている趣向のことを聞いていますか」

おしまはおちかから少し離れると、姿勢を正してかぶりを振った。「いえ、お伺いしていないんです。でも、もしお嬢さんがお話しになれば、このおしまも聞いていいというお許しはいただいております」

話を聞く、聞かないということにも許しがいる。これが主人と奉公人なのである。

「もちろん、けっして他所《よそ》様には漏らしません。八十助さんにだって言いません」

おしまは厳粛な表情で、ちくちくと口を縫いつけるような仕草をした。おちかはちょっと笑った。こうしてすぐ引き合いに出すくらいなのだから、たまにくさしたりはしても、おしまは八十助と仲が良いし、忠義の番頭を信頼してもいるのである。

「あらお嬢さん、笑いましたね」

「ね？　わたしも笑い方を思い出したみたいです」

「ああ、良かった。それなら、ちょっとお待ちくださいね、お嬢さん」

そのまま急ぎ足で出て行ったおしまは、すぐ戻ってきた。茶道具を載せた盆を持っている。その後ろには、やはり盆を手にしたお民がいた。

「まあ、叔母《おば》さん」

立ち上がりかけるおちかを制して、お民は茶菓を並べ始めた。

「女二人で話し込もうというんだもの、美味《おい》しいものがなくてはね」

お昼は仕出しを取ってあげる、という。

「叔母さん、わたし――」

「いいのいいの。今日はのんびりおし」

おちかがこういう休日を望むことを、あらかじめ知っていたかのような手回しのよさである。いや、お民には、確かにお見通しだったのだろう。伊兵衛を叱り飛ばしつつ、彼の思うところをしっかり聞き出して、お民はお民なりに、今のおちかのためには何をどうすればいいのか考えてくれたのだろう。

おしまは畳に両手をついてお内儀を送り出し、お民はにこやかに立ち去っていった。

そうしておちかは、伊兵衛から頼まれた事柄と、ここで聞いたふたつの話について、おしまに語って聞かせ始めた。

「曼珠沙華《まんじゆしやげ》」の話が終わると、おしまはさっきのおちかをなぞるように、かつてあの紅《あか》い花が咲いていたあたりに目をやった。しばらく、そのままじっと見つめていた。

「このままだと、少し寒いですね。閉めましょう」

急に我《われ》に返ったようにまばたきすると、おしまは、片手の長さ分くらい開けてあった雪見障子を、つと立っていってきちんと閉めた。座敷のなかは、白い障子紙を通り抜けた陽射しに満たされ、むしろ明るさが増したようである。

安藤坂の屋敷の話は、曼珠沙華のなかから覗《のぞ》く顔について語るよりも、はるかに難しかった。なにしろこの話は終わっていない。あの〝凶宅〟は、今も越後屋のおたかの内に宿っていて、新しい住人を求めているのだ。

聞き終えたおしまも、硬いものを嚙《か》み損ない、吞《の》み損なったみたいな顔をしている。

「恐ろしいことでございますね」

本当に口を縫いつけられた――しかも下手くそなかぎざき縫いをされたみたいに、おしまはくちびるを歪《ゆが》めて呟く。

「お嬢さん、こんな話をふたつも聞かされて、気持ちが暗くなるのも無理はありませんよ。まして、藤兵衛《とうべえ》さんという方はここから帰った後に亡くなってしまったのだし、越後屋のおたかさんは、とうとう座敷牢《ざしきろう》に入れられようかというんでしょう」

旦那様《だんな》のお考えがわかりませんという。

「お嬢さんにそんな変なお客のお相手をさせて、どんな良い事があるっておっしゃるんでしょう」

「わたしも、最初はわからなかったんです」

おちかは正直にそう言った。

「叔父《おじ》さんたら、わたしがあんまり意固地に女中奉公しているもんだから、少し突飛《とっぴ》な目にあわせてやろうと思ったのかなって」

「ありそうなことでございますねぇ」おしまは目玉をぐりぐり回した。「旦那様はね、ときどきあたしどもをびっくりさせることがお好きなんですよ。ほんのちょっとしたいたずらなんですけどもね」

一代で三島屋をここまで評判のお店《たな》にした商売一途《いちず》の伊兵衛にも、そんな一面があるのか。微笑ましくて、おちかはにっこりした。

「でも、今では少しわかってきたような気がする……」

世の中には、恐ろしいことも割り切れないことも、たんとある。答えの出ないこともあれば、出口の見つからないこともある。

「おちかだけじゃないんだよって、叔父さんはわたしに教えようとなすってるんじゃないかと思うんです」

おしまは、さっき曼珠沙華の枯れた庭を見やったような目の色で、おちかを見た。

「お嬢さんだけじゃない……？」

はい、とおちかはうなずいた。

「そうだわ、こうしましょう。今からは、わたしが〝黒白の間〟に招かれたお客です。おしまさんが、わたしの代わりに聞き手になってください」

曼珠沙華の花を恐れる松田屋の藤兵衛が亡くなったあと、伊兵衛はこんなことを言った。

——おまえにも、誰かにすっかり心の内を吐き出して、晴れ晴れと解き放たれるときが来るといい。きっとそのときが来るはずだが、いつ来るのかはわからない。

そう、おちかもあのときそう思った。来るといい。でもいつかはわからないし、きっとうんと気が遠くなるほどに先のことだろう。

でも、思いがけず早くに、今こそそのときが来ているのではないか。おちかは語りたくなっていた。吐き出したくなっていた。おちかにそうし向けてくれたのは、おしまのあの気取りのない腕の頼もしさと温かさであったのだ。

そして、おちかの打ち明け話には、この黒白の間ほどふさわしい場所はない。

ここは——日々の暮らしのなかでは秘められている事柄を口にする場所だ。

「ね、そうしてください。お願いします」

「それは、あの、あたしなんかで務まりますものなら——」

思わずというふうにおしまがひるんだので、おちかは首を振った。

「長い話じゃないんです。そんなに込み入ってもいません。ただ、わたしが大きな間違いをしたというだけの話です」

大間違いだった。そんなつもりは、つゆほどもなかったのだけれど。

結果として、二人も死ぬような事件《こと》が起こってしまった——

「わたしの実家《さと》は川崎宿の旅籠《はたご》です。おしまさんもご存じですよね」

「はい、大きな旅籠だって伺いました」

「屋号は〝丸千《まるせん》〟というんです」

おちかは、慣れ親しんだ実家の様子を心に思い浮かべてみた。大勢のお客たちが荷物を降ろし、女中に足を洗ってもらう広々とした入口の土間。壁には「丸千」の印の入った提灯箱《ちょうちんばこ》がずらりと並べてある。廊下は長く、入れ込みの座敷は鬼ごっこができるほどに広い。

「丸千」は素泊まりでなく、一汁一菜の簡素なものではあるが飯も出すので、台所には二斗釜《がま》が並んでいた。冬場になると、そこでよく芋煮汁をこしらえたものだ。昔、おちかの祖父が、庄内《しょうない》の方から来た商人《あきんど》に教えてもらったという、塩気のきいた味噌《みそ》をふんだんに使った味付けが売り物だった。

庭には丸石で囲んだ小さな池があり、大小さまざまな蛙の置物が飾ってあった。出かけて無事に帰るという意味があるとかで、蛙は旅ゆく人びとの守り神だ。主人が買い求めたものもあれば、泊まり客がくれたものもあった。長い間に、呆《あき》れるくらいの数が集まって、煤払《すすはら》いの折には、その蛙の群れをきれいに洗ってやるのがひと仕事だった。

思い出すうちに、自然とおちかは目を細めていた。懐かしく、遠く感じる。もう帰るまいと思い決めた実家だからだろうか。それとも、あそこで起こったことから離れよう離れようとするおちかの心が、生まれ育った家の光景を薄れさせているのだろうか。

両親と兄。大勢の奉公人たちの顔も、思い浮かべてみようとすると、煙をつかむように頼りない。

「忙しいけれど、楽しい家でした」

陰ってしまう思いを強いて引き立てて、おちかは言葉を続けた。「わたしには兄が一人いるんです。喜一《きいち》という名前で、歳は七つ上です」

「ゆくゆくはそのお兄さんが〝丸千〟の主人になられるんですね」おしまが合いの手を入れてくれる。「お嬢さんは、きっと喜一さんと仲良しでいらしたんでしょうね」

「歳が離れてるから、おまえは甘えん坊だって言われてばっかりでした」

「甘えん坊でしょうがないおちかさんなんて、あたしもいっぺん見てみたいもんですよ」

　からかうように、おちかさんのところに力を込めて、おしまは笑って言った。

「跡取りなんだし、もう二十四にもなるんですから、兄さんもお嫁さんをもらわないといけないんですけど」

　ひとつ、おちかは息をつく。

「わたしの方が、先に縁談がまとまりました。半年前のことです」

おちかは、同じ宿場の旅籠「波之家《なみのや》」の良助《よしすけ》とのことを語った。

「あらあら」と、おしまは口に手をあてた。

「良助さんて、どんな人ですか。優しい人ですか。見かけはどんなふうです？」

　背はどれくらいか。顔かたちはどうか。おしまは身を乗り出して、おちかもおしまも知っている男衆の名前を挙げては、このうちの誰に似ているかと問いかける。けっこう、気が入っている。ただおちかが話を運び易いようにという計らいだけではなく、興味があるのだろう。

　おしまは独り身だ。この店と添ったも同じような人だとばかり思い込んでいたが、ここに来る前には、あるいは誰かと所帯を持っていたのかもしれないし、やっぱりそんな機会はなかったのかもしれない。そんなことを、おちかはおちかで初めて考えた。

した。

「おしまさんは、ご亭主は？」

　不意に問い返すと、おしまはちょっと驚いたように顎《あご》を引き、肩をすくめて噴き出した。


「ずうっと昔、若いころにね」

　すぐ別れましたと、簡単に言った。

「喧嘩《けんか》っ早くてしょうがない人で。茹《ゆ》で損なった枝豆みたいでねぇ」

　青臭くて芯《しん》が堅いのだと言う。

「道楽だの酒飲みだのということはありませんでしたよ。働き者でしたたし。まあ、あたしとは縁がなかったんでしょうね」

　優しい目をして、そう言った。

「おしまさん、その人のことが好きでした？」と、おちかはさらに訊《き》いた。おしまは小娘のようにはにかんで笑う。

「いっぺんは添ったんですから、ええ、好きだったんでございましょうねぇ」

「わたしもね」おちかは軽く手を握りしめ、胸元にそっとあてた。心の臓の上に。

「わたしも、良助さんが好きでした。だから――」

　だから、良助が死んだときには辛《つら》かった。

　興に乗っていたおしまが、すっと元に戻った。笑顔も消えた。

「亡くなったんですか」

おちかはさらに手を強く握る。「殺されたんです。あたしのせいで」

おしまの目がゆっくりと泳ぎ、口元が動いて、言葉を探している。おちかは先回りして言った。「いいんですよ、気にしないでください」

「だけどお嬢さん、あたしったらバカみたいに、顔かたちはどうかなんてお伺いして」

「いいんです。おかげでわたし、久しぶりに良助さんの顔を思い出してみることができたみたい」

一時はどうしようもない放蕩《ほうとう》息子で有名だったけれど、男前ではなかった。優男《やさおとこ》と――言えば言えなくもないか。

「幼なじみでしたから、小さいころからよく知ってるんです。兄さんよりふたつ年下で、いつも一緒に遊んでました」

宿場のはずれの森で、喜一と二人、どっちの方が木の高いところまで登れるか競争していて落っこちて、鼻の骨を折ったことがある。あれは良助が十かそこらのころだ。幸い骨はつながったが、鼻筋が少し曲がった。良助本人は、あれで俺の男ぶりは三分下がったと、よく言っていた。だけど今でも喜一あんちゃんとはいい勝負だ、と。

おちかを嫁にくださいと、「丸千」に来て両親に頭を下げたとき、その鼻筋まで真っ赤になっていた。あんな良助の顔を、おちかは生まれて初めて見た。

見慣れたはずの良助の顔を、眩《まぶ》しいと思ったのも初めてのことだった。

二

くしゅくしゅと洟《はな》をすする音が聞こえる。おちかはまばたきして我に返った。見ればおしまが目を真っ赤にして、指で鼻面を押さえている。

「すみません、お嬢さん」

あんまりお労《いたわ》しくって、泣けてきてしまいましたと呟《つぶや》く。

「今のその、お嬢さんのお顔が」と、おしまはしゃにむに手で目元をこすりながら言う。

「あたしなんかが今まで見たこともないくらいおきれいで、お幸せそうで」

そうか、そういう意味か。もう取り戻すことのできない時を思い起こしているおちかが、ほかのどんなときよりも楽しげに見えたので、おしまは気の毒がってくれているのだ。

「今のが本当のおちかお嬢さんなんですね」

おしまは袖《そで》で盛大に洟をかんだ。

「これからだって、お嬢さん……いくらも、ね、いいことは、ね、ありますから。そしたらまた、ね」

おちかは申し訳なさに頭を垂れる。

自分の方から聞いてほしいと言い出したのに、頭のなかから良助の面影が消えるのと一緒に、何かを見失ったような気分になった。おしまの涙が心に痛い。

「——越後屋のおたかさんは別にしても、曼珠沙華《まんじゅしゃげ》の話をしてくだすった藤兵衛さんは、心の強い人だったんだわ」

「苦しい思い出話を、最後までなすったからですか」

「ええ。途中でやめてしまったって、肝心なくだりを隠したって、話を変えてしまったってよかったのに」

急に弱気がさしてきて、おちかはうなだれた。「わたしにはできそうにありません」

と、おしまがたっぷりとした胸元に締めた帯をぽんと叩《たた》いた。

「よござんす。そんなら、おしまから伺いましょう」

大掃除にでも取りかかるような勢いだ。

「いったいぜんたい、そんなにお幸せだったお嬢さんから良助さんを取り上げたのはどこのどいつなんです？　誰が良助さんを殺《あや》めたんでございますか」

鉈《なた》で薪《まき》を割るような直截《ちょくせつ》さである。おしまは女にしては力持ちで、薪割りが上手《うま》い。

「――取り上げた？」

新鮮な言葉だった。

失ったのだとばかり思ってきたから。

「そうでございますよ。ぽかんとしないでくださいな」

「だけどわたしのせいなの」

「それはさっきも伺いました」おしまは奉公人の慎みを脇に退《の》けて焦《じ》れている。「けどもお嬢さん、お嬢さんが良助さんを手にかけたんじゃございますまい。しっかりしてくださいな。それでまず、その人殺しのことを教えてくださいましよ」

人殺し。おしまはいささかのためらいも見せずにきっぱりと言い切った。

それがおちかを動かした。おちかの心のなかで、恐ろしい罪の言葉として凝《こご》っていたある男の名前。それを声に出して言おうと、口を開く。

「ま――まつ」

おしまがおちかを励ますようにうなずく。

「松太郎《まつたろう》という人でした」

その男の子が「丸千」にやって来たのは、おちかが六つになった年の、正月明けのことだった。初春《はつはる》とは名ばかりの、雪交じりの雨が横殴りに吹きすさぶ、凍えるほど寒い日のことだった。

川崎宿を出て東海道を下り、一里ほど先の街道沿いの斜面に、小さな子供が転げ落ち、岩だか枯れ枝の出っ張りだかに引っかかっている——風雨をついてようよう丸千までたどりついた行商人が、そう訴えてきたのがそもそもの始まりである。

丸千では馴染《なじ》み客の行商人だった。人柄は確かで、商いの手練《てだ》れで、諸国を旅歩き物慣れた人物である。その人が転がるように駆け込んできてもたらした報《しら》せだから、そそっかしい見間違いではあるまい。丸千ではすぐ人を集め、男の子を捜しに行くことにした。

行商人は凍えきっていた。男の子を見つけたとき、何とか一人で助け上げられないかと、空しく時を費やしてしまったというのだ。この荒天に、街道を通る者がほかに見あたらなかったのも運が悪かった。

行商人は舌もうまく回らなかったが、それでも気丈に、自分が案内に立つと言った。それを丸千の方で止めた。

「そんなら、男の子の落ちている近くの松の木の枝に、手拭《てぬぐ》いを縛りつけてきたからな、それを目印に捜してやってくれ」

丸千だけでなく、ほかの旅籠《はたご》からも若い衆が来てくれて、すぐに十人ほどが集まり、縄だの梯子《はしご》だのを手に手に、凍える雨のなかへと出てゆくことになった。頭をかがめ、身を寄せ合い、ひとかたまりの蓑笠《みのかさ》の団子のようになって進んでゆく男たちの姿を、おちかは軒先で、母と兄の喜一に挟まれて見送った。

「うちのおとっつぁんは力持ちだし、馬力屋の源《げん》さんときたらお猿も顔負けなくらいに身が軽いからね。きっと大丈夫だよ。すぐ男の子を見つけて助けてあげられる」

おちかの頭に手を置いて、おっかさんはそう言った。力はまだ半人前だが口は一人前に達者の喜一は、引き上げたってどうせ凍え死んでるよと、怒ったような口調で言って、おっかさんにぴしりと尻《しり》を叩かれた。

「あんたも丸千の跡取りなら、縁があってこの宿場を通る人たちに、情《じょう》のないことを言っちゃいけない。誰かが困っていたら、けっして見捨てちゃいけないんだ」

わかってらと、喜一は口を尖《とが》らせる。わかっていても逆らうようなことを言ってみたい年頃だった。

男たちは、なかなか戻ってこなかった。松がとれて間もない時期で、客は少ない。こんな時期でも用に急《せ》かれて出てきたのに、荒天に足留めを食って、恨めしい思いでいる旅人たちだ。男の子の身の上を案じながら暇をつぶし、それも時がかかれば、やっぱり駄目なんだろうという呟きが多くなる。

「こんなことで、助けに行った男衆が怪我《けが》でもせんといいんだがね」

そういう言葉を漏れ聞いて、おちかはおとっつぁんの身が心配で仕方なかった。おっかさんも案じているのだろうが、顔には出さずに立ち働いている。ついでに用事を言いつけられる喜一は、お返しに憎まれ口をきく。

「子供が落っこちてるんじゃなくて、狐か狸の仕業かもしンないじゃねぇか」

「こんな宿場の近くに、狐も狸も出るもんかい」

「そしたら雪女かも」

「喜一、そんな話を誰に聞いたんだい？　だいいち、外は霙《みぞれ》だよ。雪女も袖が濡《ぬ》れて嫌だって、こんな日和には出歩いたりするもんか。益体《やくたい》もないことばっかり言ってないで、お客さんの火鉢に炭を足しておいで」

おちかは二階の廊下の窓に張りついていた。そこからなら宿場の出入口の大木戸《おおきど》が見える。おそろしく寒いので、窓を掌《てのひら》の幅ほどだけ開けて、首を伸ばしていた。

激しい霙の簾《すだれ》の向こうに、提灯《ちょうちん》の明かりが頼りなく揺れている。ひとつ、ふたつ、みっつ。街道から大木戸へと近づいてくる。

生きてるぞぉ、この子はまだ息がある、早く湯を沸かしてくれぇ――男衆が口々に呼びかける声が、風の鳴る音に交じって確かに聞こえる。

「帰ってきた！」

おちかは、旅籠じゅうに響き渡るように大きく叫び、階段を駆け下りた。

こういうのを、まさしく〝命を拾った〟というのだろう。丸千の奥座敷に延べた床のなかで、三日のあいだこの世とあの世を行ったり来たりして、四日目の朝に、男の子は正気づいた。

幸い、道から斜面に転がり落ちたときに、大きな怪我を負ってはいなかった。ただ、身体の芯《しん》まで凍えてしまい、手足の先に血が通わなかったからだろう、左右の足の小指と、右手の人差し指と中指と、左手の小指が黒くしなびて、どうやらそのまま腐れ落ちてしまいそうな按配《あんばい》だった。

さらに彼は、誰が何を話しかけ問いかけても、まったく口をきかなかった。うなずいたり首を振ったりすることはあるので、呆《ほう》けているわけではない。重湯《おもゆ》をとるようになってからは瞳《ひとみ》にも力と光が戻ってきて、そばにいる者の目をちゃんと見返す。ただ、どうしてもしゃべることができないようなのだった。

だから彼の名前も歳も、どこの生まれでどこに行く途中で、どうしてあんな場所であんな目に遭ったのか、そのとき誰が一緒にいたのか、詳しい事情は何もわからない。わからないまま彼は回復し、半月足らずで床を離れ、丸千のなかを、老人のように頼りない足取りではあるが、壁につかまってゆっくりと歩き回れるくらいにまでこぎつけた。

手足の指は、結局五本とも欠けてしまった。まったく口をきかないから、彼がそれを悲しんでいるのかどうかわからない。時折、彼が日向《ひなた》でじいっと自分の手を見ていることがあり、それに気づくたびに、おちかの母は涙ぐんで慰めたが、彼がそれに応《こた》える様子はなかった。

歳は知れないが、喜一よりは幼く、おちかよりは大きい。おおよそ十ぐらいだろう。呼び名がないのは不便なので「松太郎」と名付けたのは、おちかの父である。

「目印の松の木のおかげで命拾いをした子だからな」

どんなことにでも口を挟まずにおられない年頃の喜一は、「それを言うなら手拭いのおかげだろ。そもそもは、あの行商人のおっちゃんのおかげだ」

混ぜっ返して叱られた。どうにも喜一は、丸千ばかりか周囲の旅籠の人びとの同情と関心を一身に集めている松太郎が、何かと癇《かん》に障って仕方がないようだった。

子供らしい好奇心に急かれて、松太郎がまだ床を離れられずにいるころ、おちかはときどき彼の寝間に様子を見に行った。行って何をするわけでもない。おちかはまだ頑是《がんぜ》無い幼女だし、松太郎は口をきかないのだから。が、そういうところを喜一に見つかると、おちかはいつもこっぴどく叱られた。首根っこをつかまれて、座敷から引っ張り出されたこともある。

「あんなヤツ、もののけかもしンないんだぜ。そばでちょろちょろするんじゃねぇよ！」

「もののけって、おっかないの？」

「そうだよ。おちかなんか、頭っから取って喰《く》われちまうぞ」

松太郎が起きて歩けるようになると、見かける機会も自然と増える。宿の者たちが親しく彼に声をかけ、世話を焼く。それを目にするおちかは、兄さんのお叱りも忘れて、松太郎のそばに寄ってゆく。と、またぞろ喜一がそれに剣突《けんつく》をくらわす。

そんなことを繰り返していたら、いくら大人たちの目に触れないように気をつけていても、いつかはばれる。松太郎が来てひと月ほど経ったころだ。丸千の裏庭の薪《まき》割り場で、喜一が手荒に彼を突き飛ばしたところを、たまたま通りかかったおちかの母が、目の当たりにした。

今度は、喜一が首根っこをつかまれた。

おちかは、両親の座敷に連れていかれた喜一が叱られ、大声で言い返したり喚《わめ》いたり、そこをまた怒鳴られて泣いたりしているのを、廊下の端から覗《のぞ》き見ていた。父の声も大きいが、兄も負けてはいない。母の声は涙混じりになっている。

「松太郎が可哀相だと思わないのかい？　あんたには男気ってもんがないのかね」

「あんなヤツ大ッきらいだ！」

「好きも嫌いもないだろう。あの子がどんな子なのかもまだわからねぇんだぞ」

「顔見りゃわかるよ！」

表にまで届くような、恥も外聞もない応酬である。丸千の奉公人たちは、顔を見合わせて苦笑いをし、聞こえないふりをしている。おちかは兄さんが可哀相なような、いい気味のような、自分も一緒になって泣きたいような、この場から逃げ出したいような、ここにいてあげないと兄さんに悪いような、六つの子には抱えきれない想いで胸を塞《ふさ》がれて、小さくなっていた。

と、背中に人の気配を感じた。

振り仰ぐと、思わずよろけてしまうほどすぐそばに、松太郎が立っていた。足の指を欠いたせいだろう、彼の歩みは少し心許《こころもと》ない。立っているときも、必ず壁に手を触れている。が、今は両手をおろして、しょんぼりとおちかを見おろしていた。

おちかは目を瞠《みは》り、ただただ松太郎の顔を見つめていた。そのあいだにも、喜一が泣いたり怒ったりする声が響いてくる。

松太郎の頬には、さっき喜一に突き飛ばされたときのものだろう、薄く血のにじんだ擦り傷があった。それが彼の色の抜けた顔に、これまでにない生気を与えている。

固く結ばれていたくちびるが、わずかに動いた。おちかは魅入《みい》られたようにそれを見つめる。

「……ごめん」

初めて耳にした、彼の声であった。

おしまが小さく咳《せき》をして、少したためらうように口元をもごつかせてから、おちかに目を向けた。

「それでその子、ずっと丸千に居着くことになったんでございますか」

おちかはうなずき、ふっと笑った。居着くという言いようには、最初《はな》から喜一への肩入れがある。

「おしまさんにはわかるでしょうけど、あのころの兄さんは、松太郎さんに妬《や》いていたんです」

おしまは勢いづいた。「そりゃそうですよ。どこの馬の骨ともわからない子供を拾って、ご両親が大事に世話を焼いてるんです。お兄さんだって、そのころは十三くらいでしょう？　まだ理屈だけじゃものを考えられない年頃だもの、妬かない方がどうかしてます」

「兄さんも、大人になってからはそう言っていました。あれは俺が悪かったって」

大人になって、しばらくのあいだは。松太郎があんな恐ろしいことをしでかすまでのあいだは。

恐ろしい事件が起こって後は、こう言うようになったのだけれど。

――俺の勘は外れてなかった。かえすがえすも残念だよ。あいつを早く丸千から追い出しておけばよかったんだ。

「松太郎さん、ね」

おちかは強いておしまに笑いかけた。

「さっきの良助さんの話じゃないけど、とってもきれいな顔をしてたんです」

役者にしたいような美男だと、おちかの両親はよく言っていた。

「お人形さんみたいだったんですもの」

良助の顔かたちの話題のときには小娘のようにはしゃいでいたのに、今度のおしまは、虫の死骸《しがい》でも鼻先に突き出されたみたいに身を引いた。

「嫌ですねぇ。かえって嫌ですよ」と、顔をしかめて吐き出した。

「ごめんなさい。わたしの話の手順が悪いせいで、とうていそんなふうには思えないでしょうけれど、でもね、おしまさん。わたし、松太郎さんのこと嫌いじゃなかったんです」

「お嬢さんたら、またそんな優しいことをおっしゃって」

おちかは素早くかぶりを振った。どんな言葉を使ったら、このもどかしい思いが伝わるのか――

結局、正直になるのがいちばんなのだ。

「むしろ、好きでした」

おしまは驚くより眉《まゆ》をひそめた。それでもおちかはひるまなかった。好きだったんですよと繰り返した。

最初に彼の声を聞いたのはおちかだ。あの「ごめん」は、六つの女の子の心に、ほかの者から与えられることのない影をくれた。その影は、けっして怖い形をしてはいなかった。

影は影でも――木陰だった。おちかはそこで、六つから十七に育ちあがるまで、確かに折々、憩ってきたのだ。

今、黒白の間で振り返れば、松太郎の心にも、あのとき彼の声を受けたおちかの眼《まな》差《ざ》しが、おちかの形をした木陰をこしらえたのだとわかる。

今まではわからなかった。いや、わかっていても認めたくなかったのだ。認めることを避けるために、おちかはまっしぐらに己を責めてきた。松太郎さんの気持ちに気づかなかった。知らなかった。わたしには思いもよらぬことでした、と。その道を行くならば、ほかの脇道に目をやらずに済むからだ。もしかしたら、そちらが本道であったかもしれない脇道に。

「宿場町では、一緒に旅をしていた親が病で倒れたり、親とはぐれてしまったりして、子供が独りぼっちで置き去りになってしまうのは、そんなに珍しいことじゃないんです。そういうときは、その子から親元を聞いて送り届けたり、家が遠いときには音信だけを人に頼んで、誰か迎えに来てくれるまで預かったりします。旅籠《はたご》の寄り合いではちゃんと決まりをつくっていて、回り持ちで面倒をみるんです」

その子に身寄りがなかったり、松太郎のようにそもそも身元がわからない場合には、里親を探すことになる。

「うちのおとっつぁんとおっかさんは、頭っから松太郎さんを引き取る気でいました。あんな目に遭っても生き延びた、運の強い子だ。この子はきっと大物になるなんて、おとっつぁんがわざと景気のいいことを言って、それをまた兄さんが妬いて怒って」

おちかに口を開いたことをきっかけに、松太郎はぽつりぽつりとしゃべり始め、挨《あい》拶《さつ》と返事ぐらいはするようになったが、依然、度はずれた無口な子供であることに変わりはなかった。目の前の親子喧嘩《げんか》にも、バツが悪い顔をするわけでもなし、おちかの父を宥《なだ》めるでもない。喜一に叩《たた》かれようが突かれようが、口答えしないしやり返そうともしない。

「ご両親のお気持ちはわかりますよ。やっぱりお優しいわ。それに旅籠には、いくらだって仕事がございましょうしね」

「そうだけど、でも、奉公人として使おうとしたわけじゃないんですよ。兄とわたしのあいだには、実はもう一人男の子がいたんです。生まれてすぐ亡くなってしまって。だからおとっつぁんとおっかさんとしては、その子の代わりに育てるんだというつもりもあったんでしょう」

ただ、松太郎にはもう一人、彼を引き取りたいと申し出る者がいた。あの行商人である。自分が助けきれずにいた子だが、有り難いことに宿場の衆に拾ってもらった。ならば、この子の今後の身の振り方は、わっしがあんじょう、はからいます。

「松太郎さんが助けられたときも、命をとりとめたってことがわかるまでは丸千に居残っていて、かかった薬代と宿賃を払ってくれたくらいだったんです。それから後も、ちょくちょく顔を見に来ていました」

行商人もやはり、幼い子供を亡くしていた。その子の代わりだ、女房とも話はしてあるというのだった。

松太郎が歩けるようになってからこっち、ふた月ばかりはそうやって話し合いを重ねたろうか。どちらも譲らなくて、折り合わない。おちかの父は、行商人の気持ちは尊いが、あの人は商いで家を空けてばかりいるんだから、松太郎はあの人のおかみさんに育てられることになる、それじゃ気詰まりで、しまいには上手《うま》くいかなくなると言い張った。

「こうなったら仕方ない、本人に決めさせようってことになって」

松太郎は、丸千にいたいと言った。

「子供ながらの、鶴のひと声でした」と、おちかは微笑した。「うちのおとっつぁんとおっかさんは手を打って大喜びしたものです」

後年、そのことを二人して窶《やつ》れるほど深く悔いる羽目になると、思いもしなかったから。

「それでわたしたち、三人兄弟妹《きょうだい》みたいな暮らしを始めることになったんですけど……」

喜一と松太郎の間柄は、なかなか滑らかにはならなかった。何かというと、つまらない諍《いさか》いが起こる。松太郎の咎《とが》ではない。喜一が頑丈な堀と石垣を築き上げ、折あらばそこから松太郎に向かって矢を射かける——という具合であった。松太郎の方は射られるままになっていて、相変わらず黙《だんま》りを決め込んでいる。それが面憎いと、喜一はまた怒る。

それでも三人は宿場の同じ寺子屋《てらこや》に通い、毎日一緒にご飯を食べ、枕を並べて寝た。旅籠屋のこまごまとしたお手伝いやお使いも、同じように言いつかった。

松太郎は不自由な手足を動かすことにも次第に慣れて、よく学び、よく働いた。生来、聡《さと》い子供であるらしかった。自然、不憫《ふびん》だ健気《けなげ》だと、彼をかばい褒める向きが多くなる。喜一はこれにも大いに不満で、松太郎を奉公人として扱えと、何度か両親に訴えかけては、その都度強く意見された。

そういうことが何から何まで、喜一としては、えこひいきに思えて仕方がない。

松太郎が来て一年ほど経ったころだったか、父子が正座して真っ向に相対し、父がこんこんと兄に言い聞かせている光景を、おちかは見たことがある。

「おまえはな、おとっつぁんの後を継いで、この丸千の主人《あるじ》になる男だ。旅籠という商いは、ただの商売じゃない。おあしをいただくから泊めてやる、飯を出す。そういう了見だけじゃ、成り立たないのがこの稼業なんだ」

ほかに何が要るっていうんだよ、商いは商いじゃねぇか。強気に言い返す喜一の顔をぐっと見据えて、父はこう言った。

「情《じょう》だよ。人の情けだ。おっかさんにも言われなかったかい？　困っている人を見捨てない、人助けの心を忘れない。それが肝心だ」

おまえはもっと、度量の大きな男にならなくちゃいけない。でなけりゃ、丸千の主人は務まらない。そう叱られると、喜一はぷいと顔を背けた。

「だったらいいじゃねぇか。松太郎を後継ぎにすりゃいい。おいらは出て行くよ、もう、こんなうちにはいたかねぇ！」

そのあと、ちょっとした騒ぎになった。父が兄の首っ玉を捕まえて、納戸部屋まで引きずってゆき、押し込めて戸に心張り棒をかってしまったからだ。

「俺がいいと言うまで、誰も開けるな」

家族にも奉公人たちにもそう言い聞かせて、おちかの父はさっさと仕事に戻ってしまった。

喜一は、出て行くなどという切り札を切ってしまったからだろう、今度は泣いたり喚《わめ》いたりせず、父親と根比べをするつもりであるらしかった。納戸は静かで、ことりとも音がしない。おちかは何度か納戸へ近づき、そのたびに母や奉公人たちに止められた。

「おとっつぁんの言いつけだよ」

「旦那《だんな》さんのおっしゃるとおりにしないといけませんよ、おちかちゃん」

でも兄ちゃんが可哀相だとおちかが泣き声を出し、確かにそれが聞こえたはずだろうに、喜一はうんともすんとも言わなかった。

彼がようやく出てきたのは、三日後のことである。

おちかは今もって、何がきっかけになって喜一が納戸から出たのか、詳しい事情を知らない。ただ、漏れ聞いた限りでは、どうやら松太郎が喜一と話してくれたらしかった。納戸の前に座り込み、戸に頭をくっつけるようにしている彼の姿を、奉公人たちが目にしている。

「初めて、身の上話をしたらしいんです」

松太郎がなぜあんな目に遭ったのか、そのとき誰かが一緒にいたのか、彼が丸千に居着いてからも、すべては謎のままだった。宿場の顔役たちがこのことを重く見て、岡っ引きを走らせ、松太郎が川崎宿に現れるのに前後して、この宿場を通った旅人たちを調べたことがある。なかでも、行きは松太郎ぐらいの年頃の子供を連れていたのに、帰りは一人だったとか、妙に落ち着かなかったとか、あの荒天のなかを急いで宿場を通り抜けたとか、怪しいそぶりの者はなかったかと、よくよく注意を払って洗い上げた。

が、何もわからなかったのだ。川崎は江戸から日帰りのきく距離である。その気になれば、街道をそれて歩くことも難しくはない。松太郎を見捨てた同行者がいたとしたならば、その者は宿場を避けて、先を急いだのだろうと思われた。だからその身に起こった出来事の真実は、松太郎自身しか知らなかったのだ。

喜一は、それから変わった。

「ぱったりと、松太郎さんに意地悪をしなくなりました」

宿場の遊び仲間の子供らが、彼の欠けた指をからかったりすると、喜一は真っ赤になって怒り、とことんとっちめた。それがきいて、次第にいたずら坊主どもも松太郎に手を出すことはなくなっていった。

「あの……」おしまがおずおずと割って入る。「そういう子供らのなかに、もしや良助さんがいたってことはございませんか。幼友達だとおっしゃいましたでしょ」

おちかはひとつ、うなずいた。

「子供はみんな残酷なところがあるものだけど、小さいときの良助さんは、けっこうきかん坊でしたから」

これがまたおかしなところなのだが、喜一が松太郎を弟のように扱い始めると、それまで喜一と兄弟さながらにつるんでいた良助が、今度は焼き餅《もち》をやいたようなのだ。

「それっきり、兄さんと良助さんの間柄は、元のようには戻りませんでした。だから、良助さんが大人になって道楽を始めて、わたしとの縁談が持ち上がったときも、兄さんはすぐあんなふうに言い切れたんだと思います」

冗談じゃねぇ、と。

「でも、半年前に二度目の縁談が来て、今度は良助さんご本人が改心して頭を下げたときには、お兄さんだって納得されて——」

「ええ、喜んでいましたよ」

今度こそ本物の兄弟になれる、と。

おしまは深々と嘆息した。「なんですか、焼き餅のやったり取ったりでございますね」

「本当にそうよね」

心に思うことは止められないし、隠しきれるものでもない。

「あたしも察しがついて参りましたけど」

おしまはわざとおちかの目を見ないようにして、そっと呟《つぶや》く。

「お嬢さんが良助さんと添うって決まったとき、今度は松太郎って人が妬いたんでございますね。妬《や》けて妬けて、どうしようもなくて、良助さんを――」

思わずというように、拳《こぶし》を握る。

「松太郎って人は」

おしまは、「松太郎」と呼び捨てにこそしないが、必ずそういう呼び方をする。

「お嬢さんを好いてた。さっきお嬢さんがご自分でおっしゃいましたから、おしまもそう思うようにいたしますが、お嬢さんも松太郎って人を好いてらした。そういう気持ちは伝わるものです。だから松太郎って人は、勝手にお嬢さんを自分のものだと思っていたんでしょう。なのに」

良助が横合いからおちかをさらってゆこうとしている。子供のころ、自分をしつこく苛《いじ》め、からかった憎《あや》い男が。

「だから良助さんを殺めちまった。おお、怖いこと」と、おしまは憎々しげに呻《うめ》く。

おちかの心のなかに、とりどりの色合いの紙吹雪のように、さまざまな思いの切れ端が舞った。きれいなものもあれば、真っ黒なものもある。何色と喩《たと》えようのない色もある。

それを眺めているうちに、自然と言葉が漏れて出た。

「——酷《むご》いことをしていたんです」

「ええ、酷いことですよ。酷すぎます！」

おちかはかぶりを振った。

「松太郎さんのやったことが酷いんじゃないんですよ。わたしたちが松太郎さんに、酷いことをしていたんです」

驚いて言い返そうとするおしまに、おちかは静かにかぶりを振り続けた。

「わたしね、確かに松太郎さんを好きでした。兄さんも仲良くしてました。おとっつぁんもおっかさんも可愛がってた。家族みたいに」

だが、みたいはどこまでいってもみたいでしかなかった。

「心のどこかで線を引いてて」

「だってそれは——」

「なのに、口では違うことを言っていました。いつも、優しいことばっかり」

おちかは強いて目を瞠《みは》り、おしまを正面から見た。「おしまさんもご存じでしょ。

宿場町には、春をひさぐ女たちが付きものです」

飯盛女《めしもりおんな》だ。給仕するということを名目に、客のもとに呼ばれて春を売る。

「え、ええ……」おしまの方が顔を赤らめた。

「川崎宿なんて、日本橋から近いところですからね。むしろ、そっちのあがりの方が町を潤していたくらいです」

「お嬢さん、よくそんなことをご存じで」

「旅籠《はたご》に生まれ育ったら、嫌でもわかることですよ」

わかっていて、知っていて、知らぬふりをすることも同時に学ぶ。

「ああいう女の人たちは、みんな貧しい生まれです。食うや食わずで、身を売らなくちゃならなくなるんです。ですからね、あの人たちの商いの邪魔をすることは御法度《ごはっと》だって、わたし、縁談が舞い込む年頃になって、おっかさんに教えられました」

見ないふりをするのが親切だ。同情なんかしちゃいけない。何もないような顔をして、気分良く挨拶《あいさつ》するんだよ。そして、深く関わらないでいるんだよ、と。

「同じ女同士ですもの。わたしだって、可哀相だとかさぞ辛《つら》いだろうとか、反対に、なんて嫌らしい商いだろうとか、いろいろ思ったものです。あの人たちを買って遊ぶ男の人たちを、人でなしだと思ったこともあります。でも、そういう思いはみんな心に蓋《ふた》をしてしまいこんでおくように、おっかさんは言いました。あんたが一人で何をどう頑張ったって、川崎宿の飯盛女をみんな助けることはできやしないんだし、あれはあれであの人たちの生計《たつき》の道なんだからねって」

世の中とはそういうものなのだ。

「わたし、今になってわかるけど、うんと深い根っこのところでは、わたしたち家族は松太郎さんのこと、ちょうど、丸千に来る飯盛女の人たちと同じように扱っていたんじゃないかと思うんです」

親切にする。困っていれば助ける。笑顔をかわすことだってあるし、何かあれば案じる。そうしておけば、互いに利得のある間柄だからだ。

でも、線は引いている。

「おとっつぁんは、旅籠屋の商いには人の情が欠かせないと言いました。でも、本当に情があるのなら、親兄弟のために身を売る女の人を、放っておいたりできないはずです」

おちかは鋭くおしまの目を見た。

「丸千が呼ぶ女は質がいいって、うちは評判をとってたんですよ。おとっつぁんが上玉を選んでいたからです」

女たちの方も、丸千の旦那《だんな》はおかしな客を付けて寄越《よこ》すことはないから安心だ、上前を余計にはねることもないと、信頼を寄せてくれていた。

こうした事柄を、おちかは直《じか》に見聞きしたわけではない。おおかたは奉公人たちを通して、それも彼らがおちかの耳がないと油断しているところでしゃべっているのを聞きかじって仕入れた知識だ。だが今はあえて、自分で目の当たりにしたことのように力を入れて語った。

おしまの顔色が、今度は白くなった。上玉などという野卑な言葉が、おちかの口から飛び出したことが信じられないのか、自分の耳を疑うように、指で耳たぶを引っ張ったりしている。

「ごめんなさい」と、おちかは詫《わ》びた。「おしまさんを困らせていますね。でも、ほかに喩えようが見つからないんです」

それどころか、言えば言うほどに、松太郎と丸千のつながりを語るのに、この喩えほどぴったりしたものはないように思えてくる。

ただ——飯盛女たちとの付き合いと、松太郎とのそれとのあいだには、ひとつだけはっきりと違うところがあった。

その「線」があることを、互いにわかりあっているかどうかということだ。

「松太郎さんはずっとうちにいました。おしまさんもさっき言っていたけど、旅籠には細かい仕事がうんざりするくらいたくさんあります。男手が増えるのは有り難いし、松太郎さんは重宝な働き手でした」

奉公人のように働き、家族のように遇される。長ずるに従って、松太郎の居場所はそういう半端なところに落ち着いていった。

「松太郎さんは、うちに来て五、六年も経つと、指が欠けているなんて言われなきゃ気づかないくらい、手先の仕事も器用にこなすようになっていました。おっかさんが、欠けた指のところに綿を詰めた手袋を縫ってあげたので、普段はいつもそれをはめていて」

旅籠仕事の手が空《す》くと、よく、木っ端で鳥や花などの小さな木彫りの玩具《おもちゃ》を作ったりもした。おちかもいくつかもらって、自分の座敷に飾っていたものだ。幼い子供のいる馴染《なじ》みの泊まり客に、丸千からのお土産だと進呈して、喜ばれたことも何度もあった。

「そういうところを見込まれて、宿場のいろんな職人さんたちから、うちへ働きに来ないかって、ずいぶん声をかけられました。松太郎だって、いつまでも丸千の居候じゃいられまい、独り立ちできるように生業《なりわい》を持てって勧めてくれて」

だが、そのたびに、丸千では申し入れを断ってしまう。松太郎本人が乗り気のように見えても、これは喜一の弟分で、うちの倅《せがれ》も同様でございますから、と。

「それこそ、お身内だと思っていたからでございましょうよ」

「ええ。だけど跡取りは兄さんですよ。倅同様と言えば聞こえはいいけど、見方を変えれば飼い殺しです。松太郎さんが骨惜しみせずよく働く人だから、うちの両親もすっかりあてにしてしまって、手放したくなかったんですよ」

給金の要らない奉公人だ。なにしろ、松太郎は働くことで、命を助けてもらった恩を返していたのだから。

「本人がそう望んだんでございましょ?」

「わたしたちはそう思っていました」

が、こうして思い返し、ひとつひとつの出来事を嚙《か》みしめてみると、松太郎はそれらの話がつぶれるたびに、落胆していたようにも思えてくるのだ。

「わたしはそのころ、何も気づきませんでした。やっぱり、うちのなかから松太郎さんがいなくなったら寂しくなってしまうし、不便にもなるってわかっていたんです」

先行きを、松太郎の身になって考えていたとは言えない。

「一度だけね、そういうわたしたちの手前勝手を、見直す機会がありました」

松太郎が丸千で暮らして、八年目のことであった。彼を見つけて助けを求めてきた、あの行商人が久々に丸千を訪れたのである。

「松太郎さんを引き取ることができなくなって以来、ずっと丸千はお見限りでした。その人が、本当に久しぶりにお客として来てくれたんです」

行商人は立派に成長した松太郎の姿を目にして、涙を浮かべるほどに喜んだ。松太

郎も彼のことを覚えていて、ようやくちゃんと御礼が言えると、喜んでいた。

「二泊して、お帰りになるときです」と、おちかは続けた。「行商人のおじさんが、おとっつぁんとおっかさんに、折り入って話があるって言うんです」

おちかはあとで、詳しいことを聞いた。

「松太郎さんを江戸へ連れて行きたいって、申し出があったんです。今度は里親だのもらい子だのということじゃなくて、自分があれの身柄を預かる。商人として身を立てさせてもいいし、手に職を付けさせてもいい。あんじょうはからうから、どうか松太郎を江戸へ出してやってくださいと」

おちかの両親は、首を縦に振らなかった。と、行商人は膝《ひざ》詰め談判の勢いになった。

——これまでの丸千さんのご苦労と温情があってこそ、今の松太郎がある。それはわっしも重々承知です。だが、このままではあれも可哀相だ。一生、返しきれない恩を背負って暮らすことになる。

「おとっつぁんもおっかさんも怒りました」

恩で縛っているつもりはない。松太郎はうちの倅も同然だ。あれが自分で江戸へ行きたいというのなら、いつだって喜んで出してやる。でも、余計なお節介はやめてくれ。

——本人には、たとえそう望んだって言い出せやしません。だからわっしがお頼み

しているんです。

畳に額をすりつける行商人を、しまいには追い出すようにして帰した。以来、また行商人は丸千に姿を見せなくなった。

「岡目《おかめ》八目《はちもく》で、あの行商人のおじさんには、わたしたちの本音がよく見えたんでしょう。だから頼んでくれたのに、追い返してしまったんです」

あの折は喜一も、「執念深いなぁ」と、行商人の悪口を言っていた。おちかだって、「おっかさん、塩をまいてやればよかったのに」と、大人たちの尻馬《しりうま》に乗って、憎らしい口をきいたものだった。

丸千にも松太郎にも、それまでと変わらない暮らしが戻った。行商人の一件について、松太郎が何か言ったことはない。心の底で彼が何を考え、どう感じているのか、丸千の者たちにはわからなかった——というより、察してみようという気がそもそもなかった。

倅同然の、頼りになる働き手。

「兄さんが放蕩《ほうとう》を始めて、おとっつぁんもおっかさんも振り回されていたころなんか、松太郎さんがいなかったら、丸千は成り立たなかった。松太郎さんが丸千の内を仕切っていたくらいです」

「お嬢さん」おしまは疲れたように目をしばしばとまたたいて、おちかに呼びかけて

きた。

「お話はよくわかりました。もしかして、松太郎って人は丸千の皆さんに恩義を感じていて、だから一所懸命努めてたんだけど、それが重たくなってたのかもしれません。けどね、人殺しは人殺しですよ。言い訳なんかできません」

おちかは口を閉じ、しばし無言のままで、おしまの眼差《まなざ》しを受け止めた。いちばん最後に残っているいちばん酷《むご》い話を、おしまに向かって語るには、少しのあいだ心を固め直さなくてはならなかった。

「わたしが十四になって、最初に良助さんとの縁談が起こったとき──」

喜一が先に立って蹴《け》り飛ばした。良助の「波之家」では、こっちの言い分に筋が通っているだけに面目丸つぶれで、こそこそと嫌らしい陰口をきいた。

──今からそんな小理屈を並べて縁談を断るようじゃ、おちかちゃんはきっと嫁《い》き遅れになる。そうなってから泣きついてきたって、この宿場じゃ誰もかまいやしない。

「うちでは、陰口を聞いて、みんなで言ってました。おとっつぁんもおっかさんも喜一兄さんも、奉公人たちのいる前でも、近所の人たちとの世間話でも、何度も何度も、笑ったり怒ったりしながら、口々に言いふらしていたんです」

フン、かまうもんか。おちかは松太郎と所帯を持てばいいんだから。

四

「――もちろん、本気じゃないんですよ」

おしまの目から目をそらして、おちかは続けた。「本気でそんなことを考えてるわけでも、口にしているわけでもなかったんです。おとっつぁんもおっかさんも、兄さんも、奉公人たちも」

でもそのときは、そう言ってみたかったのだ。言えば言うほど痛快で、「波之家」の人びとの鼻をあかしてやるようで、気分がよかったのである。

「でもお嬢さんは、松太郎さんがお好きだったんでございましょ」

それは淡い恋ではなかったのか。松太郎の嫁になることを、大人たちの思惑《おもわく》とは別に、おちか自身が夢想することはなかったのか。

おちかに対する問いかけでありながら、そこには松太郎に同情するような響きがあった。おしま本人には、そんなつもりはないのだろう。だからなおさらそれが痛くて、おちかは、すぐには答えることができなかった。

くちびるを湿し、かわりにこう言った。

「松太郎さんは、所詮《しょせん》は余所者《よそもの》でした」

家族のように共に暮らしていても、家族のような親しみを感じていても、身内ではない。そこには線引きがあった。

「それも、ただの余所者じゃありません。どこの馬の骨か知れないばかりか、あんな恐ろしい目に遭わされて、うち捨てられていたような子供です。どんな悪い因縁を引きずっているかわかったものじゃない。その因縁が、いつ何時ひょっこりと現れるかもわからない」

だから、線引きは消せない。

それが大人のものの考え方というものだ。

それが――どこの馬の骨かもわからぬ子供を拾って育ててやった、〝恩人〟の考え方というものだ。

「波之家に面当てがましく言い返すために、丸千は松太郎さんをだしにしました。ええ、あれはそういうことでした」

そんな言い様《よう》を聞かされた波之家の方は、

――薄気味悪い捨て子だった松太郎の方が、道楽息子の良助よりも、まだましだとでもいうのか。

そう受け取って、さらに気を悪くしたろう。丸千だってその意図があって松太郎を引き合いに出したのだ。そして宿場じゅうに堂々と吹聴《ふいちょう》した。おちかには松太郎がいると。

「そんな折、今でもよく覚えていますけど、おっかさんがおとっつぁんの袖《そで》を引いて、あんた、いい加減にしておいた方がいいよって囁《ささや》いたことがあるんです」

——心にもないことを言いふらすもんじゃないよ。波之家をやりこめるには、もう充分じゃないの。松太郎だって可哀相だ。

最初《はな》から、本当におちかを松太郎と妻合《めあ》わせる気などないことが、はっきりわかる言葉である。

「おとっつぁんは笑ってました」

——なぁに、松太郎が本気にするわけがない。あいつは自分の身の程を心得てるよ。

——だったらなおさら、もうよしましょうよ。あたしは気が咎《とが》めてしょうがない。

あのときの母の顔には、言葉通りの後ろめたさと共に、濃い懸念が浮かんでいた。

おしまは暗い目をして半身を乗り出す。

「松太郎って人はどうだったんです？　真に受けていたんですか、お嬢さんとのお話を」

身の程を心得ている人だったから。

「話の切れっ端が耳に入っただけでも、いつも大慌てをしていました。滅相もない、そんなことがあるわけがない、あっていいことじゃない、畏《おそ》れ多いって、大汗をかいて」

　だが、彼がそうして否定すればするほどに、輪をかけておちかの父や、兄の喜一は言い張ったのだ。何を遠慮してるんだ、おちかと所帯を持って、本当に丸千の家族になればいいじゃないか――と。

「今思えば、おとっつぁんと兄さんは、お互いに煽《あお》りあっていたんです」

　松太郎をからかっていたわけではない。身も蓋《ふた》もないようだが、実は彼のことは眼中になかった。松太郎をだしにすることで、道楽息子をおちかに押しつけようとしてきた波之家の顔を潰《つぶ》すことができる。その面白さと気分のよさに、二人して夢中になってしまったのだ。

「兄さんは、真っ先にこの縁談に腹を立てた火付け役でもありましたから、なおさらです。おとっつぁんを宥《なだ》めるどころじゃありませんでした」

　ほんの少しだけ言い訳をするならば、喜一には、子供のころさんざん松太郎をいじめた良助が、当の松太郎と比べられることによって宿場じゅうに恥をさらす羽目になることも、痛快だったのだろう。松太郎だって、それは気分がよかろうと――思っていた節もある。

　悪気はなかった。

　本気でもなかった。

松太郎が気にするはずはないと思い込んでいた。だってあの子は、丸千に恩がある。

「そんななかで、わたしはね」

さっきのおしまの問いかけに、答えなくてはならない。

「わたしは、よい子だったんです、おしまさん」

最初のうちは、思いがけない父と兄の言葉に驚いていた。縁談そのものが恥ずかしい年頃で、誰かがこの話を持ち出すと、赤くなって逃げてしまったり、ぷいとそっぽを向いたりしていたおちかであった。だけどときには、肩揚げがとれたばかりの小娘らしい生意気さで、そうね、良助さんより松太郎さんの方がずっと優しい人だから、あたしも松太郎さんの方がいい——などと、父や兄の尻馬《しりうま》に乗ってみせることだってあった。

そういうときは、いつも仔兎《こうさぎ》のように身体が震え、頬が熱くなったものだった。

そうだ。松太郎が好きだったから。おちかのなかには、十四の小娘の本気があった。それは確かに心にあった。

「だから、さっき話したおとっつぁんとおっかさんのやりとりを小耳に挟んだときには、本当に驚いたんです。どういうこと？　と思いましたよ。だからおっかさんと、こっそり話をしたんです」

母は当然、おちかを叱り、宥めた。所帯を持つというのは、あんたが考えるような易しいことじゃない。夫婦には釣り合いというものがある。世間様の目というもののもある。

——松太郎は余所者なんだよ。

それが大人の考え方なのだと、おちかは驚きと共に学んだのだった。

反発はなかった。あいにくと、そこで刃向かうことができるほど、おちかは両親や兄との心の距離が遠くなかった。

そう、よい子だったのだ。

松太郎が好きだという想いに固執できるほどには、まだ女になりきってもいなかった。

そう、子供だったのだ。

「それからは、努めて知らんぷりをするようになりました。おっかさんとわたし、女は女同士の了解で」

冗談にしていいことと悪いことがある。本気にしていいことと悪いことがある。それを見極められないと、大人にはなれない。

つまり——あたしが松太郎さんのお嫁になるなんてことは、冗談なんだ。

「松太郎さんの様子には、何も変わりはありませんでした。わたしのことはずっと〝お嬢さん〟と呼んでいたし」

最後の、あのやりとりのときまでは。

「半年前、良助さんとの縁談が今度はまとまって、わたし、とても幸せでした」

あの日、もう陽の傾きかけるころだった。用事があって昨日から江戸に行っていた、おちかちゃんにお土産を買ってきた——そう言って、良助がひょいと丸千を訪ねてきたのだ。

「江戸で有名な小間物屋さんの帯飾りで、若い娘さんのあいだで流行《はや》っているっていうんです」

淡い桜色の貝殻を細工し、幾重にも重ね合わせて花の形をこしらえた、それはそれは繊細で美しい帯飾りだった。

「身につけていると幸せになるんだそうだって。わたし、これ以上幸せになったらかえって困ると思うくらいでした」

二人は丸千の裏庭にいた。庭といっても何の趣向があるわけでもなく、薪《まき》割りや物干しに使う、地ならしをしただけの場所である。

茜《あかね》がかった陽射しが目に入り、おちかはひどく眩《まぶ》しかった。良助さんの顔が赤らんで見えるのは、照れているせいじゃなく、夕陽の色が映えているんだと思っていたら、当の良助に、

——おちかちゃん、そんなに赤くならないでおくれよ。

そう言われて、おちかは今度こそ本当に真っ赤になり、下を向いてしまった。

さぞかし微笑ましく、可愛らしい眺めだったことだろう。たった半年前なのに、今のおちかにははるかに遠く見える。自分のことではないようにさえ思えて、だからこそ心の目に浮かぶそのときの情景は、どこまでも優しく美しい。これから所帯を持とうとしている若い男女の、ままごと遊びのようなやりとりの細部までもが耳に蘇《よみがえ》ってくる。照れてあがって、かすれて裏返りかけた良助の声が聞こえてくる。

――気に入ったかい？　夜明け前から店先に並んでさ、やっと手に入れたんだよ。

ありがとうと、消え入りそうな声で、おちかは答えた。

そのとき、裏庭へと続く旅籠《はたご》の勝手口から、ゆらりと松太郎が姿を見せたのだ。

まだ灯《ひ》をともす時刻ではなかったが、夕陽の届かない勝手口の内側は暗かった。旅籠の内と外で、くっきりと明るさが違っていた。松太郎はその暗がりの側から、蕩《とろ》けるような夕陽の側へ、じわりと染み出るようにこちらへ現れた。暗がりが人の形をなしたみたいに。

そのせいだろう、先に気づいた良助がびくりとした。おちかは彼の視線を追い、松太郎を見つけてやっぱり跳び上がりそうになった。その刹那《せつな》には、許嫁《いいなずけ》との逢引《あいびき》の場を見られてしまった恥ずかしさに、心の臓がたたらを踏んだようになったのだが――

「松太郎さんの顔を見て、違う意味でどきりとしました」

今まで見せたことのない、険しい顔をしていたのである。

松太郎は二人に深く頭を下げ、お邪魔してあいすみませんと丁寧に言った。

――本当なら、こんなところでご挨拶《あいさつ》するべきじゃないってことは、俺にもよくわかっているんです。けど、ちょうど今、通りかかったら、お嬢さんと良助さんのお顔が見えましたんで。

「あとで聞いた話では、松太郎さんは薪を取りに出てきたらしいんです」

そして、寄り添う良助とおちかを見た。

良助と松太郎は、今度の縁談が決まった後、正式に挨拶を交わす機会はなかった。考えてみれば、もしも丸千の人びとが松太郎を家族同様に思っているのならば、これはおかしな話だった。おちかの許嫁として、良助はきちんと松太郎に挨拶するべきだし、松太郎も紹介を受けるべきだった。それがなあなあになっていたことも、振り返ってみれば、松太郎の中途半端な立場を示す、恰好《かっこう》の例である。

――俺なんかが差し出がましいことですが、一度はちゃんと、お祝いを申し上げたかったんです。おめでとうございます。

松太郎は両手を膝《ひざ》にくっつけて、もう一度お辞儀をした。

――良助さん、どうぞお嬢さんをよろしくお願いいたします。

おちかと並んでいた良助が、この言葉を耳にした途端に、まるでかばうようにおちかを背に隠し、ぐいと前に踏み出した。

彼が怒っていることを、おちかは肌で感じた。カッとしたときの良助なら、幼いころに何度も見ている。

——何だと。もういっぺん言ってみろ。

良助は声を荒らげた。松太郎は顔を上げた。険しく強張《こわば》った頬に、すっと別の色が浮いた。驚きと、もうひとつは何だろう。こちらは怒りではないけれど、どこかこう……待ち受けてでもいたかのような。

覚悟の色。やっぱりそうなるか、という。

良助の目尻《めじり》が吊《つ》り上がる。さらに一歩、松太郎へと詰め寄る。

——おまえなんかが、何でおちかをよろしくなんて言うんだ。差し出がましいどころか、図々《ずうずう》しいにもほどがある。おまえがおちかの何だっていうんだ？

やめてちょうだい。おちかは良助の袖《そで》をつかんだ。が、良助はおちかを見ようともしない。その眼差《まなざ》しで松太郎を焼き殺してくれようかというほどの睨《にら》みようだ。

あいすみませんと、松太郎は謝った。よろけそうなほどに深く身を折り頭を垂れる。

そのまま、つっかえつっかえ訴えた。

——ただ、俺は本当にお嬢さんに幸せになってほしくって。丸千の皆さんには返しきれないご恩がある身ですから、何かその、お祝いを申し上げたくって。

その言葉はおちかの胸を突いた。松太郎が、不器用に言葉を選びながら何を伝えようとしているのか、おちかにはよくわかった。

——いいのよ。謝ったりしないで、松太郎さん。良助さんも怒らないで。

さらに強く良助の腕を取り、松太郎から遠ざけようと引っ張った。が、あろうことか良助はそんなおちかの手を振り払った。

——いいから、おちかは黙ってろ。

子供のころそのままだった。ムキになって高い木のてっぺんに登ろうとする良助。けっして言い負かされない良助。喧嘩《けんか》したら、勝たずにはおさまらない良助。

——おまえがそんなふうに優しくするから、こいつがつけ上がるんだ。丸千のおじさんおばさんも、喜一兄さんもどうかしてら。おちかとひとつ屋根の下に、こんな野良犬を飼っておいてさ。俺はずうっとやきもきしてた。こいつの正体なんざ丸見えなのに、みんなして手もなく騙《だま》されちまってて。

そして、本当に野良犬でも追っ払うように、松太郎の顔の真ん前で、しっしとやった。

——おちかが俺の女房になって、喜一兄さんと俺が義兄弟になって、丸千と波之家はひとつの旅籠になる。一緒に商いをやって、どんどん繁盛させるんだ。いずれは宿場一の旅籠にしてみせる。そこにはもう、おまえなんかの居場所はねぇぞ。これからは、俺がしっかり見張ってるんだからな。

——たまたま餌をもらっただけの野良犬だ。いい気になって居着いて、みっともないったらありゃしねぇ。

——俺とおちかにあんな口をききやがって、何様のつもりだ。今すぐ出ていけ。とっとと荷物をまとめろ！

身を起こした松太郎は、罵声《ばせい》を浴びせられるまま、棒立ちになっていた。啞然《あぜん》として顔色を失っている。一方の良助は、ますます調子に乗って彼を罵《のの》り倒す。あんなことがあった、こんなこともあった、おじさんもおばさんも、喜一兄さんだって、本当はおまえのことをこんなふうに言ってたんだ、おまえは何にも知らず、気づきもしなかった。それが厄介者ってもんなんだ。

口を半開きにして良助を見つめていた松太郎が、ふとおちかの顔に視線を移した。二人の目が合った。

おちかは、目をそらした。

良助がさらに激昂《げきこう》し、いきなり躍りかかるようにして松太郎の胸ぐらをつかんだ。

——てめぇ。今おちかを見やがったな？　その嫌らしい目でおちかを見やがったな？　てめぇの了見なんざとうにお見通しだ。勝手におちかに岡惚《おかぼ》れしやがって、身の程知らずにもほどがあるってもんだ！

二度とおちかを見るなと怒鳴りつけ、良助は松太郎を殴りつけた。まともに拳骨《げんこつ》をくらって地面に倒れた松太郎を足蹴《あしげ》にする。

——ほんの一時だって、てめぇがおちかと添えるなんて思ったのが了見違いだ。ざまあみろ。

それでやっと、おちかも得心した。ひゅっと納得して、心の臓が凍えた。

良助はずっとこだわっていたのだ。忘れてはいなかった。恨んで怒っていた。先《せん》の縁談のときに、丸千の人びとが触れ回ったことで、こっぴどく顔を潰《つぶ》されたことを。いやそれどころか、もっと子供のころ、松太郎を挟んで喧嘩して、喜一に絶交されたことも。大好きな兄貴分の喜一を、松太郎に奪われたことも。

二人を一度に取り返し、今や松太郎を見おろす立場になって、腹の底に呑《の》み込んできた憤懣《ふんまん》を、良助はいっぺんに吐き戻そうとしている。

やめてちょうだい、やめてちょうだい。おちかは空しく声を振り絞り、良助の袖にすがり、まだ松太郎に蹴《け》りかかろうとする彼を必死でとめた。松太郎は蹴られ罵られ嘲《あざけ》られるままになっている。顔に土がついている。蒼白《そうはく》になった頬に、血の筋が流れる。

それでも良助はとまらない。おちかに謝れ！　何がよろしくだ！　汚らわしい！　おまえがおちかの何だっていうんだ？

──お願い、もうやめて！

おちかの悲鳴に、ようやく良助は大暴れをやめた。地面に倒れて身を縮めている松太郎の背中に、息を切らしながらも口を尖《とが》らせて、ぺっと唾《つば》を吐きかける。

──おちかに免じて勘弁してやるんだからな。有り難いと思えよ。

そう言い捨てておちかの肩を抱き、裏庭を回って建物の表の方へと踵《きびす》を返した。

そのとき。

──お嬢さんもですか。

倒れ伏したまま、松太郎が呟《つぶや》いた。割れてかすれた声が、おちかの足元を這《は》い上がってくるようだった。

──おちかさんも、俺のことそんなふうに思っていたんですか。

良助もおちかもその場に凍りついた。おちかは恐怖のために。良助は怒りのために。

松太郎が痛そうに首を持ち上げて、おちかを見ていた。拝むように。すがるように。責めるように。

──本当に？

その視線の熱が、その問いかけの切なさが、良助の堰《せき》を土台から壊した。怒りにまかせて松太郎に飛びかかる。殴られ蹴られるままだった松太郎が、今度は猛然と起き上がった。二人は取っ組み合い、もつれあった。おちかは金切り声を張り上げて助けを呼んだ。同格に組んだなら、さんざん痛めつけられた後だというのに、松太郎の方が強かった。良助は歯が立たない。そのことに愕然《がくぜん》として、良助はさらに我を失い、しゃにむに殴りかかっていく。

——殺してやる、野良犬め！　俺がこの手で殺してやる！

「場所が、悪かったんです」

ひとまわり小さく見えるほどに縮み上がり、声を失くして座り込んでいるおしまに、おちかはゆっくりとそう言った。

「薪《まき》割り用の——鉈《なた》が手近にありました」

先にそれをつかんで振り上げたのは良助だ。松太郎はきわどく避けると、あっさりとそれをもぎ取り、良助を張り倒した。

震える息をひとつするあいだに、おちかは見た。

松太郎は手にした鉈を見た。彼の足元に倒れた良助を見た。その顔に、殺してやるという言葉がただの脅しでないことを見てとった。

そして松太郎は、おちかを見た。

おちかは、腰を抜かしてへたりこんだまま、とっさに後ずさりして彼から逃げようとした。

助けて——と、言った覚えがある。

松太郎の目に涙が溢《あふ》れた。

彼の手が鉈の柄を握り直すのを、おちかは見た。指の節が白くなるのを見た。

「わたしの目の前で、松太郎さんは良助さんを打ち殺しました」

打って打って打ち続け、血しぶきを飛び散らせ返り血を浴びながら。駆けつけた喜一と奉公人たちが彼を取り押さえ羽交い締めにして鉈を取り上げても、まだ打ちかかろうと足で地面を蹴っていた。

――良助、しっかりしろ！　おちか、おちか、大丈夫か？

喜一が気をとられた刹那《せつな》を盗んで、松太郎は彼を撥《は》ね除《の》け、地面を掻《か》いて立ち上がると、走り出す。捕らえようとした奉公人の手をすり抜け、押しのけて。

おちかの傍らを駆け抜けるとき、その双眸《そうぼう》が最後におちかをとらえた。一瞬、足も止まった。誰もが魅入られたように動けなかった、その一瞬。

――俺のこと忘れたら、許さねぇ。

おちかに呪いのかかった一瞬だった。

松太郎は逃げ去り、翌朝早くに、死骸《しがい》となって発見された。その昔、彼が宿場の人びとに助け上げられたあの崖《がけ》から飛び降りたのだ。首の骨が折れていた。

死んでも、彼の目は開いたままだった。

第四話　魔鏡

一

一日だけの女中奉公のお休みは、おちかがこれまで胸に秘めてきた過去を語っているだけで過ぎてしまった。翌日からは、おちかは女中のおちかに戻った。

おしまにすべてを語って打ち明け、楽になったということはない。もとより、その程度の重荷なら、もっと早くに降ろすことができたろう。

ただ、おしまに知ってもらったことで、おちかはずいぶんとすっきりした。おしまはもう、おちかのことを、

――あたしらが詮索《せんさく》しちゃいけないけれど、何か気の毒な事情を抱えているお嬢さん。

というふうには思わないだろう。おちかには咎《とが》があり、本人もそれを重々承知しているからこそ、今の身の上にあるのだ。おちかは、同情されるべき立場ではない。労《いたわ》られ、慰められ、惜しまれ悲しまれるべき人たちは、二人とも墓に入ってしまっ

た。生き延びているおちかは、生き延びていることだけで既に罪人なのである。

あのとき、どうして松太郎《まったろう》は、良助《よしすけ》を打ち殺した鉈《なた》を持ち替えて、おちかをも打ってくれなかったのだろう。そうするべきだったのに、なぜおちかの命を捨て置いて、丸千から逃げ去り、自分の命を抛《なげう》ったのだろう。

これまでにも、何度となく自問自答してきた。その答えが、今のおちかには、やっとわかったような気がする。これもまた、おしまに語ったことで、事件の直後から今まで、混乱したまましまいこまれていたものが整理されたからだろう。

松太郎は、おちかを生かしておくことが、いちばんふさわしい罰だと考えたのだ。どうしてそうなのかといえば、おちかが命乞《ご》いをしたからだ。

——助けて。

あの身勝手で浅ましいおちかの懇願に、松太郎は悟ったのだ。目が覚めたような思いだったことだろう。

こんな女に、俺は心を寄せていた。こんな女が、悪戯《いたずら》にでも子供心にでも、自分を好いてくれていることを嬉《うれ》しく思っていた。

もとより、自分の立場では、おちかと添い遂げることなどできるわけもない。それは百も二百も承知の上だ。だが俺は、それでもいいと、こんな女に己の人生を預けていた。この女の幸せのために、この女の影になり、何の見返りも求めずに、どんな不遇にも文句を言わず、傍らに寄り添い、力を尽くそうと思っていた。一生を捧《ささ》げようと決めていた。それが丸千で受けた恩を返す道だと思っていた。

だからこそ、蚊帳《かや》の外《そと》扱いされてもおちかの縁談に祝いを述べ、面憎い良助にも頭を下げて、おちかの幸せを願ったのに。

それが何だ。

良助の悪口雑言はまだわかる。覚悟もしていた。だが、おちかはどうだ。

良助と一緒になって、松太郎を罵倒《ばとう》し嘲笑《あざわら》うなら、それもひとつのけじめかもしれない。おちかへの松太郎の想いを踏みにじり、松太郎を切り捨てるというのなら、いっそ潔いとも言えるだろう。その結果、松太郎が丸千を出てゆくことになっても、松太郎はおちかを憎んだりはできない。松太郎の想いは、松太郎だけのものだから。

しかしおちかは、良助の肩を持ちはしなかった。それでいて、良助を諫《いさ》めることもしなかった。良助に黙っていろと言われたら、口をつぐんで、彼が松太郎に痛罵を浴びせるのを黙って見ているだけだった。

挙げ句に、目の前で良助を殺されて、それでも俺を憎むでもない。罵《のの》るでもない。理由を問い詰めることもなく、さりとて泣いて謝るわけでもない。放った言葉はたったひとつ。助けて。

それほど己が可愛いか。良い子のままでいて、松太郎にも憎まれたくはないか。助けてとすがれば松太郎が許すと、まだそれが通用すると思っている。

手にかけるほどの価値もない。松太郎はそう悟ったのだ。そして、こんな女のために嫉妬《しっと》に狂い、怒りに我を忘れ、良助を殺した自分自身が哀れになった。こんな女に賭《か》けて堪え忍んできた丸千での日々が無になったことが、情けなくて忍びなくてたまらなかった。

だから、死を選んだのである。


幸い、おちかの告白で、おしまの態度が変わることはなかった。まったく何事もなかったようにしていることが、少し底知れない感じがして怖くもあるが、おしまはおちかよりずっと世間知があり、世慣れている女である。奉公人として、叔父《おじ》夫婦の手前もある。そのあたりは上手に按配《あんばい》することができて当然だ。おちかさん、おちかさんと呼ばれて共に忙しく働くことに、おちかは没頭した。

ところが、「黒白の間」での打ち明け話から二日後、思ってもみないことが起きた。丸千の常連客で、おちかも顔を見知っている商人《あきんど》が三島屋を訪ねてきて、近々《ちかぢか》、喜一《きいち》がおちかに会いに行く、江戸へ戻るなら、すまないが三島屋に立ち寄ってそう報《しら》せてくれろと頼まれた、というのである。

商人には叔母《おば》のお民《たみ》が会って、茶菓を出し、土産を持たせ、篤《あつ》く礼を述べて送り出った。

した。おちかも顔を見せるように呼ばれたが、何のかんのとはぐらかして逃げてしまった。

商人の方は、無論、丸千で起こった凶事を承知している。

——おちかさんがお達者ならば、わざわざ手前の粗末な顔を見ていただくには及びません。お内儀《かみ》さんからよろしくお伝えください。

こちらも愛想良くするりと逃げて、長居はせずに立ち去った。

おちかは困惑し、いささか腹立たしい思いをした。兄が今さら、何の用があっておちかに会いたいというのだろう。

喜一については、おちかには折れ曲がり、こんがらがった想いがある。兄が気遣ってくれていることはよくわかるし、心配をかけて申し訳ないとも思う。が、その一方で、兄の存在を重く感じるおちかも確かにいる。

凶事の後、喜一はおちかに手をついて何度も詫《わ》びた。おまえは悪くない。松太郎があんなふうに暴れたのは、先の良助との縁談を壊したとき、俺が先頭に立って松太郎を担ぎ上げ、おまえを松太郎と添わせるなんてことを言いふらして、あいつをその気にさせちまったからだ。口には出さず、顔にも出さず、滅相もないと否定しながらも、松太郎はその気になっていた。それがこっぴどくひっくり返されたから、あいつは怒ってしまったんだ。

相手がどれほど弱い立場でも、くれてやるつもりもないお宝を、くれてやる、いつかくれてやると見せびらかせば、欲を持つのは当たり前だ。俺はそれをわかっていなかった。松太郎は弁《わきま》えているとばかり思い込んで、軽んじていた。

いわばおまえは、側杖《そばづえ》を喰《く》ったようなものなんだ。悪いのは丸千だ。なかでも、俺がいちばん、ずっとずっと悪い。その罰を、おまえ一人がひっかぶることになってしまった。兄さんは申し訳なくて恥ずかしくて、おまえの顔をまともに見ることさえできない――

男泣きに泣く喜一の前で、おちかは口を開いて抗弁する気力もなく、ただうなだれているばかりだった。

兄さん、それは違う。兄さんは勘違いしてる。あたしを嫁にやるやらないは、松太郎さんには関係なかった。あの人は本当に身の程を弁えていた。あの人が我を忘れるほど怒ったのは、あたしが良助さんの嫁になるからじゃない。そんな素朴なことのせいじゃない。

言い返しても、喜一にはわからないだろう。喜一には、たとえあの場に居合わせてやりとりを逐一見聞きしていたとしても、松太郎の狂乱の理由はわかるまい。喜一は喜一でしかなく、松太郎をわかっていないのだから。

それなのに喜一は、横合いから手を出して、無理矢理にでもおちかの重荷を奪い取にはもっと深く恥じ入る羽目になる。その恥は、もう誰にも雪《すす》いでもらえない。喜一には、それが見えていなかった。

仕立て損なって半端な長さになった帯を身につけて、大きく結べば足らずに解《ほど》け、小さく結えば余りが出る。おちかの兄に対する心情は、そんなことと似ていた。喜一は、この帯でもちゃんと結べると言い張る。この帯はおまえに似合うと言い張る。だがおちかは、兄の言葉を容《い》れれば、解けた帯がいつかは足に絡んで転んでしまうと知っている。余った帯がほとほとと足を叩《たた》いて煩わしく、いつかはそれをむしりとってしまいたくなることを知っている。

喜一ほど多く言葉を語ることはなく、喜一に代弁を任せ、ただただおちかを案じて泣き暮らすばかりだった両親についても、おちかの想いはほとんど同じところで淀《よど》んでいる。だから、両親からも兄からも、遠く離れるしか術《すべ》がなかった。

そのこともまたわからず、おちかに会いに来るというのなら、来るのだろう。喜一らしい思いやりなのだ。ならば仕方がない。せいぜい元気な顔をして、江戸の暮らしを楽しんでいるふりをして、もう喜一が心配することのないように、芝居のひとつも打ってみせよう。そのくらいの才覚は、三島屋で立ち働く日々のうちに――わけても、黒白の間で、不思議な話を抱え込んだ客人たちと相対するという珍しい経験を積んだことで、身に備わったと思う。ため息と共に、おちかはそう腹をくった。

川崎宿から江戸市中なら、日帰りの距離である。喜一がいつ来るか、今日来るか明日来るかと気にしているうちに、三日四日と過ぎていった。そして、先触れの商人の訪れから五日後のことである。朝起き抜けに、おちかは叔父の伊兵衛《いへえ》に呼ばれた。ほかでもない、黒白の間に、三人目のお客を呼んだという。

「いや、四人目か。おまえが三人目だったからね」

伊兵衛は律儀に言い直した。

おちかは、顔に出てしまうほど強く訝《いぶか》った。伊兵衛がこの〝変わり百物語〟の趣向をし、聞き役としておちかを据えた意図は、もうわかった。広い世間には、さまざまな不幸がある。とりどりの罪と罰がある。それぞれの償いようがある。暗いものを抱え込んでいるのはおちか一人ではないということを、ただの説教ではなく、他人様《ひとさま》の体験談として聞かせることで、おちかの身に染み込ませようという考えだったのだろう。

その結果、おちかはおしまに身の上を打ち明けることができた。それで楽になったわけではないが、背負ったものを言葉にし、話として語りおろしたことで、おちかは自分の背にのしかかっているものの形を知ることができたと思う。それには確かに、意味があった。

伊兵衛の趣向は成功したのである。なのに、まだ新しい客を呼ぶのはなぜだ？

この疑念もまた、おちかの表情に出たのだろう。叔父は軽く笑った。

「おまえの会ったお客は、まだたったの二人じゃないか。しかもそのうちの一人、越後屋のおたかという人は、背負った恐ろしいものの内に閉じこめられたままじゃないかね」

足りないよ——と、あっさり言った。そして急に顔を明るくすると、

「そうそう、越後屋と言えば、あれから、若旦那《わかだんな》の清太郎《せいたろう》さんが、おまえのことを気にかけてくれているらしい。若いお嬢さんを、とんだ目に遭わせてしまったと気に病んで」

お詫びに一度、どこぞで江戸の旨《うま》いものでもご馳走《ちそう》したいと、伊兵衛のもとに、何度か使いを寄越《よこ》しているそうである。

「まだおまえも外に出る気にはならないだろうと黙っていたんだが、あまり遠慮ばかりしていては、先方も気を兼ねる。だいいち、嬉《うれ》しい心遣いじゃないか。喜んでご招待にあずかりますと返事をするから、私と一緒に出かけてみようよ」

たまにはよそ行きを着てさと、楽しそうに言い足した。

「何なら着物を新調しようか。お民が張り切るだろう」

「ご馳走になるより、わたしはおたかさんのその後の方が心配です」

越後屋では、本当に座敷牢《ざしきろう》を造り、おたかを押し込めてしまったのだろうか。

「だったらなおさら清太郎さんに会って、直《じか》に話を聞けばいいじゃないか」

「叔父さん、聞いてくださいませんか」

「私は詳しい事情を知らない。そんなあけすけなことはできないよ。自分でお聞き」

お客は八ツにお見えになるからねと言い置いて、伊兵衛はさっさと座を立ってしまった。

昼食《ちゅうじき》を済ませ、女中から黒白の間の聞き役へと変わる支度をするとき、おちかはちょっと迷った。江戸へ出てきたとき、おちかのために山ほど着物を仕立てようとした叔母《おば》を拝むようにして押し止めたので、実のところおちかには、来客に恥ずかしくない着物の手持ちはごく少ないのだった。

曼珠沙華《まんじゅしゃげ》の花の話のときに着ていたものは、後に藤吉《とうきち》こと松田屋藤兵衛《とうべえ》の死を見ている。験《げん》が悪い気がする。さりとて、越後屋おたかと会ったときの着物はもっと良くない。その二枚と、それに合わせていた帯をはねると、残りはふた組だ。そのうちのひと組は、今度はお民がおちかを拝むようにして、どうしてもこれだけは仕立てさせて頂戴《ちょうだい》とこしらえてくれたものだが、おちかにはどうにも派手に感じられた。

ひとしきり、ああでもないこうでもないと思案して、結局は色目の地味な雁金文《かりがねもん》の袷《あわせ》を選んだ。雁は秋の風物だし、落ち着いて見えるところがいい。これは母が好んでいた着物で、おちかが家を出るときくれたものだった。今から形見分けのようで不吉だから、着物など遣《や》るなと喜一が怒ったことを、ちらりと思い出した。それでも母は、着物だけでもおちかのそばにいたいと、こっそり持たせてくれたのだ。

不意に胸の奥が痛んだ。両親は元気でいるだろうか。おちかを江戸に寄越してからも、母は思い出しては泣いているのだろうか。父はめっきり老け込んで、空咳《からせき》が増えたのが気になっていた。

喜一が訪ねてくることを、ただ気憶劫《きおっくう》にだけ思った自分の情《じょう》のなさに、おちかは少し恥じ入った。兄さんに会ったら真っ先に、おとっつぁんおっかさんはどうしているかと尋ねよう。

帯はくすんだ青色に藍色《あいいろ》の縞《しま》の献上を選んだ。江戸でも多く普及している博多織《はかたおり》のこの帯には、仏具の独鈷《とっこ》と花皿《はなざら》の形が織り込まれていると聞いたことがある。黒白の間で語られる悲しく不吉な話に、せめて仏具の文様を添えよう。

仕上げに手鏡を見て髷《まげ》を撫《な》でつけ、明るい花柄の刺繍《ししゅう》の手絡《てがら》が気になったので、無地のものに替えた。白足袋《しろたび》を穿《は》いて、おちかは黒白の間に向かった。

廊下の向こうから、おしまの声が聞こえてきた。ちょうどお客を案内してくるところのようだ。ここで顔を合わせてしまうのも按配が悪い。あえてお客より遅れることを選んで、おちかは廊下の角で足を止めた。

おしまが楽しそうにしゃべっている。

「本当にねぇ、お久しぶりでございます」

「何年ぶりかしら。十年は過ぎているかしら」

応じる来客は女性で、おしまよりはだいぶ若い声である。

「それじゃ足りませんよ、お嬢さん。十五年は経ってます」

そんなつもりはなかったのだが、立ち聞きする恰好《かっこう》になってしまった。この来客は、どうやらおしまの知り合いであるらしい。お嬢さんと呼ぶからには、おしまが昔女中奉公していたお店《たな》の人だろうか。それにしては上下がなく、うち解けた感じがする。

「そんなに年月が経っているんだね。おしまはちっとも変わらない」

「お嬢さんこそ、今もおきれいです。あら、あたしったらいけませんね。もうお嬢さんじゃない、若お内儀《かみ》とお呼びしなくっちゃ」

「あたしをお嬢さんと呼んでくれるのは、もうおしまだけなんだから、いいわよ、いつまでだって、お嬢さんで」

二人は明るく笑った。どうぞこちらでございますと、おしまが黒白の間の唐紙《からかみ》を引く音がした。

お待ちくださいませと一礼して、おしまが引き揚げてくるのを、おちかは待ち受けていた。ひょいと顔を出してやると、おしまは大いに驚いた。

おちかはくちびるの前に指を一本立てた。そして声をひそめた。

「違うでしょう。おちかです」

「はい、おちかさん」

おしまはどぎまぎしているようである。おちかはおしまの袖《そで》を引いて、廊下の角まで引き返した。

「今日のお客様は、おしまさんの肝煎《きもい》りなのでしょうか」

おしまは狼狽《うろた》えるでもなく、早々にばれましたかという顔で、子供のようにちろりと舌を出した。

「はい、左様《さよう》でございます。差し出がましいことをして申し訳ありません」

謝られるほどのことではないが、不審ではある。

「何か……わたしに聞かせたいと思うお話の持ち合わせがあったんですね」

「いいえ」と、おしまはきっぱり首を振った。

「あたしなんぞには、何もございません。でも、先《せん》にお嬢さんのお話を伺ったあと、真っ先に心に浮かんできた別のお話がございました。それで、その話をしてくださる方のところに、お願いにあがったんです」

快く来てくださいましたと、おしまは黒白の間の方にちょっと頭を下げた。

「きっとご本人からおっしゃると思いますが、あの方は、あたしが若いころ、もう十五年以上も前に奉公していたお店のお嬢さんです」

そのお店で昔、不吉で不思議な出来事です。悲しいことがありました——

「今はもう、すべて片付いた出来事です。あちらのお嬢さんは、幸せにお暮らしになっています。ですからあたしも、あまり深く思い悩んだりせずにお訪ねして、お願いすることができたんですよ」

「ずっとお付き合いがあったんですか」

おしまはにっこりした。「お嬢さんと女中でございますよ。お付き合いなんて、滅相もありません。でも、あたしはお嬢さんのお暮らしぶりを存じ上げておりました」

それだけ気にかけていたというふうにも聞こえる言いようである。

「とにかく、お会いになってみてくださいまし」と言って、おしまは小首をかしげると、おちかの顔をしみじみ見つめた。

「今、気がついたんですけども、お二人は、ちょっと似ているように思えます。お顔立ちがどうのというのじゃなくて、雰囲気と申しますかね」

くるりとおちかの背に回ると、両手でそっと背中を押しやった。

「さ、行ってらっしゃいましな、おちかお嬢さん」

来客に相対すると、おちかはまず、待たせてしまったことを丁寧に詫《わ》びた。

鱗文《うろこもん》のあでやかな着物に身を包み、髪は櫛巻《くしま》にして大きな鼈甲《べっこう》の櫛をふたつ挿している。このごろ流行《はや》りだしたばかりの新しい髪形に、おちかは思わず目を惹《ひ》かれた。と、来客は嬉《うれ》しそうに目を細めた。

「流行ものにすぐ飛びついて、おちゃっぴいな嫁だと叱られております」

笑うと目が糸のように細くなり、目尻《めじり》が下がる。ふくよかな頰と合わせて、まことに絵になる福顔の女《ひと》だ。あたしになんか、ちっとも似ていやしない。おしまさんもずいぶんだと、おちかは心のなかで苦笑した。

「お招きをいただきまして、ありがとうございました」

指をついてひとつ頭を下げ、

「このお座敷の趣向については存じ上げております。わたしのことは、福《ふく》とお呼びくださいましね」

仮名でも、ふさわしい名前だ。

「ところでおちかさん――ですわね」

「はい、おちかでございます」

「日頃、鏡はお使いですね？」

さっきも覗《のぞ》いてきたところだ。おちかは、はい、とうなずいた。

「当たり前でございますわよね。でも、案じられまして」

指先を軽く顎《あご》にあてて思案するふうだ。歳のころは三十ぐらい――女の厄除《やくよ》けの意味のある鱗文を着ているのだから、ずばり厄年なのかもしれない。それにしては、少女のように軽やかで可愛らしい仕草で、またそれが似合っていた。

「わたしの話を聞いていただいた後は、少しばかり、鏡を見るのがお嫌になるかもしれないと思うものですから」

こうして、お福の話は始まった。

二

お福は、日本橋は小松町《こまつちょう》で生まれ育った。生家は仕立屋を営んでいた。屋号を「石《いし》倉屋《くらや》」という。

「新場橋《しんばばし》のそばで、川を隔てた向こう側に細川越中守《えっちゅうのかみ》様のお屋敷がありました。うちは永年、細川様にお出入りを許されておりましたから、そちら側に足を向けて寝るなって、父も母も口うるさく申しましてね。でも反対側に足を向けると、そっちはそっちで呉服町《ごふくちょう》があるし、外堀の向こうっ方《かた》にはもっとたくさんの武家屋敷が並んでますでしょう。そのなかにもお得意様がいるわけです」

　そこで日本橋に頭を、京橋に足を向けて床を延べるのがこの家の習いとなった。

「どこかに足を向けなきゃ横になれませんから、致し方ありません。でも、同じお江戸の橋なのに、日本橋に比べて京橋を軽んじることになりまして、ですから石倉屋には、何かで割を食うと、〝どうにもとんだ京橋の扱いだ〟っていう、独特の言い回しができました。もちろん、他所《よそ》様では通じません。うちだけの符丁みたいなものでございました」

　とはいえ、この符丁を言い合う人びとの数は少なくなかった。仕立屋は構えに大小があるものだが、石倉屋は大所帯だったのだ。

「うちの父は三代目でして、そのときがいちばん石倉屋が賑《にぎ》やかだった時代でございます。抱えの仕立て職人だけで十五人ほどおりました」

　仕立屋は裁縫を業とし、着物や羽織袴《はかま》ももちろん縫うが、石倉屋では蒲団《ふとん》を盛んに扱った。素人には、こちらは着物のように複雑な技術を要するもののように見えないが、実は仕立て職人の腕前で、寝心地がまったく異なってしまう、難しい品物だという。

「とりわけ、父は蒲団を縫わせては江戸でも指折りの腕前でございました。繁盛の所以《ゆえん》もそこにあったんでございますよ」

　父親は名を鉄五郎《てつごろう》という。石倉屋では、主人《あるじ》はこう名乗るのが決まりだ。店を起こした初代、お福の曾祖父《そうそふ》がこの名前だった。

「蒲団を縫う仕立屋が、屋号が石で主人が鉄でございましょ？」

お福はまた可愛らしく口元に指をあてて、小鳥のように笑った。

「なんで硬いものばっかりなんだと、よく不思議がられたものでしたの。別に妙な謂《いわ》れがあるわけじゃあなくて、わたしの曾祖父《ひいじい》さんにあたる人は、上州の石倉というところの出だったんです。もともとは貧しい小作人で、まあ、食うに食われなくなって江戸へ出奔してきたんですね。もともとの名前は鍬五郎《くわごろう》だったんじゃないかって話も聞いたことがございます」

ああ、ついでに言いますと、とお福はまさにおちゃっぴいな目つきになった。

「わたしの母は、かねと申します。本当に金気臭いことでございますね」

お福の声は耳に快く響き、おちかはするするとうなずきながら聞き入っていたのだが、少し心配になってきた。「お福」はこの場での仮の名前のはずだったのに、「石倉屋」については、すべて本当のことをしゃべっているように聞こえるからだ。これだけ聞いてしまえば、すぐにも日本橋通町《とおりちょう》あたりへ行って、石倉屋の場所を確かめてしまうことができそうである。

と、お福はあたかもおちかの顔色を読んだように微笑み、

「もう石倉屋はございません」

と、優しく言った。

「これからお話しする出来事のために、滅んでしまいました」

お店ではなく、ひとつの家や藩が失くなったかのような表現であった。お福の軽やかな口調には似つかわしくない硬い言葉だ。

「ええ、滅んだんでございます」と、お福は繰り返した。「父も母も無念だったことでしょう。でも、あのまま石倉屋を残したところで、いいことは何もなかったでしょうから、それで良かったんです」

悼《いた》むと同時に、吹っ切るような強さも含んだ口調である。何か懐かしいものを拾い上げるように、眼差《まなざ》しがふと畳の上を泳いだ。

「さすがは日の出の勢いの三島屋さんでございます。畳の縁《へり》にも、いい織物をお使いですのね」

濃い藍色《あいいろ》に、金糸と銀糸の交じった縁取りである。来客用の座敷だからだろう。言われてみるまで、おちかは特に気に留めたことはない。叔父《おじ》夫婦とて同じだろう。畳屋に任せているはずだ。

「このお座敷は、〝黒白の間〟というそうでございますね？　おしまに聞きました」

おちかはうなずいて、主人伊兵衛が碁敵《ごがたき》を招いては盤を囲んでいたことを話した。

「それなら、今度畳替えをなさいます折には、黒地に銀糸の縁になさるとよろしいいんじゃございませんか。置物や掛け軸も、黒白や囲碁にちなんだものになすって」

いえね——と、お福の豊かな頰に笑みが戻る。「石倉屋にも、〝黒の間〟と呼ばれて、子供や、若い奉公人たちに怖がられていた座敷がひと間あったことを思い出しましたの。その座敷も、たまたま畳の縁が黒かったんですが……」

そこで縫われたものがさらにまずかったと、お福は続けた。

「真っ黒な、本当に混じりっけなしの黒絹の蒲団をね、父が仕立てたことがございました」

得意先からの、たっての注文だったそうである。

「わたしはそのころまだ五つかそこらで、詳しいことは後で聞きました。それくらい、うちのなかで語り継がれていたお話なんですよ」

注文主は武家だった。お福も家名までは知らないが、かなりの大身《たいしん》で、仕立ての注文の際にはその家の江戸留守居《るすい》役がわざわざ足を運んできたという。

「仕立屋を呼びつけるんではなくて、先様《さきさま》がおいでになったんです。よほど内緒で事を運びたかったんでしょうね」

「真っ黒な蒲団に、どんな使い道があるんでしょうか」

おちかも思わず興味を惹かれた。

「長患いの方など、黒い蒲団を見せただけで、もっと具合が悪くなってしまいそうな気がいたしますけれど」

ええ本当にと、お福は大きくうなずく。そして、まわりを憚《はばか》るように膝《ひざ》をにじって前へ出ると、囁《ささや》き声になった。おちかもつられて耳を傾ける。

「使い道は別にあったんですのよ。わたしも、その意味がわかるようになるまでかなりかかりました」

お嫁入り前のお嬢さんにお話しするようなことではございませんがと、さらに声を小さくする。

「悪い智恵も世間知の内――というのは、うちの母がよく言っていたことですから、わたしもお若いお嬢さんのお耳に入れましょう。あのねぇ、色の白い女の人が黒い蒲団に横になると、さらに肌が白く、抜けるようにきれいに見えるものなのです」

おちかはちょっとぽかんとした。それから、意味を悟って狼狽《うろた》えた。お福は、一緒に悪戯《いたずら》でもしているかのように楽しげだ。

「普通、女の肌をいちばん美しく見せるのは朱鷺《とき》の羽根の色――あるいは、淡い茜色《あかねいろ》だと言われています。でも、とびきり色白の女の人ですと、むしろ真っ黒な色を後ろに持ってきた方が映えるんです」

はあ、と、おちかはへどもどした。

「その蒲団は、仕立ての期日も厳しく定められておりましたけれど、加えて、中身が何だかわからないように厳重に包んで、必ず下《しも》屋敷へ納めるようにという、きついお達しもございました。もちろん他言は御法度《ごはっと》、と」

大名家の上《かみ》屋敷と下屋敷では、よほど気風が違っているということぐらい、江戸に来て日の浅いおちかでも知っている。三島屋もまた、お武家相手の商いをするからだ。上屋敷は格式と儀礼を重んじて厳格だが、下屋敷は江戸の中心から離れた場所に置かれることが多いだけに磊落《らいらく》でくだけており、場合によっては風紀が乱れることもあるという。

「お殿様が、雪のように肌の白い愛妾《あいしょう》を愛《め》でるために仕立てさせたものか――」

恥ずかしいものが目の前にあるわけではないけれど、頭のなかに湧いてくる想像に、目のやり場のないような心地になっているおちかにかまわず、お福は邪気のない口調で言う。

「あるいは、そういう女を使って、何か大事なお接待でもなすったんでございましょうかしらね。なにしろ、ご注文の際には、藩の浮沈がかかっているというような仰せだったそうですから」

留守居役が自ら、そして密《ひそ》かに足を運んできてそこまで言ったというのなら、後者の方があたっていそうである。

そういえば、黒白の間の最初の折、曼珠沙華《まんじゅしゃげ》の藤吉がここを訪れた日に、三島屋でも似たような事があったのを、おちかは思い出した。武家の顧客の堀越《ほりこし》様から、急ぎの大事なこしらえでお呼びがかかったと、伊兵衛がお民と二人で出かけていったのだ。あれも、お家の浮沈にかかわるほどかどうかはともかく、重大な注文であるらしかった。

お福はおちかに意地悪を仕掛けているのではない。おちかの困った様子をちゃんと察していて、話の向きを元に戻した。

「上物の黒絹というのは、いきなり黒く染めるのではございませんのよ。お嬢さんはご存じでしょうか」

先に朱色で下染めをして、その上に黒をかけるのだそうである。すると黒色に深みが加わる。だが加減が難しい。黒をかけた後に朱の気配が残っては濁りが出るし、朱が黒にただ潰《つぶ》されてしまっても失敗だ。染め物職人の腕の見せ所である。

「当然、反物の値も高くなります。黒絹の蒲団を仕立てるときには、父もずいぶんと気を遣ったということでした。ですけど、できあがったそれが座敷に畳んで積んであると、ただの真っ黒けな蒲団です。見慣れない景色になりますから、なおさら不審で不吉で、事情を知らない者の目には恐ろしく見えたのでございました」

うちの旦那《だんな》様は、閻魔《えんま》様のお蒲団《ふとん》を仕立てた――という噂まで、一時は飛び交ったという。閻魔様のご注文なら、お使いには赤鬼青鬼が金棒を持ってやって来たんでしょうかしらと、お福は笑いながら言った。おちかも笑った。

「もっとも、古参の職人なら、事情を聞かされなくたって平気でした。仕立屋には、とんでもない注文が舞い込むことがございます。永年この商売をしていたら、ちょっとやそっとのことでは驚いたりしません。黒絹の蒲団くらい、ああ左様《さよう》でございますか、で済んでしまいます」

女物の着物は、よほど手の込んだ高価な仕立てでない限り、それぞれの家で女たちが縫うものだ。だから仕立屋は女物の着物には縁がないのだが、希《まれ》には、これもたって頼まれて引き受けることがある。古着の直しをすることもある。

「何も聞かされなくっても、そういう着物の後ろには因縁がまつわりついていることぐらい察しがつきます。ですから、仕立屋ならどこでも、不可思議な逸話のひとつやふたつ、お店のなかに隠し持っているものでございます。拝み屋さんやお祓《はら》いを呼ぶことだって珍しくございませんし、お嬢さんもおうちでなさいますでしょう、ほら、針供養。あれだって、仕立屋にはことのほか大事なしきたりですけど、怖い話がくっついていることがございますのよ」

ひと息に言って、お福はふうと両肩を下げた。また、視線が空に漂う。今度は懐かしげな温かなものではなく、悲しく冷たい気配を、おちかは感じ取った。

「でも、怖い、不思議だと思っているところには、実は本当に怖くて不思議なことはないものなのですね。石倉屋でも、凶事は他所《よそ》から舞い込んだものではございませんでした。最初《はな》から、家のなかにあったんです」

これは、わたしの姉と兄の話でございます。

二十年前の初春《はつはる》のことである。

ひとつ歳を加えて十になったばかりのお福は、その日の朝から、石倉屋の店先と住まいの戸口を行ったり来たりしながら待ちかねていた。

もうすぐ、お姉ちゃんがうちに帰ってくる。

お福には、七つ年上のお彩《さい》という姉がいる。だがこの姉は赤ん坊のころから病弱で、とりわけ、世話を焼く者が痛ましさに切なくて泣けてくるほどひどい咳《せき》に悩まされていた。

それでもお彩がどうにか三つになると、周囲から、このままこの子を江戸に置いてはとても育ち上がるまい、何処《どこ》か暖かな土地に転地させるのが良いのではないかという話が持ち上がってきた。両親は、愛《いと》しい娘を手元から離してしまうことは忍びがたいものの、お彩が咳に責め殺されてゆくのをただ手をつかねて見ているのはさらに辛《つら》い。思い切ることにした。

転地先に、石倉屋にはこれというあてがなかったが、懇意にしている呉服屋が、うちの親戚《しんせき》筋の者が大磯《おおいそ》にいる、一年中暖かいし、やわらかな海風は身体に良いし、滋養に富んだ食べ物にも恵まれた土地だ、そこへ預けてはどうだろうと勧めてくれた。

大磯と聞いただけで、石倉屋鉄五郎は、気の荒い網元の家ででもあろうかと恐れをなし、詳しいことも聞かずに断ろうとして、当の呉服屋の主人夫婦を大いに慌てさせた。

「落ち着いて聞いてくださいよ。うちの親戚は、土地の産物の干物や乾物を扱う問屋でございますよ」

よく考えてみれば、日本橋の呉服屋の親戚なら、漁師たちの束ね役を務める網元であるよりも、問屋の方がよほど筋が通っている。またこの問屋は大店《おおだな》で、網元と同じくらい土地では顔が利き、人びとの尊敬を集めているということも、呉服屋の主人は説明した。

「代々の嫁が揃って男腹ばかりでしてね。跡取りには事欠かないが、華やぎがない。一人ぐらいは女の子が欲しいと念願している家だから、お彩ちゃんを大事にいたしますよ」

預かり先の身代が大きい方が、石倉屋さんの費《つい》えもそれだけ軽くなりますでしょう――という台詞《せりふ》はいささか余計で、鉄五郎は、お彩にかかる医者代薬代、何から何までひっくるめてすべて石倉屋で持つつもりでいたから、少々気を悪くした。だが、先方の暮らしに余裕がある方が、お彩にとっても望ましいことは確かで、親の面子《メンツ》などにこだわっていては、お彩の命を守ることはおぼつかないだろうと、すぐに考え直した。鉄五郎の芯《しん》は筋金入りの職人であるが、商人としての才覚もある。金の有り難みを知り抜いていた。

ここはいちばん、この話に乗ることにしよう。彼の決断に、しかし今度はおかねが難色を示した。先方が女の子を欲しがっているというところに引っかかったのだ。お彩は転地に行くだけである。しかし先方がそんなふうでは、病が治ってもお彩を返してくれないのではないか。

「今からそんな心配をしたって、何の足しにもならん」

鉄五郎は女房を叱ったが、彼にもおかねの不安がまるでわからないわけではなかった。

それほどに、お彩は美しい子供だったのだ。赤ん坊のときからそうだった。抱いて外に出れば人びとが足を止めて寄ってくる。病に苦しめられているせいで身体は細く、頬には血の気が少ないが、それがかえって顔立ちの美しさを引き立てている。三歳となった今、この幼女の人目を惹《ひ》くことといったら、お彩のいる場所だけいつも光が宿っているかのように思えるほどだった。

結局、鉄五郎は渋るおかねを説き伏せて、乳母《うば》役を務める女中を一人付け、お彩を大磯へと旅立たせた。身体の弱い子供連れでも江戸から三、四日の道中だが、先方から無事に着いたという文が来るまでは、彼は夜も眠れなかった。おかねはお彩との別れを思い出しては泣いてばかりいた。

石倉屋にはお彩の下に、男の子が一人いる。お彩とは年子で生まれた市太郎《いちたろう》である。姉が大磯へ行って半月ほど後、この市太郎が麻疹《ましん》にかかった。俗に、幼いころはどんな病でも男の子の方が重く出ると言われるが、市太郎もその口で、ほとんど死にかけるほど重い麻疹になった。高熱が何日も続き、おかねは寝ずに看病に打ち込んだ。

これが効いたのだろう。何とか市太郎が本復すると、おかねの気持ちも持ち直していた。今まではどうしてもお彩にかまけて、市太郎のことはなおざりになりがちだったのではないかと、己を省みるところもあった。

石倉屋の主人夫婦は商いに励んだ。お彩の消息は、月に一度の割合で、大磯の問屋夫婦が報《しら》せてくる。転地は妙案であったらしく、お彩の激しい咳は、かの地の温暖な空気に触れると、そう月日が経たないうちに、呪いが解けたかのように治まっていった。最初のうちは、おとっつぁんおっかさんを恋しがってぐずってばかりいたお彩も、周囲の人びとが優しくかまってくれることに馴染《なじ》むにつれて、うちに帰りたいとせがむことも減ったという。

そうした報せがくるたびに、鉄五郎とおかねは喜んだ。一方で、お彩を手放したときに流したのとは別の意味で、それぞれにひっそりと涙に暮れることもあった。お彩は自分たちの子であるのに、そのうち両親を忘れてしまうかもしれない。いや、そんなことはあるものか。咳が止まったなら、一時《いっとき》も早く連れ戻した方がいいのじゃないか。いや、さすがにまだ早すぎるだろう――

一年が経ったころ、大磯では、ためしに一度、お彩を江戸に連れていってみようということになった。もちろん石倉屋に異存はない。逸《はや》る心を抑えて待ち受けていると、今日にはもう着くだろうという当日に、使いの者が馳《は》せ参じてきた。今、お彩は品川宿にいるが、昨夜からひどい咳の発作を起こして足留めをくらっている。江戸の風が、眠っていた病をゆり起こしてしまったのかもしれない。こたびは残念ですけれども、このまま大磯に引き返します。言われて、鉄五郎もおかねも返す言葉が見つからなかった。

それから何年ものあいだ、まるで儀式のように、お彩はこのことを繰り返した。大磯で暮らし、芯から元気になったように見えるので、では江戸へ顔を見せに行こうかと出かけると、途中で必ず病がぶり返す。一度など、品川宿で休むのが験《げん》が悪いのかもしれないから、鎌倉あたりから駕籠《かご》をやとってひと息に日本橋まで来てしまえと試みてみたが、駕籠が朱引《しゅびき》の内にさしかかると、途端に血を吐くような咳の発作が始まって、一同の顔色を失わせる結果となってしまった。

春の暖かいころならどうか。秋の爽《さわ》やかなころならどうか。季節を変え日を選び、何度試しても結果には変わりがない。お彩は江戸に足を踏み入れることができないまま、とうとう八歳になった。

まだ頑是《がんぜ》無《な》い子供とはいえ、お彩ももう、己の意思や身体の具合を、言葉にして養父母に訴えることができるくらいの智恵はついていた。

「江戸には帰りたくない」と、あるときはっきり言い切った。

江戸と大磯のあいだを何度か使いが往復し、お彩はもう期限を決めず、大磯で暮らすこととなった。おかねはまた大いに泣いた。

お福はお彩の七歳下の妹である。つまり、お彩の身が大磯に置かれることが決定的になったこの年に、お福は生まれた。だからお福は、姉の顔をまったく知らぬまま育つことになったのだった。

鉄五郎とおかねは、お彩を諦《あきら》めきったわけではなかったが、彼女の幸せを思えば無理に江戸へ連れ戻すことはできないと、腹をくくってもいた。離れて暮らしても親子は親子だ。

寂しい思いを、彼らはお福に愛情を注ぎ込むことで断ち切った。兄の市太郎もまた、六つ違いのお福をよく可愛がった。仲良しの兄妹だった。石倉屋の主人一家は四人家族で、不在の姉は、輝くように美しいその容貌《ようぼう》と、彼女の命を奪いかねない呪いのような咳の病とを以《もっ》て、家族の輪の外側に、とても尊く壊れやすい存在として、いつもふんわりと漂っていた。

そのお彩が、十七歳となったこの年、とうとう本当に石倉屋に帰ってくるのである。

三

「あの日のことは、今でもよく覚えているんでございますよ」

昔語りに、つかの間、家の戸口で初めて顔を合わせる美貌の姉を心待ちにする少女そのままの瞳《ひとみ》になっていたお福は、まばたきをすると、我に返ったようだった。今のお福の身に戻ると、少し尖《とが》り気味の愛らしい口元——これはきっと、少女のころからお福の魅力のひとつであったろうが——に、一瞬ではあるが、苦いものを噛《か》むような線が浮いた。

「世間様では、美人に目がないのは殿方ばかりのように申しますけれど、そんなことはございません」

女の子の方が、美しい女性によく心を傾けるものですと、お福は続ける。

「心を蕩《とろ》かされ、憧《あこが》れるものです。自分もあの方のようになりたい。でも、あの方の美しさには、自分も含めて誰も及ばない。そうでなくてはいけない。なにしろ、あの方は神仏のご加護を受けて、格別に仕立てられた美しい人なんだから——なんて、思い込んでみたりしてねぇ」

女子《おなご》の美を言い表すのに、「仕立てる」という言い回しがさらりと出てくるのは、仕立屋の娘ならではだ。おちかの方は、そんなことを思っていた。

お福は膝《ひざ》元に目を落とし、なかなか先を続けようとしない。こういうことは、藤吉のときにも、越後屋おたかのときにもあった。おちか自身も経験している。語るために思い起こしているうちに、胸の内に蘇《よみがえ》ってきた記憶に圧倒され、喉《のど》がふさがってしまうのだ。

「お姉様に会われたときには、どんなお気持ちになられましたか」

お福をそっと揺り起こすようなつもりで、おちかは促した。お福もまた、居眠りから醒《さ》めたように面《おもて》を上げる。

「思っていたとおりの、お美しいお姉様だったのですね？」

重ねて問いかけるおちかに、お福はこくりとひとつうなずいた。

「結局、陽が傾いてからうちに着きましたの。ずいぶん遅れましてね。うちの母はまた途中でお彩の加減が悪くなったんじゃないかと、身を揉《も》むようにして案じておりましたが」

ようよう踏み入れた朱引の内のにぎやかな眺めに気をとられ、あちらこちらと寄り道をしていたので遅くなったというだけのことだったそうだ。

「もう灯《ひ》ともし時分《ごろ》でございました。でもね、お嬢さん。嘘じゃございませんの。姉が姿を現しましたら、そこだけぱあっと明るくなって、蠟燭《ろうそく》も行灯《あんどん》も要らなくなりました。ええ、わたしの目にはそう見えたんです」

お彩の着物は、華やかな小菊模様であった。少女お福の目には、それらの小菊のひとつひとつの色合いが、姉の白い頬に、ほっそりとした首筋に、手首の内側の透き通るような肌に、とりどりに映ってほのかに光る様が見てとれたという。

――あんたがお福ちゃんね。

これがお彩の第一声であった。両膝を軽く折り、小腰をかがめ、お福と目の高さを合わせて、蜜《みつ》のような滑らかな甘い声音で、お彩はそう呼びかけてきた。

――やっと帰ってこられました。あたしはあんたの姉さんよ。今日から仲良くしてちょうだいね。

旅装も解かぬまま、足は土埃《つちぼこり》にまみれているというのに、お福が思わず手を差し出し、しっかりと抱きついたお彩の身体からは、花の香りがしたという。

「ええ、確かに薫りました」と、お福は小さく呟《つぶや》いた。「そうやって、姉は石倉屋に帰って参ったんでございます」

お彩は見事に健康を取り戻していた。骨がらみだった喉の病はどこかへ消え、血色もよく、髪には艶がある。立ち居振る舞いは優美ながら活気に溢れ、話す声にも甘やかさと共に、年頃の娘らしいおきゃんな音《ね》が混じっていた。

聞いてみれば、今度の江戸帰りは、お彩本人が言い出したことだという。大磯の養家で、元日の屠蘇《とそ》を祝っている折に、朱塗りの杯に形ばかりの口をつけてつと脇に置くと、お彩は言ったのだ。この春、江戸に帰ろうと思います。もう大丈夫ですから、必ず帰ることができると思います。おじさんおばさん、お手数をおかけしますが、江戸に使いをやってくださいまし――と、座り直して三つ指をついた。その表情には、一片の迷いも不安も見あたらない。

養家では大いに驚いた。三つの歳から十七になるまで、風にもあてずに大事大事に育てた娘である。養い親としては、口にこそ出さねど、大磯から嫁にやろうとまで思っていた。それで江戸から文句が来ることもあるまいし、お彩にも異存があろうはずがない。なにしろ九年前、「江戸には帰りたくない」とはっきり言ったのは、お彩なのである。

それがどうしてまた急に――驚きというよりは、狼狽《ろうばい》と傷心と言った方が正しいかもしれぬ。何か大磯にいたくない理由《わけ》でもできたのではないかと、むしろそちらの方を勘ぐったのも無理はない。

お彩は、養父母のそういう気持ちをすっかり見抜いていた。どう問い詰められても揺るがず、すがられても動じなかった。おまえはもう大丈夫と言うが、なぜ大丈夫とわかるのか。自分のことですからわかります。もう江戸には帰りたくないのではなかったか。あれは八つのときのこと。呪われたように、江戸に近づくたびに病がぶり返して襲いかかってきたから、泣く泣くそう思い決めるしかなかったのです。懐かしい実家ですから、帰れるものなら帰りたい。いつもそう思っておりました。今度だってまた、江戸に近づいたら病が戻ってくるかもしれないよ。もうその心配はございません。案じないでください。わたしにはわかるんです。

もともと預かりものの娘である。本人にここまで言われては、養父母としては否と突っぱねるわけには行かぬ。それでも心の底で、一縷《いちる》の願いを抱かずにはおられなかった。石倉屋の方から、お彩は余りに永いこと当家を空けていた、今さら戻ってきても、果たして馴染《なじ》めるものだろうか。今一度お彩に、このまま大磯で暮らすように言い聞かせてやってはくださるまいか——と。

しかし、石倉屋がそんな返事を寄越すわけもなかった。大手を広げてお彩を歓迎するのは、親として当たり前のことである。かくて大磯の養父母は、腹のうちで号泣しながら、顔は笑って、お彩を江戸へ送り出すことになったのであった。

とはいえ、石倉屋の側にも不安がなかったわけではない。十四年の不在は、確かに永い。

両親である鉄五郎とおかねには、二十四年だろうが三十四年だろうが何の差し障りもない。それが親というものだ。が、お彩の顔を覚えておらぬ弟の市太郎と、お彩の存在を話として聞いているだけのお福にとってはどうだろう。実の姉が療養先から帰ってきたというよりは、他家から知らない娘が嫁にきたのも同然ではないか。もとより、お彩の箸《はし》の上げ下ろしにまで文句をつけようと目を光らせる者が、石倉屋にいるはずもない。だが、箸の上げ下ろしの些細《ささい》な違いでさえ、喉に刺さった小骨のようにちくちくと気になるのが、日々の暮らしというものだ。

もしも、お彩が弟妹たちと気が合わなかったならば――

その心配は、お福がべそをかきながらお彩に抱きついたそのときでさえも、喜びに沸き立つ石倉屋の土台の底の底の方で、ひっそりと疼《うず》いていたのである。わけても女親のおかねは、夜も寝付きが悪くなるほど案じていた。

しかし、それは杞憂《きゆう》に終わった。

十日も経たないうちに、お彩は、十四年どころか、十四日だって石倉屋から離れていたことなどなかったかのように、しっくりと馴染んでしまった。

石倉屋には、お彩の知らぬ習慣がいくつもできあがっており、お彩の知らぬ人びともいる。お彩は、そうしたことどもをすぐ呑《の》み込んだ。人の名前と顔を覚えることにかけては、筋金入りの商人であり職人である鉄五郎が目を瞠《みは》るほどに速かった。大勢いる仕立て職人たちを一度で見分け、次からは誤たず親しく呼びかけることができる。己が不在だったころの思い出話が持ち出されれば、嫌な顔も寂しい顔も見せることなく、むしろせがんで楽しげに聞き出し、進んでその輪のなかに入った。

一方で、大磯での思い出話についても、飽きず飽きさせずにお彩は語った。声音はときに甘く、ときに涼やかで、聞く者の耳に快く響いた。何度江戸に戻ろうとしても朱引の外で引き返さねばならなかった事件について語るときは、その声音が涙で曇り、聞く者の涙も誘った。しかし話の末には、

「でも、こうして帰ってくることができましたから」

というお彩の明るい顔に、一同も涙を拭《ぬぐ》って一緒に笑うのである。

さらに、これは石倉屋にとっては何より重要なことに、お彩は手先が器用だった。大磯では、世間並みに着物の一枚は縫えるぐらいの針の稽古《けいこ》をしていたというが、いざ針を持たせてみると、その手筋は、修業を始めたばかりの職人見習いなど、足元にも及ばぬほどしっかりとしていた。これには、十になるやならずの歳から鉄五郎にしごかれて、十六歳となったこの年、ようやく、物差しをかまえ絎台《くけだい》の前に座る姿が板についてきかかった市太郎が、誰よりもいちばん驚いた。

「姉さんの手筋は、おとっつぁんにそっくりだ。血筋だね」

市太郎は生来穏和な気質《たち》で、これまでどれほど鉄五郎に怒鳴られようが物差しで叩《たた》

かれようが言い返したこともなく、黙々と修業を続けてきた若者だが、このとき初めて、鉄五郎をからかうような言を吐いた。

「おとっつぁん、今に姉さんに追い抜かれちまうかもしれないよ。寄る年波には勝てないんだからね。これからは、教えられることは全部、俺と姉さんに教えるつもりでいておくれよ。もしかして、俺が覚えられないこと、受け継げないことがあっても、姉さんならできるだろうから」

　その口調には、隠しようのない愛情と尊敬の念がこもっていた。鉄五郎は、何を生意気なと叱りつけなかった。倅《せがれ》の言うとおりだと思ったからである。

「おまえも、負けるんじゃないぞ」

　かろうじて言い返した鉄五郎に、市太郎は爽《さわ》やかに笑った。

「姉さんに負けるなら、俺はかまわないよ。天下一の姉さんだもの」

　気が合わなかったらどうしよう、どころではなかった。市太郎は想い人を遇するように姉を遇し、お彩もまた、生真面目《きまじめ》で優しい弟の気性を愛し、一方で、跡取りとしての彼を立てることも忘れない。阿吽《あうん》の呼吸というか、連理の枝というか。ときにはまわりが呆《あき》れるほどに、この姉弟は、たちまちのうちに親しんでいたのである。

　こうして、十四年ものあいだ、石倉屋を覆っていた黒雲は晴れた。お彩は帰ってきた。ただ身体が戻ってきただけではない。心も一緒だ。お彩は石倉屋を空けていたのではなかったのかもしれぬ。お彩の魂は、この不在の年月にも、常に石倉屋の内にあったのかもしれぬ。

しかも、そのお彩は人の目を奪うほどに美しいのである。江戸の水に磨かれて、短いあいだに、その美貌《びぼう》はいっそう輝きを増したようだった。

石倉屋に戻ってほどなくしてから、縁談が舞い込み始めた。誰がどこで聞きつけるのか、どのように噂が広まっているのか、石倉屋の人びとには追いつけないほどの速さだった。しかしそれらの縁談を、お彩は最初《はな》から断ってしまう。話を聞くことさえない。

「わたしはやっと、おとっつぁん、おっかさんのそばに戻ってこられたんですよ。当分、嫁になんか参りません。いけませんか」

いけないはずがない。鉄五郎は一度、はずみとはいえ、一生嫁になんぞ行かなくていいとまで言ってしまった。おかねはもう少し分別があり、そんな夫を叱ったが、お彩をどこへも嫁《や》りたくない本音は一緒である。

「そんなら、姉さんは婿をとればいい」

石倉屋の者たちの面前で、言い出したのは市太郎である。跡取り息子であり、職人・鉄五郎の一番弟子だ。あなたがそれを言っていいのかと、居並ぶ奉公人たちも職人たちも、一瞬困った顔をした。が、市太郎はまったく悪びれない。

「俺もいずれは嫁をもらうけど、そうなれば夫婦ふた組で、石倉屋を守り立てることになる。いいじゃないか。お店が倍になるんだよ」

だから姉さんは、婿に迎える人に、俺と気の合いそうな人を選んでおくれよ。俺も、姉さんと仲良しになりそうな娘を選んで嫁にとるから。

「そうしましょう。きっと楽しいわね」

お彩もはずんだ声で応じる。まったく屈託の欠片《かけら》もなかった。そこへ、一人だけ歳が離れて蚊帳《かや》の外《そと》のお福が、

「だったらあたしも」と割り込んで、さらに一同を笑わせる。するとお彩がお福を膝《ひざ》に抱き上げて、

「そうね、お福もずっとこの家にいましょう。お婿をとるの。そうして、ずっとずっとあたしたち姉弟妹《きょうだい》で楽しく暮らすの。石倉屋を、うんと繁盛させましょう」

本人のあずかり知らぬうちにこっそり描かれた絵姿が出回り、またその絵姿に法外な値がつくというほど評判になった石倉屋の看板娘・お彩の笑顔は、確かに、日本橋小松町の石倉屋では夜も灯が要らぬ――と噂されるほどに、眩《まぶ》しいものであったのだった。

「わたしはちょうど、寺子屋《てらこや》通いの年頃でございましたからね」

ひとつ息をつき、おちかが淹《い》れ替えた温かなお茶に口をつけて、お福は言った。

「読み書きに、女の子のことですからお行儀も習いに行かなくちゃなりません。でもそれが嫌でね。うちにいたかった。うちにいて、姉のそばにいたかったんです。よく駄々をこねては母に叱られたものでした」

当時のお福は、一日中お彩のあとを追いかけて暮らしていたのだそうだ。

「ホントに金魚のフンみたいでしたよ。姉さん、姉さんて。朝起きてから夜寝るまで一緒。ご飯もお湯も一緒でした」

麗しい眺めであったろうと、おちかは思った。美しい姉に、可愛い妹。

「とうとう姉が寺子屋の送り迎えをしてくれることになりました。姉さんが一緒に来てくれるのならおとなしく寺子屋に行くって、わたしが言い張ったものだから」

しかし、石倉屋としては姉妹だけで外に出すわけにはいかなかった。不用心で、剣呑《けんのん》だ。

「姉が、どこの誰に追いかけ回されるかわかりませんでしょ。本当に、ちょっと買い物に出ただけで、おっかさんや女中が一緒についていたって、付文をする人がいたくらいでございましたから」

古参の仕立て職人のなかに、無口で優しい人柄ながら、見た目にはごつくて怖い顔の、宗助《そうすけ》という男がいた。当時で五十ちょっと前の歳である。石倉屋では鉄五郎の次の腕前で、大いに忙しい立場だったが、彼が姉妹の寺子屋往復に付き添ってくれることになった。

「それでも宗助も、どうしても身体が空かないときがあるんです。隠居でも居候でもない、職人でございますからね。そういうときは兄が来てくれました」

ところがねぇ——と、お福は軽く肩を揺らし、小さく笑って下を向いた。

「兄も、わたしが申しますのも何ですが、きれいな顔をしておりましたの。兄には兄で、追いかけ回す娘さんたちがおりましてね。輪をかけて大変なことになりました」

美貌の姉弟が連れ立って、仲むつまじく語り合いながら歩いているのである。幼く愛らしい妹が、先になり後になり、黒い瞳《ひとみ》をきらきらと輝かせて、そんな姉兄を仰いでいる。

「すれ違う人たちが、振り返って見たくなるのも無理はありませんでしたでしょうね」

「振り返るだけじゃございませんの。尾《つ》いてくるんです」と言って、お福はさらに笑った。

「そっちもそっちで金魚のフンでございますよ」

「羨《うらや》ましいことです」

「あら、お嬢さんだって」

からかうように目を瞠《みは》り、お福はちょっと背を反らして、おちかをじっくり検分し直す仕草をした。

「きっと追いかけられておられますよ。後を尾いてきている殿方だっておられます。でも、お嬢さんは気づいておられないようでございますね」

わざと気づかないふりをなすっているのかしらと、空とぼけたように付け足した。

その拍子に、手にした湯飲みが傾いたのだろう。お福は指先を濡《ぬ》らした。湯飲みを置くと、上品な手つきで懐紙を取り出し、不調法をしましてと呟《つぶや》いて、指を拭《ぬぐ》う。

おちかは、からかわれた腹いせではないが、少し意地悪な質問をしてみたくなった。

「お福さんは、お兄様の市太郎さんと仲がよろしかったんでしょう」

ええ、とてもと、お福はうなずく。「ずいぶんと可愛がってもらいました」

「嫉妬《やきもち》はありませんでしたか。優しいお兄様とあなたのあいだに、突然、美しいお姉様が割り込んできて――あなたと同じように、いえ、もしかしたらあなたよりももっと仲むつまじくなすっているんですもの。お兄様、お姉様、どちらに対しても妬《や》けませんでしたか。子供には、よくあることですし」

お福の眼差《まなざ》しは、おちかの面の上で留まったままである。が、表情だけがすうっと消えた。怒らせてしまったかと、おちかは思った。

お福は何度かまばたきをすると、畳んで懐に戻そうとしていた懐紙を、掌《てのひら》のなかできゅっと丸めた。そして、軽く握ったその拳《こぶし》に目をやったまま、低く答えた。

「妬けませんでしたの。兄と姉と、揃って仲良くしている様が、わたしにも嬉《うれ》しかったんです」

ならば、どうしてそんな暗い目をするのだろう。じわりと訝《いぶか》しく思うおちかの前で、お福はさらに強く掌を握りしめる。

「妬いていたら、よかったんでしょう」

誰かが割り込んでいたのなら――と、さらに低い声音を出す。見れば、お福は軽く歯を食いしばっているのだった。

「割り込んで？」

問い返して、今度はおちかが表情を失う番だった。これまでのお福の語りのなかに、今の言葉と対になるような――よく考えれば、夫婦ならともかくも、姉弟の間柄には、余りふさわしくない言葉があったような気がしてきたのだ。

そう、連理の枝だ。これは、相思相愛の男女を喩《たと》える表現ではなかったか。

おちかの胸の底が騒いだ。

まさか――

お彩が戻って、石倉屋の憂いは消えた。美しく賢い三姉弟妹の上に落ちかかる影などあろうはずもない。

だが石倉屋は滅びたと、お福は言った。

「ねえ、お嬢さん」

はい、とおちかは身を硬くした。

お福の眼差しが揺れる。黒白の間に来て初めて、お福の内から黒いものが流れ出《い》で始めた。これまでの語りを染め直すときがきた。

お福の声音は、眼差しと同じようにかすかに揺れていた。

「姉と弟が、女と男として想い合うなんていうことが、この世にあるとお思いになりますかしら」

四

先ほどおちかの胸の奥を騒がせた疑念は、邪推でも穿《うが》ちすぎでもなかった。的中していたのである。

おいそれと返答のできる問いかけではない。

黒白の間で向き合う二人の女のあいだに、うっすらと冷たい沈黙が流れ込んできた。

お福には、顔を合わせたそのときから妙に親しみを感じ、まるで年長の幼なじみと久しぶりに再会したかのような心やすさを覚えていたおちかだが、ここに来て己を取り戻した。お福は語り手であり、おちかは聞き手だ。おちかが水を向けて聞き出そうと努める一方、お福は語ることに努める。そして、その挙げ句に引き出された話がどれほど醜悪なものであろうとも、おちかはそれを受け止めねばならぬ。それが、この座敷の決まりだ。

「間違いなく……そういうことがあったのでございますか」と、おちかは問うた。

吹っ切るように、お福は大きくうなずく。

「再三申しますように、姉は度はずれて美しい人でございましたからね」

二人のあいだに溜《た》まる冷水のような雰囲気の向こうから、弱い声音で言い添えた。

「身近にいた兄の市太郎は、その美に魅せられて、我を忘れてしまったんでしょう」

それでも、歯止めが利くのが普通の姉弟《きょうだい》の間柄ではないのか。

あたしだって――おちかの心は、ふとお福のそばから離れ、己の身の上を振り返る。喜一兄さんは、いつだってどうしたってただの兄さんだった。松太郎さんは、兄さんのようではあったけれど、でも兄さんではなかった。血がつながっていないのだから。だから淡い想いも憧《あこが》れも抱いたけれど、でも、恋の相手に選ぶ人ではないということもわかっていた。そう知らされたから。

子供でも、教え込まれればわかる。間違ったわかり方でも、わかりはする。それがけじめというものだ。

「生まれたときからずっとひとつ屋根の下で暮らして、物心つく前に姉弟として馴染《なじ》んで——おかしな言い方ですけど、姉弟としてできあがってしまっていたならば、そんなことにはならなかったと思うんですよ」

言って、お福は急に肩を落とした。つっかえが外れたみたいに。

「今さら言っても詮《せん》ないことでございますけれどね、ええ」

くたびれたようにのろりと手を持ち上げて、乱れてもいない髷《まげ》を指先で撫《な》でつける。

「だってわたしは、兄にそんな思いを抱いたことはございませんでしたから……」

ちらりと、その瞳の奥に硬い色が見えた。

「ですからあれは、姉の身にからみついていた病がしでかした悪さだ、というふうにも考えられるんです」

気まぐれでしぶとい咳《せき》の病だ。

「姉が幼いうちは、姉をわたしたち家族から引き離しておいて、姉が美しく育ち上がったら、けろりと本復させて、返してきた——。ええ、姉の病はそういうふるまいをしたんです。意地悪じゃございませんか。病というより、呪いみたいなものでございます」

病に意思があるかのような言いようである。が、江戸に帰ろうとするお彩が、朱引を越えるとにわかに始まったという咳の発作には、確かにある意図が感じられなくもない。それが、お彩が一人前の美女に育ち上がった途端に影を潜めたのだから、なおさらだ。

「ええ、呪いでございますよ」

腹を立てているかのように、短く言葉を噛《か》みきって、吐き出した。

「うちのご先祖に、無惨な心中者がいたんじゃないか。あるいは奉公人にでも、添い遂げたくて添い遂げられず、世を儚《はかな》んで死んだ者がいたんじゃないか。そういう男女の無念が、呪いとなって石倉屋に災いをなしているんじゃないかって、両親が思い詰めましてね。いっとき、しきりと修験者《しゅげんじゃ》や拝み屋を呼んでは、占ったり祓《はら》ったりしてもらっておりました」

残念ながら、ことごとく効き目はなかったという。我が娘、我が息子が、己の意思で人の道を踏み外し、このような仕儀に至るなど信じられぬ。二人は何かにたぶらかされているのだ、惑わされているのだ、祟《たた》りだ、呪いだ、そうであってくれ、そうに違いない――藁《わら》にもすがる思いで託宣や占いに頼る両親はいちいち落胆し、それを横目に、お彩と市太郎の互いを想う気持ちは、まったく揺るぐことがなかった。

「ああ、少しお話が先走ってしまいました」

鼻先に軽く手の甲をあて、冷や汗を押さえるような仕草をして、お福は面を上げた。

「二人の様子がおかしい――いくら仲の良い姉弟だとしても、あまりに親密に過ぎるのじゃないかということに、最初に気づいたのは、石倉屋の女中たちでございました」

こういうことには、よろず女たちの方が目ざとく、耳ざといものである。

「これは、後になって少しばかり聞き合わせていって知れたことですが、勘のいい者には、姉が石倉屋に戻って半年も経ったころにはもう、おや？　と思う節があったそうでございます」

もちろん、そう思っても口には出さない。とんでもない話だ、何ということを思うのだろうと、己を叱って打ち消し、しっかりと胸にしまっておく。お彩が石倉屋に馴染み、家族に溶け込み、市太郎と仲むつまじく過ごす月日が経つほどに、同じ屋根の下には、一人また一人と、そういう胸ふさぎの奉公人たちが増えていった。

春が過ぎ、梅雨を越し、夏を迎え、秋を見送り、冬が訪れ、年を越し――

どうにも、お彩お嬢さんと市太郎さんのむつまじさには、少しばかり過ぎるところがあるのじゃないか。疑惑はふくらんでゆく一方だった。

「でも、誰も言い出せなかったんでしょうね。疑いをかけている相手が相手だし、疑いの内容がまた内容ですもの。女中同士で噂し合うぐらいならばまだしも――いえ、それだって、うっかりした物言いをすれば、相手がどう受け取るかわかったもんじゃございません。くわばら、くわばらです」

噂話のつもりが食い違い、話の相手が仰天して、お嬢さんと若旦那《わかだんな》にひどい疑いをかける女中がおりますと、鉄五郎夫婦に言いつけられたら大変なことになる。

だから、皆で黙り合う。互いの顔色を窺《うかが》い合って。思い過ごしだ。とんだ勘違いだ。そういうことにしておこう。

「結局、知らぬは両親《ふたおや》ばかりなり、でございました」

それとあと一人、わたしもね。指で軽く鼻の頭を押さえて、お福は苦笑した。

「十歳ですからね。何もわかりませんし存じません。うちの姉さんと兄さんは仲良しだ、ぐらいに思っておりましたんでしょう。自分でも、筋道立ててお話しできるほど、よく覚えていないんですよ」

おちかは直截《ちょくせつ》に尋ねた。「どなたが最初に、ご両親にお知らせになったのでしょう」

たんぽ槍《やり》で突かれでもしたかのように、お福は軽く身じろぎした。「まあ、それは宗助がね――」

「寺子屋の送り迎えをしてくれた、腕のいい仕立て職人の人ですね」

座り直して、お福は神妙にうなずく。

「間近に二人を見ることが多かったですから、気づいたんでございましょうね。それと」

言いにくそうに目を伏せて、

「なにしろわたしは頑是無い子供でしたから、確かに覚えてはおりません。おりませんけれどね、何度か、そういうことがあったような気がするんです」

お彩が宗助を供に連れて寺子屋へ迎えに来た折、帰り道で、お彩がお福の手を離し、あとを宗助に頼んで、どこかへこっそりと出かけてゆく。そういうことが、二度、三度と。

「外で、市太郎さんと？」

「示し合わせていたんじゃないかと思うんです。いかにもありそうな段取りでございましょう？」

宗助はいい大人である。お彩の様子に、察するところがあったのではないか。そして思案した。どうやら、お彩お嬢さんは密かに逢引《あいびき》をなすっているようだ。相手は誰だろう。お店のためにも、知っておいた方がいいのじゃないか。騒ぎ立てるまでもなかろうが、お嬢さんのお出かけに、俺は気をつけておくことにしよう。何事も用心だ――

用心の挙げ句、お彩の逢引相手を知ったとき、彼はどれほど驚愕《きょうがく》したことだろう。

「宗助さんは石倉屋さんに、真っ向から打ち明けられたんでしょうか」

お福の目が翳《かげ》り、口元がちょっと震えた。

「ずいぶんと勇気が要ったと思うんです。ですから、うちの両親に話を持ち込む前には、番頭や女中頭《がしら》と相談し合ったんじゃございませんかね」

すると、お店の他の者たちも気づいていた、言うに言われず、黙っていたということがわかった。ならば、あとはもう、誰が猫の首に鈴をつけるかということになる。

「宗助は、わたしなんぞが生まれる前ですから、ずいぶん昔のことですが、一度所帯を持ったことがあるんです。でも、子供に恵まれないうちに、その連れ合いに先立たれましてね。以来、ずうっと石倉屋に住み込みで、仕事一筋で暮らしてきた職人です。好いたの惚《ほ》れたの、愛《いと》しいの恋しいのというやりとりからは、いちばん縁遠い人で」

そんな男の言うことなら、かえって信じてもらいやすいだろう。また、もしもこのことで主人夫婦の勘気に触れ、お暇《ひま》を出されるようなことになったとしても、独り身で手に職のある宗助なら、何をしたって生計《たつき》の道には困らない。そういう判断があって、彼が注進に及ぶことになったのだ。

だが、色恋に縁のない朴訥《ぼくとつ》律儀な五十男の、意を決しての申し立ては、かえって裏目に出てしまった。

最初のうちは、鉄五郎もおかねも、宗助が何を言っているのかわからなかった。話の筋は理解できても、ただ面食らってしまって、要点が頭に沁《し》み入ってこないのだ。が、だんだんと沁みてくると、ごく短い間、胸の悪くなる冗談だと退け、それが過ぎると、鉄五郎は猛然と怒り、おかねは震え上がった。

「わたしはその場にいたわけじゃございません。たぶん、寝ていたんだろうと思います。こんな話、陽のあるうちにするわけがございませんからね」

石倉屋主人鉄五郎の怒声は、お店の土台を揺り動かさんばかりのもの凄《すご》いものだったという。

——宗助め、気がふれたか！

石倉屋の主人夫婦にしてみれば、ただ不意打ちであるばかりか、途方もなく忌まわしい、嫌らしい告げ口だ。ようよう手元に取り戻した美しい長女と、お店の将来を託す跡取りとのあいだに、人倫にもとる爛《ただ》れた関係ができているというのである。しかもそれを、手練《てだ》れの職人頭で、鉄五郎が一にも二にも信を置いてきた宗助の口から告げられたのである。彼が逆上したのも無理はない。

「怒りの余り、宗助を殴ったり蹴《け》ったり打ち据えたり、さんざんに懲らしめました」

そのあいだじゅう、おかねは傍らで身を縮め、色を失っていたという。

「あわてて駆けつけた番頭が止めてくれなかったら、父はその場で宗助を殺してしまうところでございました」

そのまま、宗助は寝付いてしまった。枕もあがらない重態である。鉄五郎の凄《すさ》まじい怒りを目の当たりにした他の奉公人たちは、すっかり縮み上がってしまって、宗助の肩を持つどころの騒ぎではない。

お彩と市太郎の道ならぬ仲の話は、宙づりになった。

もっとも、鉄五郎とおかね夫婦も、いっときの逆上から醒《さ》めてしまうと、あの物堅い宗助がそうそうでたらめを口にのぼせるものだろうかと疑う分別を取り戻し、そういえばと互いの目の奥を覗《のぞ》き合ってみれば、お彩と市太郎のふるまいに、思い当たる節が——ないではないような気もする。が、認めたくはない。宗助がおかしくなってしまったのだと思いたい。今さらこちらの非を認めるには、足の踏み出しようもない。これもまた宙づりである。

そんななかで五日経ち、宗助が死んだ。

「尋常な死にようではございませんが、お医者を呼ぶときから、酔って暴れて階段から転げ落ちたという嘘をこしらえておりましたから、不都合はございませんでした」

お店の主人が奉公人を懲らしめた挙げ句の仕儀であるから、筋道さえ通っておれば、もともと罪になることでもないのだ。が、石倉屋としては大いに後ろめたいものがあり、そそくさと宗助を葬ることにした。時はあたかも、お彩が石倉屋に戻って一年とふた月が過ぎ、梅の花のつぼみがほころぶころのことだったという。

「夜遅く、姉のお彩が、両親の寝間を訪ねまして」

忠義の奉公人であり、頼りの職人頭だった宗助を思いがけず欠くことになり、そぞろ心騒がしく寝付かれぬ鉄五郎とおかねの前に指をついて、お彩は頭を下げた。

——おとっつぁん、おっかさん。宗助があんなことになり、お店のなかが騒がしくて、そこここで皆がひそひそ話をしているのが聞こえてきます。

おまえの耳には何が聞こえたのかと、鉄五郎とおかねは問い返した。

――わたしと市太郎さんのこと。

悪びれた様子はなく、ただ儚《はかな》げに悲しげにうつむいて、お彩は言った。

――宗助が、おとっつぁんとおっかさんに言いつけたのだそうですね。

お福の語りに、耳にしたことのないお彩という美しい女の声がかぶって聞こえてくるようだ。かすかに震え、鈴を鳴らすようにいい声だ。

――それは、本当のことでございます。

器の水を空けるようにさらさらと、お彩は言って、ひたと両親を見つめたという。

――わたしには、それが悪いこととは思われません。わたしが市太郎さんを想ってはいけないのですか。市太郎さんが、わたしを愛しいと想ってくれることも、いけないのでしょうか。

誰にもそんなことを、教わりはしなかったのに。

立場を忘れて、おちかは両腕で身体を抱いた。背中を冷たいものが走り抜けたのだ。気がつくと、お福も同じようにしていた。向き合う二人の女は、孤児《みなしご》のように寂しく、それぞれが己の腕で己を温めている。

「ごめんなさいね」

お福は手を膝《ひざ》におろすと、目元を緩めておちかに言った。「嫌なお話でございますよ」

人が人を想う話なのに。

「市太郎さんも、お彩さんと同じように考えておられたのでしょうか」と、おちかは尋ねた。「悪いこととは思わない、と」

お福の顔が苦しげに歪《ゆが》んだ。

「兄にはもう少し分別があったと思います」

それでも、お彩の美に魅せられていた。その言い回しが、ここで初めておちかの心に、爪を立てて食い込んできた。

「兄は引きずられてしまっていたんだと思います。姉につかまって、引きずられて、深みにはまりましてね」

お福のものの言いように、やはり初めて、お彩を責めるような響きが混じった。

「あれが悪所通いでもするくらいの早生《わせ》ならば、よほど違っていたろうにと、のちのち、父はこぼしておりました」

それは愚痴ではあるまい。心底からの、血を吐くような後悔だ。

市太郎はお彩と会ったとき、十六だった。人恋しさを知る年頃に、最初に出会った女が、離ればなれに育った姉で、この上もなく美しく、蕩《とろ》けるような笑みを投げかけて、手を伸ばせば届くところにいる。目を離したくても離せない。ようよう離しても、家のなかを歩き回れば、またうっかりと視線の先に、姉の姿が入ってくる。

天下一の姉さんだ。

愛しいと思うことの、何が悪い？

「お嬢さんは、ふいご祭りというのをご存じでしょうか」と、お福が訊《き》いた。「十一月八日は、鍛冶屋《かじや》や鋳物屋のお祭りなんです」

どちらも鞴《ふいご》を使う業種である。

「お稲荷《いなり》さんを拝みましてね。職人たちが一日仕事を休んで、火事が起きないように、火傷《やけど》を負わないようにお祈りいたします。お酒を飲んで、ご馳走《ちそう》を食べて、にぎやかに楽しく過ごすんでございますよ」

石倉屋は仕立屋だから直に関わりがないが、日本橋通町の南方には南鍛冶町《みなみかじちょう》があり、ここの職人たちと鉄五郎に付き合いがあったので、ふいご祭りにはよく招いてもらったのだそうである。

「姉が戻った年の十一月八日――ですから、まだ姉と兄の仲が表沙汰《おもてざた》になる以前でございますわね。そのときも、一家でおよばれしまして、出かけました。子供にも楽しいお祭りなんですよ」

出し抜けに話の向きが変わったので、おちかは黙って耳を傾けていた。

「鍛治屋の職人さんたちが、家の屋根や二階の窓から、蜜柑《みかん》をまくんです。近所の子供たちが、みんな集まりましてね」

たくさんまけばまくほどめでたく、そこでケチれば商売にミソがつくというから、笊《ざる》いっぱいに蜜柑を盛ってまくそうだ。

「わたしはお客のうちの子ですから、子供ながらも蜜柑をまく方に回りましてね。姉と兄のあいだに挟まれて、一人前に蜜柑を投げておりました」

そのとき、十歳のお福は目にした。

「兄が笊から蜜柑をひとつ取り上げて、するとそこに、姉がすっと手を重ねました。蜜柑を握った兄の手を、姉の手が包み込んで」

二人で顔を見合わせ、嬉《うれ》しそうに笑みを交わした。

「姉は兄からその蜜柑を取り上げて、自分の手のなかに隠しました」

しばらくして、笊の蜜柑をすっかりまき終えてしまった後、お彩がその蜜柑を剝《む》いて、ひと房ずつ嚙《か》みしめるように食べているのを、お福は見た。

「二人の手の温《ぬく》もりがうつった蜜柑です」

あったまってしまった蜜柑なんて、美味《おい》しいものじゃありませんのにね――

「どうということじゃございませんよ。でもね、姉と兄のあいだに何があったのか、ちゃんとわかる年頃になってから、わたしが真っ先に思い浮かべたのが、この蜜柑のことだったんです」

姉弟のあいだではなく、ただの男女のあいだであるならば、蜜柑のように甘酸っぱいふるまいだ。さぞ甘かったであろう、その蜜柑。

「両親は、今度こそ青くなりました」と、お福は続けた。「宗助は真実のことを言っていたんです。なのに、父はその宗助を手にかけるようなことをしてしまいました」

お彩の告白を受けて、両親に厳しく問い詰められた市太郎は、ほどなくしてすべてを認めた。自分は、これが悪いことだと知っていた。道を外れている。けれども、姉さんの顔を見ていると、どうしてもどうしても、己の気持ちを抑えることができない──

「こうなってはもう、二人を石倉屋に置いておくわけには参りません」

鉄五郎とおかねは最初、お彩をまた大磯の養家に預けようかと思った。が、それには事情を話さなければならない。

「とても打ち明けられるものじゃありません。信じてもらえないかもしれませんしね」

周章狼狽《しゅうしょうろうばい》、右に左に、上を下への大騒ぎだ。が、世間には気取られてはならぬ。鉄五郎とおかねが修験者や拝み屋を家に招いたのも、このころのことだった。何でもいいから、解決策を探したかったのだ。

「結局、いっぺんは他所《よそ》のお店の釜《かま》の飯を食わせるという名目をつけて、兄の市太郎を、牛込《うしごめ》の方にある父の知り合いの仕立屋へ奉公に出す話を決めました」

事が露見してからふた月が過ぎ、世の中は、五月の空が美しく晴れ渡るころのこと。

いよいよ市太郎が石倉屋を出るというその前日に。

「姉が——首をくって死にました」

五

両親宛《あて》に、書き置きが残されていたという。

「姉は難しい漢字こそ書けませんでしたが、手筋がとても美しくて……。それも両親の自慢のたねだったんでございますけどもね」

その流れるような文字で、お彩は詫《わ》びの言葉を書き連ねていた。このようなことに至ったのはすべて自分の咎《とが》だ。許してくださいと願って許されることとは思わぬが、せめてお彩のことは、もともといなかった者として忘れてほしい。

「病死ということで、宗助のときと同じように、表向きは取り繕いましてね。父はまた、だいぶお金を使ったようでした」

さすがに、お福の口調も、少し疲れたのか切れが鈍ってきた。おちかは茶を淹《い》れ替えようと手を伸ばしたが、お福がつと遮った。

「すみませんが、お白湯《さゆ》をいただけますか」

おちかが湯飲みに白湯を満たして勧めると、お福は懐から小さな薬包を取り出して呑《の》んだ。

「ときどき、こうなるんでございますの。昔のことを思い出しますとね。こめかみのあたりがキリキリ痛み始めます」

最初に顔を合わせたときには、屈託のひと欠片《かけら》も持ち合わせぬ幸せな人妻に見えたのに、今のお福は、表情にもたたずまいにも翳《かげ》がある。人は過去からは逃げられない──不意にすきま風に吹かれたように、おちかは思った。

「お疲れでしたら、お話の続きはまたの日にいたしましょうか」

「いえいえ、かまいません」

お福はかぶりを振った。大きな荷物を少しずつ降ろしてきて、間もなくすべてを降ろしきる。ここでやめたくはない。

「もう、あとひと息でございます。本当のところ、今までの嫌なお話は、長い長い前置きでございましてね」

お彩の死で、市太郎は見事に正気づいた。

そうとしか言いようのないほどに、まさに憑《つ》きものが落ちたかのように、彼はお彩への恋着から解き放たれた。

何より、お彩の出し抜けの死に、彼は涙を流さなかったのだ。亡骸《なきがら》を目にしたときこそ、声も出せず倒れるようにその場にへたりこんでしまったが、それからは気丈だった。冷たくなったお彩の頰に触れるとき、彼の手は震えてもおらず、彼の目はお彩の死に顔を直視していた。その瞳《ひとみ》には、固く凍りついたような色があった。もう笑うことも話すこともなくなったお彩の人形のような顔の奥底に隠れている何かを、しっかり見据えて見定めようとするかのような意志があった。それがどんな意志であろうと、少なくとも、市太郎はもう、道ならぬ恋に迷う若者ではなくなっていた。

あわただしくお彩を葬る手続きのあいだも、実は鉄五郎よりおかねより、彼がいちばんしっかりしていた。何が何でも世間体を取り繕わねばならぬその場では、市太郎は実に頼りになった。

そしてすべてが一段落すると、彼は両親の前に手をついて詫びた。今さら言い訳をしようとは思わない。勘当されても仕方がない。それだけの不始末を、自分はしでかした――

そこで初めて、はらはらと泣いた。

鉄五郎とおかねは、窶《やつ》れて色の抜けた顔と顔を見合わせた。それから、おかねは市太郎を抱きかかえて、一緒に泣いた。

結局、お彩も市太郎も、揃って悪いものに魅入られていたのだろう。お彩は、己の死を以《もっ》てそれを祓《はら》った。だから市太郎は救われたのだ。鉄五郎はそう思い、そう口にした。夫の持ち出した考えに、おかねにも否はない。誰も悪くはなかったのだ。みんな、魔に魅入られて恐ろしい目に遭った。悲しい想いをした。これからは、過ぎたことは忘れて、また平穏に仲良く暮らそう。

それでも市太郎は、先に決めたとおりに家を出て、牛込の仕立屋へ行くと言い張った。奉公人たちの手前もある。一年か二年、ほとぼりが冷めるまでは、自分は石倉屋から離れていた方がいいだろう。

実際、お店の者たちのなかには、お暇を願い出る者どもがいた。一人や二人ではない。宗助が死んだときにも同じような動きがあって、鉄五郎とおかねが必死になってかき口説き、思いとどまらせたという経緯がある。が、今度という今度は止めきれないだろう。皆、もうたくさんだと浮き足だってしまっている。

鉄五郎は潔く、やめたいという者たちを立ち去らせた。女中たちには次の奉公先の面倒をみてやり、これを機に独り立ちしたいという職人には、口止め料ではないが、相応の金を包んで持たせてやる気遣いも忘れなかった。人手が減ってしまえば商いも小さくなるが、そこは何とでも繋《つな》いで乗り切ってみせよう。市太郎の言うとおり、石が要るのだ。

倉屋には確かに、悪い思い出を片付けて忘れてしまうため、いくばくかの月日と距離

　それはお彩についても同様だった。おかねはずいぶんと悩んだ挙げ句に、お彩の身の回りのものを、すべて捨ててしまうことにした。小袖《こそで》の一枚も残さない。すべてお彩を葬った寺に預けて供養してもらい、それから焼いた。簞笥《たんす》でさえも壊してしまった。たったひとつ、お彩が大磯から戻ってきたとき、初めて母娘で買い物に行き、おかねが選んで買い与えた赤珊瑚《あかさんご》のかんざしだけはどうしても忍びなくて手元に残したが、誰の目にも触れぬよう、しっかりとしまい込んでしまった。

　そのようにして、大人たちがそれぞれに気持ちの始末をつけてゆくなかで、お福ひとりは取り残されていた。

　頑是無いお福には、そもそも、うち続いた宗助と姉の死を理解することが難しかった。わかるのはただ、もう宗助はいない、お彩もいない、二人の姿がどこにも見えないということだけである。

　重ねて切ないのは、そんなお福であってさえ、宗助とお彩の死について、慣れ親しんだ女中や職人たちがお店を去ってゆくことについて、兄さんが近々他所《よそ》のお店に修業に行って、当分は帰ってこなくなるということについて、みだりに「なぜ？　どうして？」と口に出して尋ねてはいけないのだと、察しはつくということである。それ

らの出来事の根っこはどうやらひとつであるらしく、そのひとつの出来事が両親を嚢れるほど悩ませ悲しませたということは、お福にもうっすらわかっているということである。

お福は元気のない子供になっていった。寺子屋通いも休みがちになり、一人遊びばかりしていて、口数も減った。

両親が気づかないわけがない。が、不幸なことにその当時の鉄五郎とおかねには、お福にかまけている余裕がなかった。土台の揺らいでいる石倉屋の商いを立て直すことだけでも精一杯だ。お福はまだ小さい。そのうち忘れてくれるだろう。大人のあいだの小難しいことがわからない年頃だというのは、お福にとってはもっけの幸いだったのだ。大丈夫、大丈夫。折節、そう言い合って互いを慰め、納得させ合うしかなかった。

「子供ながらに一人前に、気鬱《きうつ》――でございましたかね」

お福は、遠い日の己を愛《いと》おしむように、優しい口調で呟《つぶや》いた。

「商いのことや世間の評判のこと、人の出入りのこと、大きなことには関われませんから、どうしたって悲しい、寂しいばっかりで」

「やっと十一の子供さんですもの。当たり前です」

おちかが取りなすように言うと、お福も微笑んだ。ねぇ？　とうなずくような目をする。

「姉を葬ってひと月ばかり経ったころ、大磯から姉の養家のご夫婦が駆けつけてきましてね。つまり、そのころになってやっとこさ、うちの両親も姉が死んだことをあちらに報《しら》せてやったんです。それまでは黙ってた。もちろん、言いにくかったんです」

結局、咳《せき》の病が舞い戻ってきてお彩を苦しめ、あれよあれよという間に悪くなり、どうにも手の施しようがなかった——

「父も母も、先方にはそう言い訳しました。それもまた辛《つら》い景色でございましたのよ。実の親が養い親に、ぺこぺこ謝るんですもの。あちらがまた居丈高にうちの母を責めまして。せっかくあんなに元気にして帰したのに、いったいぜんたいどういう手抜かりがあったんですか、なんてね」

どっちが偉いということじゃございませんけどねと、少しばかり腹立たしそうな言いようになった。

その日もお福は気がふさいで、ぽつねんと一人、家のなかで身を持て余していた。と、そこへ市太郎がやってきた。

「わたしは両親と同じ座敷で寝起きしておりましたけども、父も母も寝る間を惜しんで働いているような折でしたから、たいていは一人でこもっておりました。そこへ、兄がひょっこり顔を見せたんです」

「まだ石倉屋にいらしたんですか」

「ええ、兄が牛込のお店に参ったのは、それから間もなくのことだったと思います。だからこそ、わたしのために時を割いてくれたんでしょうけど……」

そう言って、なぜかお福はちょっと顔をしかめた。「けど……」という語尾も、気にかかる。

おちかも聞き手としてだいぶ慣れてきたから、すぐには問い返さない。

「あのとき、久しぶりに兄さんのニコニコしている顔を見ました」

——みんな忙しいからお福も寂しいだろう。兄さんは修業に行くけれど、なに、二年もすれば腕をあげて帰ってくるから、良い子にして待っていておくれよ。

きれいな飴《あめ》の包みを、お福にくれた。さらにもうひとつ、袱紗《ふくさ》に包んだ、小さいけれどちょっと重みのあるものを、お福に向かって差し出した。

——姉さんがいなくなって、お福も悲しい想いをしたね。可哀相に。

市太郎の言葉をなぞって口にしながら、おちかの面前のお福は、さらに顔を歪《ゆが》める。右手の指先で、軽くこめかみを押さえる。

「おっかさんは、姉さんの思い出の残っている品物を、着物も帯も足袋《たび》の一足さえ残さずに、お寺へ持っていってしまった。そばにあると悲しいから、仕方なかったんだろうけれど、でもお福だって、ひとつぐらいは姉さんの形見がほしいよなぁ」

——だから、これをあげるよ。

袱紗のなかから、小振りな手鏡が出てきた。

「ずいぶんな年代もののようでございました」

お福は両手で、手鏡の大きさを示してみせた。円い部分が、掌《てのひら》ぐらい。

「柄は短くて、大人の手には握り足りないほどでした。きれいに磨《と》いでありましたけれど、縁のところには古い緑青《ろくしょう》がこびりついておりました」

——姉さんが大事にしていた手鏡だ。内緒でしまっておくんだよ。おっかさんに見せると、これもお寺に持っていってしまうからね。

蓋《ふた》も台もない手鏡だ。剝《む》き出しでそこらに置いておいたら、すぐ緑青が浮いてきてしまう。しまっておけと言われても、子供のお福にはどうすればいいかわからない。

「兄は、押し入れのなかの古着の行李《こうり》の底へ入れておけ、と申しました。もうおまえの丈には合わない着物がしまってある。あそこなら、おっかさんもめったに開けない」

それらの着物は、おかねが片付けて、いずれは生まれるだろう孫のためにとってある。なるほど、当分は用がない行李だ。

「兄は進んで行李を取り出して、しまってくれましてね。わたしに約束させました」

——このことは、誰にも内緒だ。姉さんのことを思い出して悲しくなったら、取り出して覗《のぞ》いてご覧。でも、けっして誰にも見られてはいけないよ。

兄妹は固く指切りをした。

「兄がどうやって母の目を盗んで、姉の手鏡をとっておいたのか、今となってはわかりません」

お福は言って、ため息をもらした。また、白い指先がこめかみを押さえる。

「でも、それをわざわざわたしにくれて、隠しておけと言った——その理由ならわかります。ええ、わかっておりますの」

この話の初めに、お福は言った。お嬢さん、わたしの昔語りを聞いたら、鏡を見るのがお嫌になるかもしれません、と。

「わたしはね、全部が全部、兄の言うとおりにはしませんでした」

こっそり手鏡を取り出してながめることはなかった、という。

「姉がいなくなって寂しかったし、思い出すといつだって涙が出ました。でも、手鏡には手を触れませんでした。しまったっきり。いっぺんも出さなかったんです」

なぜかしら。

「誰にも内緒だよというのが、引っかかったのかもしれませんね。兄のそういうやりようが、何となく嫌だった」

わかります、とおちかは言った。「物心つかない子供でも、そういうところは、むしろ大人より潔癖だったりしますから」

だがお福は、手鏡のことを両親に言いつけはしなかった。じっと黙って隠していた。

「そうして——兄は、本当に二年で石倉屋に帰って参りました」

約束どおり、腕もあげていた。牛込は古着店の多い町だ。仕立屋の仕事の内容も、日本橋界隈《かいわい》とはまた違う。お店が変われば職人の流儀も変わる。他所《よそ》の釜の飯は、彼の血肉になったのである。

「でも、約束と違うことがひとつございました。兄は一人ではなかったんです」

市太郎が修業に行った先の仕立屋には、娘が三人いた。その次女と縁談が持ち上がっていたのである。

「先様がたいそう乗り気でしてね。もちろんお嬢さんも兄を好いていて。惚《ほ》れて惚れられて、ですからお話はできあがっていたんです。あとはもう、うちの父と母がうんと言えば済むことでした」

鉄五郎とおかねは、うんと言った。嫌がる理由はない。

市太郎は本当にお彩を忘れた。あれは悪い夢だった。今ではいいお嬢さんと好きあって、所帯を持ちたいと望んでいる。こんな嬉《うれ》しいことはないじゃないか。

「石倉屋の方も、二年がかりでようやく落ち着いておりましたからね。職人も女中もだいぶ入れ替わりましたけれど、その分、姉の影はさらに薄く、遠くなっておりました」

もう、誰もお彩の話など持ち出さない。鉄五郎とおかねが、時折ひっそりと話し合い、涙することがあるだけだ。

縁談はとんとん拍子で進んだ。石倉屋のなかに、華やぎが戻ってきた。が、その様を語るお福の口ぶりは硬い。顔の翳《かげ》りも濃くなってゆく。

「市太郎さんの許嫁《いいなずけ》は、どんなお嬢さんだったんですか」

おちかの問いに、我に返ったようにまばたきをすると、お福はやっと微笑んだ。

「お吉《きち》さんといいましてね。歳は十七で、そりゃ明るい人でした。だけどねぇ」

さらに大きく破顔して、

「言っちゃあ何ですが、とんだおかめさんだったんですよ」

まあ、と思わずおちかも声をあげた。

「ねえ、びっくりするでしょう。姉とは大違いのこんこんちきですもの」

「だからこそよかったのかもしれませんね」

ひょいと返した言葉だが、お福がきっと顎《あご》を引いたので、おちかは笑みを消した。

「ごめんなさい。わたし、失礼なことを申し上げましたか」

「いえいえ、とんでもない」お福の目が暗くなる。「お嬢さんのおっしゃるとおりです。みんな、あのころはそう思ったんですよ。絵双紙から抜け出てきたような美女に懲りて、おかめさんだけど気だてのいい女を妻にする。いい話ですもの。ああ、市太郎もこれで大丈夫だって、ね」

それから三月《みつき》の後、諸事万端整って、おかめのお吉は石倉屋に嫁してきた。お吉は、少しおしゃべりが過ぎるくらいの陽気な嫁で、万事ににぎやかで、働き者だった。

「そそっかしいところがあって、よく母に叱られていました。でも、あんまり気にしないんですよ。さらさらっと右から左に聞き流して、空っ風みたい」

「仲良しになれましたか」

「最初は面くらいましたけどね」

お福は暗い眼差《まなざ》しのまま、口元だけを和らげて笑った。無理な笑い方ではなかった。思い出すと面白いことが、お吉にはあったのだろうとおちかは思った。

「あんなことがあって以来、いくら落ち着いたとはいえ、石倉屋のなかじゃ、みんなで大きな声で笑い合うなんてことは、めったにありませんでした。そこへ、一日中りんりんしゃんしゃん鳴ってる鈴みたいな人がやってきたんです」

お福は怖《お》じてしまい、こちらからうち解けることは難しかったそうだ。拗《す》ねた気分もあった。やっと兄さんが帰ってきた、やれ嬉しやと思ったら、こぶ付きか。邪魔くさい、という気分だ。

と、おちかは納得した。

「それこそ嫉妬《やきもち》ですよね」と、お福は言った。口元の笑みが、目元の方まで広がってゆく。それを見守って、ああ本当にお吉さんという人はいい嫁、いい義姉《あね》だったんだと、おちかは納得した。

「お吉さんて人は、そういううじゃうじゃしたことにかまう女の人じゃなかったんです。わたしにも、最初《はな》っからこう、ぶっつけで、ざっかけなくて。お福ちゃんお福ちゃん、おまんじゅうがあるから食べようとか、お福ちゃんお湯へ行くよとか、今日は手習いで何を習ったのとか、またお姑《かあ》さんに叱られちゃったとか、とにかくもう、わたしだけじゃない、誰にも何の遠慮もなくて、開けっぴろげで」

とうとう思い出し笑いの顔になった。

「仲良しになられたんですね」つられて微笑みながら、おちかは言った。

「だけど、短いあいだのことでした」

お福は言い切った。しんと、あたりの気が冷えた。

「夫婦仲はよかったんです」一本調子に、お福は続ける。「誰の目にも、兄とお吉さんはうまくいっているように見えました。だって本当にいい夫婦でしたからね」

それなのに――

「兄がわたしに、姉の手鏡を返してくれって言ってきたんです」

お吉が嫁にきて、ひと月も経たないうちのことだったそうである。

「お吉さんにいい意味でも悪い意味でもかきまわされてるころでしたから、わたし、手鏡のことを忘れかけていたんです。兄に言われて思い出したくらいで」

どうして？　と、お福は市太郎に問い返した。どうして姉さんの手鏡が要るの？

「あれはあたしにくれたんじゃないのと言いました。兄は笑いましてね。おまえにやったわけじゃないよ、兄妹《きょうだい》二人のものだよ」

懐かしいからなぁ、ちょっと眺めてみたいんだ――

「わたし、知らん顔をしておりました。やっぱりそれも、何だか嫌で」

すると市太郎は、勝手に手鏡を持ち出してしまった。

「行李《こうり》の底をあらためるまでもありません。すぐわかりました。なんでわかったと思います？」

挑みかけるように、お福は尋ねた。おちかは答えることにした。察しはついた。お福が言いたくないのもわかった。

「お吉さんが、その手鏡を持っていらしたからですね」

六

行李にしまい込んでおいた二年のあいだに、手鏡はすっかり曇ってしまっていた。

お吉がそれを磨《と》ぎに出そうと、

——お姑《かあ》さん、鏡磨ぎを呼んではいけませんか。

尋ねたことで、それと知れた。

「愛《いと》しい娘のこととはいえ、父親なら、なかなか娘の身の回りの小物なんぞには気が回らないものですよ。でも母親は違います。手鏡をひと目見て、姉のものだと知りました」

お吉、その手鏡はどうしたの。市太郎さんにもらいました。年代ものですけど、見事な細工がほどこされていますよ。

はにかんで嬉しそうにしている嫁を、いきなり叱りつけるわけにもいかない。何も知らぬお吉に、お彩のことを蒸し返して言い聞かせるわけにも、もっといかない。

おかねはその場を取り繕い、そんな手鏡くらいなら、あたしが磨いでやろうと取り上げた。そして、市太郎を呼びつけた。

おまえ、どういう了見なんだと、色をなして怒る母親に、市太郎はしおらしく言ったという。

——どうもこうもありませんよ、おっかさん。あれはお福が持っていたんです。死ぬ前に、姉さんがお福にやったんでしょう。形見分けですよ。だからお福も、誰にも内緒で隠していたんでしょう。

「その手鏡を、わたしが取り出して眺めているのを、お吉さんがたまたま見かけた。そして、きれいな手鏡だって、羨《うら》ましそうに兄さんに言った」

——お吉がいじらしかったし、手鏡なんて、お福にはまだ用のないものだし、だからお吉にやったんですよ、おっかさん。

「作り話でございますよね」

お福は大きくうなずいた。「兄のあとで母のところへ呼ばれまして、兄さんはこう言ってるが本当かと問い詰められて、わたしは怖いやら憤《いきどお》ろしいやらで、わんわん泣いたものでした」

兄さんは嘘をついてる。お福は手鏡を行李に隠しておいた経緯《いきさつ》を、母親に打ち明けた。おかねは、泣いている娘を慰めることさえ忘れ、ぴしぴしと問い詰めて話を聞き出すと、今度はお吉を呼びつけた。

「詳しくは教えられないけれど、あれはあまり気分の良くない謂《いわ》れのある手鏡だから、使うのはおよしと言いました。お吉さんは素直に従いましたよ」

手鏡はおかねの手に渡った。母がそれを捨てたのか、隠したのか、二年前にお彩の身の回りのものをそうしたようにお寺に持っていったのか、そのときのお福にはわからなかった。おかねも話してくれなかった。

「手鏡のことはもう忘れておしまいと、母はわたしに申しました。このことは誰にも内緒だよ。おとっつぁんにも言わないでねって、固く言い含められました」

このことで、兄さんと喧嘩《けんか》なんかしちゃならないよ。お吉にも、余計なことを聞かせちゃいけない。市太郎とお吉が仲違《たが》いなんぞしたら、お福だって悲しいだろう？

「親の言いつけですから、わたしも聞きましたけれどもね。兄とのあいだには、おかしな後味が残りました」

もっとも、そう感じていたのはお福の側だけだったらしい。市太郎は飄然《ひょうぜん》として、何事もなかったかのように、それまでどおりにお福を可愛がり、新妻のお吉とは睦《むつ》まじく、家業に精を出している。妻を持ったことで、石倉屋の跡取りとしての自覚も湧いてきたのか、彼の働きぶりには周囲の目を瞠《みは》らせるものがあったそうだ。

「それだけに、わたしはいつまでも不審で、解《げ》せなくて、嫌な心持ちがいたしましたよ。この兄さんは、あんなありもしない嘘をすらすら並べ立てたときの兄さんと、同じ人なんだろうかとさえ思いました」

同じ市太郎であるならば、いったい何が、あのときの彼を、白々しい嘘つきにさせたのか。なぜ、嘘が必要だったのか。

なんぞ推察がつきますか——とでもいうように、お福はおちかを見つめた。おちかは口を結んだまま見つめ返す。

「兄はね」

いっそ凄《すご》みがあるほど低い声を響かせて、お福は言った。

「あの手鏡を、お吉さんの手に持たせたかったんです。手鏡を覗《のぞ》かせたかった。いっぺんでいいんです。いっぺんで用は足りました」

いっぺんでというところに、呪いでもかけるかのような力がこもっている。

「どんな用が足りたのでしょうか」

問い返すおちかから、にわかに目を逸《そ》らして、お福は口調を戻す。「手鏡のことが片付いてから、何日か経って、わたしはねお嬢さん、見ましたんです。いえ、出たんですよと申しましょうかしら」

幽霊が。

おちかの声にも力が入った。「お彩さんですね？」

「いいえぇ」苦く嚙《か》みつぶすように笑って、お福は首を振る。「姉じゃありません。宗助ですよ。宗助の幽霊が、石倉屋のあちこちに現れるようになったんでございますよ」

最初に見たのは誰なのかわからない。鉄五郎だったかもしれないし、おかねだったかもしれない。確かなのは、お福が宗助を見て驚き、両親にそれを告げたときには、二人とも既に宗助を見ていたということだ。

——宗助め、おまえの前にまで現れたか。

と、鉄五郎が青ざめたことを、お福はよく覚えている。

「幽霊とかお化けとか、おっかないものでございましょう？　お話や、絵のなかではそうなっておりますよ。恨みがましい顔をして、痩《や》せさらばえて骨と皮になって、死装束を着て」

宗助の幽霊は、まったく違っていた。石倉屋で仕立て職人として働いていたときそのままの姿形で、廊下の端や縁側や、階段の下や座敷の隅に、ひょいと現れるのである。しかも、夜も昼もない。

「生き返って戻ってきたんじゃないかって思うほど、ありありとくっきりと見えるんです。手を伸ばしたら触《さわ》れそうなくらいなんです」

だが、まばたきする間に消えてしまう。

「思わず話しかけようと、こっちが口を開くと消えてしまう、というふうでございました。信じていただけますか、お嬢さん」

それより、おちかには訊《き》きたいことがある。

「宗助さんは、どんな顔をしていたんでしょうか。笑ったり泣いたりしていたんですか」

笑っても、泣いても、怒っても恨んでもいなかったと、お福は答えた。

「ただこう――目を見開いて、両手を揉《も》むようにして、頭を下げて、一所懸命に何か伝えようとしているんです。いやいやするみたいに首を振っていたこともあります」

同じような仕草と表情を、お福はやってみせた。おちかには、その意味するところはごく限られているように思われた。

何かを止めようとしている。何かを報《しら》せようとしている。それも、差し迫って良くないこと、危ないことを。

わたしたちもそう思ったと、お福は続けた。

「どうにかしてもうちょっとはっきりしてくれたらいいのに、口で言ってくれたらいいのにと、母などはずいぶん焦《じ》れておりました」

もうひとつ、親子は大事なことに気づいた。宗助の姿を見ることができるのは、どうやら鉄五郎とおかねとお福の三人だけらしいということである。

「宗助が仕立て部屋に出てきたときなんか、父も兄も職人たちも、ぞろりと揃っていたんですよ。でも、驚くのは父だけなんです。ほかは誰も気がつかないんですよ」

「市太郎さんも？　お吉さんもですか」

そこが肝心要《かなめ》だというように、お福は眼差《まなざ》しをきつくした。

「ええ、兄夫婦《いい》には見えませんでした」

今度は「兄夫婦」というところに妙な力が入り、お福の声が裏返りかけた。何故《なぜ》だろう。おちかの胸は、この長い語りのうちの、何度目かのさざ波に震え始めた。

「あとになって考えてみれば——」

きつい目つきのまま、お福は、握りしめた拳《こぶし》で胸をひとつ打った。

「宗助の幽霊に驚かされて、そっちに気をとられてばっかりいなければ、兆しに気づいていたはずなんです。わかったはずなんですよ。でも、わたしにも両親にも、そのときはそんな智恵がありませんでした」

どんな兆しかと、おちかは訊いた。

お吉が変わり始めていたことだと、お福は答えた。

「食べ物の好み、着物の好み、髷《まげ》にかける手絡《てがら》の色合い。ひとつひとつは些細《ささい》なことです。でも、確かに変わってきておりました」

なのにねぇ——と、自嘲《じちょう》するように高い声で短く笑い捨てる。

「母は、台所を仕切っている女中に、若お内儀《かみ》の召し上がりもののお好みが変わってきたようでございますよ、と言われたとき、おめでたかと思ったんだそうです。女中の方もそう思ってそう言ったらしいんですけどね。そのとき、よく聞いてよく見ておけばよかったんです。肝心なのは、変わったことじゃなくて、どう変わったかってことなんだから」

「どう変わり始めていたんです？」

お福は宙を睨《にら》んだ。固めた拳を、まだ心の臓の真上にあてたままだ。

「姉に――お彩に似てきたんですよ」

初めて、お福が姉を呼び捨てた。

それはひそやかな雨漏りに似ていた。雫《しずく》はしとしとと滴り、下に暮らす者にはそれと知れない。天井裏の板や梁《はり》に、雫は次第に量を増し、梁を濡《ぬ》らし天井裏に溜《た》まり、雨が止めば乾く。しかし雨が止まなければ、雫は次第に量を増し、梁を濡らし天井裏に溜まり、やがて下から仰ぐ者の目の前に、忽然《こつぜん》と、黒々とした染みとなって現れるのだ。

「最初にそれと気がついたのは、お吉さんの声でした」

夕餉時《ゆうげどき》だった。一家で膳《ぜん》に向かっている折、市太郎が何かでおかしなことを言い、脇で給仕をしていたお吉が声をあげて笑った。

お彩の笑い声にそっくりだった。

お福は茶碗《ちゃわん》を取り落としそうになった。隣にいたおかねは本当に箸《はし》を落とした。鉄五郎が跳ねるようにして顔をお吉に向けた。

お吉は、きょとんと舅《しゅうと》に目を返す。おかねが落とした箸を拾う。その手が震えている。

お福はゆっくりと顔を上げ、義姉《あね》を見た。器量よしにはほど遠いが、底抜けに明るいおかめさんの顔が、笑い返してくる。

「お代わりしてあげようか、お福ちゃん」

——お代わりをあげようか、お福。

お彩の声、お彩の口調だった。顔形には変わりがないのだから、何ともおかしいことだ。でもお彩だった。しゃべるときのくちびるの開き方。小首をかしげたときの、首筋から肩にかけての動き。

「それから先はもう、おかしな言い方ですが、坂道を転げ落ちるようとでも申しますかしら。次から次へと目につくようになりました」

お吉が、日に日にお彩になってゆく。立ち居振る舞い。ちょっとした仕草。好き嫌い。声音や言い回し。市太郎の襟元を直してやる、何気ない手つきでさえも。

あれはお彩だ。お吉に、お彩が憑《つ》いてしまった。お彩が戻ってきたんですよ。

言い出したのはおかねである。ある夜、親子三人、川の字になっている寝間で、とうとう我慢が切れたようになってぶちまけた。

切れた我慢には理由《わけ》があった。その日、市太郎が鉄五郎に、ある申し出をしたことを知ったからである。

ほかでもない、鉄五郎が一度だけ仕立てたことのある、あの黒絹の蒲団《ふとん》を、市太郎も仕立ててみたいと。

——黒絹は裁ちも縫いも難しい。縫い違えれば針穴が目立っておしゃかになります。だからこそ、ぜひとも腕だめしに仕立ててみたいんですよ、おとっつぁん。

腕だめしなんぞであるものか。おかねは、抑えても抑えても跳ね上がる声を嚙《か》み殺すようにして、鉄五郎に訴えた。おまえさん、あれは市太郎が、お彩のために縫ってやろうとしてるんです。雪のように色白だったお彩のためにですよ！

とびきり白い肌は、黒絹の蒲団によく映る。

おちかはもう、目のやり場がないような心地にはならなかった。気恥ずかしさもない。語るお福の顔色にも、おちかをからかう気色はなかった。

禍々《まがまが》しい黒絹の色が、対座する二人《とりこ》の女のあいだに、幻のように浮かんでいる。それは美しい女の髪の色でもある。男を虜にし、我を失わせ、道を踏み外させる女の。

「父ももちろん、兄が言い出したことの面妖《めんよう》さをわかっておりました。ですから、母が口を切ったことで、ほっとした気持ちはあったろうと思います。ああ、俺一人がおかしいわけじゃないんだ、女房も同じことを感じてたんだって」

しかし、鉄五郎はお福をはばかり、子供の前で滅多《めった》なことを言うなとたしなめた。

「だからわたしは、夜着をはぐって跳ね起きて、あたしだって気がついてるよおとっつぁんと申しました。ついでに、手鏡のことも言いました。兄が嘘を言い並べたことも、ひと息にしゃべってしまいました。ええ、父は驚きましたけれど、わたしのことも母のことも、叱ったりしませんでした」

これで一気に枷《かせ》が外れた。三人は額を突き合わせて、これまでそれぞれ胸の内にしまっていたことを打ち明けあった。おかねは、女中の一人が、湯屋から戻ったばかりのお吉に、市太郎が「お彩」と呼びかけるのを聞いたという話をした。それは女中たちのあいだの噂話で、若旦那《わかだんな》もあれだけの美男子だから、昔はいろいろあったろうけれど、若お内儀の前でわけありだった女の名前を呼んじゃいけないよねと、笑いあっていたという。お彩のことを知らぬ女中たちだから、無理もない。

話の途中から、お福はおかねにしがみついた。おかねもお福をひしと抱きしめた。

「父は、お吉が洗い物を抱えて廊下を歩いてゆく後ろ姿が、お彩そっくりに見えたと話しました。一度は目の迷いだと思った。でも、二度も三度もそう見える」

四度目に、お吉の歩く姿にお彩が重なったとき、鉄五郎は声をかけた。お吉は身軽に振り返り、はいと返事をした。

振り返るときの背のしなやかさ、声の張り、鉄五郎を見やってつとまばたいた目。それもお彩に生き写しだった。

——俺は、手前《てめえ》の気がふれかけているのかと思っていたところだ。

お彩が戻ってきたんだ。おかねは幾度も幾度もそう呟《つぶや》き、そのとき急に瘧《おこり》が出たように震えて、お福を突き放した。

——あの手鏡。

あれが依代《よりしろ》だ。お彩はあれを通してお吉に取り憑いたのだ。鏡には女の魂がこもるんだからと、おかねは言い切った。

――おまえ、お吉から取り上げたあと、どうしたんだ？

鉄五郎に問われるよりも早く、おかねは這《は》うようにして押し入れの戸を開け放った。木箱や行李《こうり》や古い風呂敷《ふろしき》包みのあいだに手を突っ込むと、真っ白な晒《さらし》に包んだものを引っ張り出す。

捨てられなくて。震えてうまく動かない指で、もどかしげに晒をほどき、おかねは譫言《うわごと》のように言い訳をした。うっかり捨てられないような気がして。お寺に持っていくのも気が進まなくて。これに手荒なことをしたなら、何か真実、悪いことが、本当に起こってしまうような気がしたから。

――あたしだっておまえさんと同じだった。市太郎とお吉がおかしいのじゃなくて、あたしがおかしくなってるんだって思ってた。そう思いたかったんだ。

あとひと巻ほどけば手鏡が出てくるというところで、鉄五郎はおかねからそれをひったくった。晒がひらりとほどけて垂れた。

鉄五郎が、あっと叫んだ。

みるみるうちに、顔から血の気が引いてゆく。それでも鉄五郎は、手鏡の柄をつかんで離そうとしなかった。掌《てのひら》が貼りついてしまったかのようだった。

おかねが夫の手に爪を立て、太い手首をつかんで手鏡のなかを覗《のぞ》き込む。お福も、母親に飛びつくようにして首を伸ばした。

――見るな、見るな！　お福、見ちゃいけねぇ！

鉄五郎はお福をひっさらうようにして抱き寄せ、分厚い掌でお福の目を覆った。だがお福は、父親の膝《ひざ》の上に転げ込む刹那《せつな》、円い手鏡のなかに映っているものを見た。

そこには、お吉がいた。

お吉も叫んでいた。手鏡の奥で叫んでいた。声は聞こえない。ただ、歪《ゆが》んだ表情とぱくぱく動く口が見えた。不意に覗き込んだ鉄五郎とおかねに、必死で訴えている。

ああ、お舅《とう》さんお姑《かあ》さん！　やっと見つけてくだすったんですね！　涙に潤んだ目が泳いでいた。

お吉は拳《こぶし》を固め、そちら側から鏡の面《おもて》を打っていた。出して、出して、出して。ここから出して。あたしはずっとここに。お吉は、ずっとここに閉じこめられて。

お吉の魂は、お彩の手鏡のなかに囚《とら》われていたのだ。

おかねが、手負いの獣のような声で叫びたてると、鉄五郎の手から手鏡をもぎ取り、立ち上がった。着物の裾《すそ》を乱し、臑《すね》の上まで丸見えにして、唐紙《からかみ》を倒すほどの勢いで座敷を出た。

語るお福の息がはずんでいる。お福がそのときのおかねに成り代わり、廊下を走っているかのように。

「母は若夫婦の寝所へ飛び込みました」

鉄五郎はわずかに遅れた。お福は蒲団の上に一人で残されていた。

おかねがもうひと声、今度こそ気がふれたような悲鳴をあげるのを聞いた。それに続いて、市太郎と女の悲鳴も響いた。

お福は、思わず両手で耳をふさいだ。その女のけたたましい悲鳴が、お彩の声に聞こえたからだ。お彩の声は、こう叫んだ。

――おっかさん、堪忍して！

今もまた、黒白の間で、そのときその場に戻ったかのように、お福が両手で耳をふさいでいる。目を閉じている。

そのまま、ようよう息を静めて、言った。

「母は手にした手鏡で、お吉さんを打って打って、打ち殺してしまったんでございます」

最初のひと打ちで、頭が割れた。それだけで、命を絶つには充分だったろう。が、おかねは手鏡をふるい続けた。狂乱する母親を止めるでもなく、寝所の壁にまで後ずさり、背中をくっつけてへたりこんでいる市太郎と、目の前で繰り広げられている狼《ろう》藉《ぜき》に、腰を抜かしてなすすべもない鉄五郎の眼前で、おかねはお吉の顔が崩れるまで打ち続けた。血しぶきが、寝所の天井まで飛び散った。

蒲団《ふとん》を朱《あけ》に染め、目鼻立ちさえ定かでなくなり、丸太のように転がっているお吉の身体の上に、やがておかねはどっと倒れた。

おちかは、勇を鼓して尋ねた。「おかねさんが打ったのは、本当にお吉さんだったのでしょうか」

さあ。目を開き、耳をふさいでいた手を下ろして、お福はかろうじて聞き取れるくらいの小声で答えた。「さあ、どちらだったんでございましょうね」

怒りと恐怖に激したおかねが若夫婦の寝所に飛び込んだとき、市太郎が共寝していた女は、お吉だったのかお彩だったのか。

おかねの目と、鉄五郎の目には、どちらの女が見えたのか。

「お調べにあたったお役人様にも、何が何やらわからなかったようでございます。引っ立てられたときには、母はまったく正気を失っておりましたからね」

女の悲鳴は近所中に響き渡っていたし、姑《しゅうとめ》が嫁を殺《あや》めたのだ。どこへどう金をばらまいても、今度ばかりはもみ消すことができなかったのだという。

石倉屋はお咎《とが》めを受けて闕所《けっしょ》となり、下手人であるおかねと共に、鉄五郎も牢屋敷《ろうやしき》に入れられた。商家の主人《あるじ》、家長としての家内《かない》仕置不行届《しおきふゆきとどき》を咎められたのである。それでも、おかねの乱心ぶりが鉄五郎には幸いし、彼は死罪を免れた。百叩《たた》きの上江戸払いの刑を受け、鉄五郎は獄を出た。

おかねはそのまま、伝馬町《てんまちょう》の牢で獄死した。

「市太郎さんは」

兄は――と、お福は囁《ささや》き声で答えた。

「兄は逃げ足が速《はよ》うございました」

当の夜、石倉屋のなかが大騒ぎになっているあいだに、市太郎はひっそりと、かつてお彩が首をくったのと同じ座敷で、同じ鴨居《かもい》に首をくくって命を絶った。

彼が首つりに使った布は、黒絹だった。いつ仕入れたのか、どうやって隠し持っていたのか、誰にもまったく心当たりがなかった。

面を上げ、するりと膝を滑らせておちかの方に向き直ると、お福は静かに頭を下げた。

「こうして、石倉屋は滅んだんでございますよ、お嬢さん」

第五話　家鳴《いえな》り

一

——石倉屋さんは滅んだ。

ひとつのお店《たな》が滅んだというだけではない。ひとつの家族が壊れて消え失《う》せたのだ。

お福《ふく》としては、語るつもりで訪れたものの語りにくい話を語り終え、おちかとしては、聞き出すつもりで迎えはしたものの聞きにくい話を聞き出し終えた。

「ねぇお嬢さん。いえ、おちかさん」

呼ばれて、おちかが顔を上げると、お福は明るい目をしていた。ここで最初に顔を合わせたときと同じ、おちゃっぴいな笑顔が戻っている。

「これがわたしの昔語りでございますけれど、でも、今のお福はこうして——」

と、掌《てのひら》を胸に押し当て、

「幸せに暮らしております」

入獄で弱った身体に百叩《たた》きのお仕置きを受け、力尽きてしまったのだろう。鉄五郎《てつごろう》は牢屋敷《ろうやしき》を出ると、とるものもとりあえずひっそりと身を寄せた古参の仕立て職人のもとで、間もなく息を引き取った。

独りぼっちになったお福は、鉄五郎の商い仲間で、常日頃《つねひごろ》から親しくしていた夫婦に引き取られることになった。

「ゆくゆくは跡取り息子の嫁にと言ってくださいましてね。養女というよりは、許嫁《いいなずけ》として迎えてもらったんです」

もったいないくらい優しくしてもらいましたと、目を細めてお福は続ける。

「闕所《けっしょ》になったようなお店の娘を、ねぇ。舅《しゅうと》も姑《しゅうとめ》も夫も、本当に人が好《い》いったらありゃしません。逆の立場だったら、わたしにはとても真似できゃしませんわ。奇特な家もあったもんです」

瞳《ひとみ》をくるりと回し、わざと呆《あき》れたような言い方をしている。はにかんでいるのだ。頰が少し赤らんでいる。

「ですからね、おちかさん。捨てる神あれば拾う神ありってことでございますよ」

おちかを見つめるお福の瞳に、光が灯《とも》っている。黒飴《くろあめ》のような瞳だ。優しく甘く、人を力づける。

「ひとつ悪いことがあっても、それがどんな悪いことでも、だからってみんな駄目になるわけじゃございません」

おちかはうっすら微笑んだ。「お福さんは、女中のおしまとは、今のお家《うち》で出会ったんでございますね」

「左様《さよう》でございます。おしまがわたしの身の回りの世話を焼いてくれました」

お福の眼差《まなざ》しが、さざ波立つように少し揺れた。

「父を亡くした後のわたしは、木偶人形《でく》みたいになってしまっていましてね。誰とも口をきかないし、泣きはしないけれど笑いもしない。ご飯もろくに食べない」

お福の養父母で今の舅姑は、そういう少女を手元に引き取ったのだ。

「それがだんだんとほぐれましたのは、おしまのおかげです。おしまはわたしが猫みたいに静かにしてても、しゃべったり笑ったり、童歌《わらべうた》をうたってくれたり、にぎやかにもてなしてくれました。わたしの機嫌をとろうとしてたんじゃございませんよ。その年頃の女の子に、世話係の女中がすることを、当たり前のようにしてくれていたんです。それがどういうことだか、おわかりになりますか、おちかさん」

問うておいて、しかしおちかには口を挟ませず、進んで大きくひとつうなずいてから、お福はいっそう声を明るくした。

「もう当たり前に暮らしていいんだって、教えてくれていたんです。悪いこと、悲しいことはみんな終わった。そりゃ、途方もなく不幸で悲しいことでしたからね、時々思い出して泣いたり、怖い夢を見て夜中に飛び起きたりするのは仕方がない。でも、それは済んだことなんです。このお福は当たり前のようにご飯を食べて、面白いことがあれば笑って、おしゃべりをしたければしゃべっていいんだって」

それは——と、おちかはそっと口を開いた。

「お福さんが、石倉屋さんに起こった不幸には何の関わりもない、罪科《つみとが》のない女の子だったからでございますよ」

「そこがおちかさんとは違うとおっしゃいますの？」

燕返《つばめがえ》しで鋭く切り返されて、おちかはつと身を硬くした。お福は軽く目を伏せ、詫《わ》びるように一礼した。

「はい。おちかさんの身の上のこと、わたしはおしまから聞きました。おしまのことを、口さがないおしゃべり女中と責めないでやってくださいまし。おしまは、心からおちかさんのことを案じているんです」

だからこそ、おちかさんにわたしを引き合わせたかったんでしょう、と続けた。

「一人前の大人になる前に、人の心の真っ暗な納戸の奥を覗《のぞ》き見て、泣きも笑いもしなくなってしまったお福。今はこうして元気で幸せにしているお福をね」

不意に、お福は目を潤ませた。指先を目尻《めじり》にあてて、急いで涙を拭《ぬぐ》う。ついでに鼻も、しゅんと鳴らした。

「おちかさんは、ご実家で起きた悲しい出来事が、みんなご自分のせいだと思っていらっしゃるんでしょう？」

「だって、そのとおりですから」

「ならば、わたしの家で起きた不幸は誰のせいになりますでしょうね？　姉ですか。わたしの姉のお彩《さい》が、すべての罪科を背負うべきでございましょうか。実の弟をたぶらかし、人の道を踏み外させただけでは足りなくて、死んだ後も妄念を残し、石倉屋の者たちに災いをもたらした。ええ、とんだ悪女でございます。お彩はそういう、悪いことをするためだけに生まれついた女だったんでございましょうかしら」

たたみかけて、ふっと息をつき、

「わたしは、そうは思いません。姉だって、好きこのんで呪われたような咳《せき》の病にかかったわけじゃございません。望んで親元を離れて育ったわけじゃございません。石倉屋に仇《あだ》をなそうと、兄に恋したわけじゃございません」

いちいちかぶりを振りながら、「ございません」のところは、歌うように声を高めた。

おちかはうなだれて、爪で着物の膝《ひざ》のあたりを強くつまんだ。言葉は出てこないが、心は激しく動揺して、じっとしていられないのだ。献上の藍色《あいいろ》の縞《しま》が歪《ゆが》む。

「どうしようもなかったんでございますよ」

お福の声が、慰撫《いぶ》するように優しくなった。おちかを――ではない。亡くした父母、姉兄、兄嫁、忠義の奉公人。滅びてしまった石倉屋への慰霊の想いがこもっている。

「あるとき突然、見たこともないような形の不幸の雲がやってきて、わたしたち石倉屋の家族は、ただもう見とれているうちにずぶ濡《ぬ》れになって、雷に打たれて、何もかも打ち壊されてしまいました。そういうことだったんでございますよ」

止めようがありませんでした――

「松太郎《まつたろう》という人は、捨てられて死にかけているところを、おちかさんのお父さんに助けられた。お父さんは、けっして間違ったことをなすったわけじゃございません」

おちかはようやく、声を出した。「でも、その後のやり方は間違っていました」

「わざとしたわけじゃございませんよ。松太郎さんを不幸にしようと思ってなすったことじゃございません」

だが、間違いは間違いだ。悪意がなくても、間違いが松太郎を傷つけ、彼の心を損ねてしまったのだ。

「そんならおちかさんは、どうなすったらよかったとお思いです？　ご実家の皆さんが、松太郎さんを苛《いじ》めたらよかったんでしょうか。おちかさんも、松太郎さんがいたたまれなくなるまで意地悪をすればよかったんでしょうかしら」

おちかはきつく目を閉じると、甲高い声を放った。「はい、いっそその方が親切でございました！」

しらじらと、乾いたような沈黙がきた。

「――できもしないくせに」

お福が初めて、おちかを詰《なじ》った。甘やかな光を宿す黒い瞳が、また潤んでいる。

「わたしはね、おちかさん。何年ものあいだ、姉の亡霊を恐れておりましたの。そりゃあ恐ろしゅうございました」

今度は指で押さえるのが間に合わず、お福の右目から涙がひと粒落ちた。

「あんなにきれいで、誰にも好かれながら、妄念を残して死んだ姉です。いつまた蘇《よみがえ》ってきて、一人残ったわたしのことも取り殺そうとするかもしれない。自分は不幸せで短い一生だったのに、妹は幸せに暮らしている。許せない――とばかりに、祟《たた》って出てくるに違いないと思い込んでおりました。だから、先回りして死んだようなふりをしていたんです。笑いもせずしゃべりもせずに」

鏡なんぞ見られませんでしたと、まばたきしてもうひと粒涙を払い落として、言った。

「鏡がそばにあるだけで、もういけません。覗き込んだら、姉が映るかもしれない。あるいは、姉に取り憑《つ》かれて魂をとられたお吉《きち》さんが泣いているかもしれない」

出して、ここから出してと、鏡の内側を拳《こぶし》で叩《たた》きながら。

「そしたらある時、本当に姉の亡霊を見てしまったんですよ。夜中に、わたしの枕元に立ちました。あのきれいな顔で、にっこり笑って上から覗き込んで」

少女のお福は、声を限りに叫んだ。横で寝ていたおしまが飛び起きた。

「おしまはわたしを抱きかかえてくれました。わたしは泣きわめきました。姉さんが来た、姉さんが来たって」

おしまはお福が疲れて叫ぶのをやめるまで、しっかり抱きしめていた。それから、順々《じゅんじゅん》と聞き出した。お福お嬢さん、何をご覧になったんです？　お姉さんですか。どんなお顔をなすってました？

「姉さんがわたしを見て笑ったと申しましたら――」

おしまも笑ったという。

――なんだ、それなら何にも怖いことなんかございませんよ、お嬢さん。

おしまの口調を真似てみせ、「黒白の間」のお福も、目に涙を溜《た》めたまま笑顔を取り戻す。

「お姉さんは、お福お嬢さんが元気にしているか心配で、寝顔を見にいらしたんじゃありませんかって、おしまは言うんです。そうして、ごめんねっておっしゃりたかったんですよ。だから笑ってみせたんです。そうは思いませんかお嬢さん、って」

おちかには、共に笑うことなどできない。おしまのその台詞《せりふ》は、まさに子供だましだ。

「あるわけないとおっしゃいます？　そうですね、亡者《もうじゃ》の考えていることなどわかりませんせん。生身同士で顔をつき合わせていたって、口で言ってくれなきゃわからないことの方が多《おお》ございますもの。亡者だって、しゃべってくれなくちゃねぇ」

「そんなこと……」

でも、姉はしゃべりませんでした。恨めしいとは申しませんでした。お福おまえに祟ってやるなどと申しませんでした。

「ただ、にっこり笑っただけなんです」

それならば、おしまの言い分にも一理あるかもしれない。そう考えた——というより言いくるめられたお福は、おしまと約束した。次にお彩が現れたら、お福の方から話しかけてみることを。

——姉さん、お福は元気です。もう、あんまり泣いたりしなくなりました。

——だけど姉さん、姉さんがそうしてお顔を見せると、お福は少し怖いんです。だって姉さんはもうこの世にはいないはずだから。何か気にかかることがあって、お福の枕元に立つんですか。お福に、何かしてあげられることがあるんですか。

半分は好奇心に、半分は苛立《いらだ》たしさに急《せ》かれて、おちかは短く促した。「その問いかけは届きましたか」

お福は動じなかった。黒飴《くろあめ》のような瞳《ひとみ》のなかに、明るい光がきらりと跳ねた。

「姉が現れるたびに、わたしは問いかけました。姉は黙って微笑んでおりました。ですから何度も同じように問いかけましたの」

そして、七度目にお彩が現れて、七度目にお福が問いかけたとき、

「姉は、ごめんなさいねと申しました。それきり、姿を現さなくなりました」

満足したんでございましょう――

しみじみと呟《つぶや》いてから、不意に口元に手をあてると、お福はころころと笑った。

「まあまあ、おちかさん。そんなに口を尖《とが》らせたら、せっかくの器量よしが台無しでございますよ」

おちかは取り合う気持ちになれなかった。今回は、おしまとお福にからかわれているのではあるまいか。

「亡者はおりますよ」

笑いを切って、芯《しん》の通った声音に戻り、お福が言った。おちかはその顔をひたと見つめた。お福の瞳も口元も、まったく笑っていなかった。恋する娘のように真剣だった。

「確かにおります。おりますけれど、それに命を与えるのは、わたしたちのここでございます」

ここというところで、さっき「今のお福」と言ったときと同じように、胸の上に掌《てのひら》

を置いた。

「同じように、浄土もございますよ。ここにございます。ですから、わたしがそれを学んだとき、姉は浄土に渡りました」

姿勢を正して座り直すと、お福は手をついて深く一礼した。

「長話にお付き合いくださいまして、ありがとうございました。これでお暇《いとま》いたします。どうぞ、おしまをお叱りにならないでやってくださいまし」


お福が去ったあと、陽が傾いてきてもなお、おちかは一人で黒白の間に座っていた。どうにも心が揺れ、それとは裏腹に腰が抜けたようになって、立ち上がれない。おしまと顔を合わせる気にもなれなかった。

人には、物思いに沈んでいるように見えるだろう。が、実のところおちかは何かを思っているわけでも考えているわけでもなかった。心のなかに舞い踊る、切れ切れの記憶を見つめているだけだった。紙吹雪のようなその記憶の断片は、近づいてきたり遠のいたり、顔に貼りつくばかりになったり、肩口に舞い降りてきたりする。そこに子供の松太郎の顔が見える。彼を担いで氷雨《ひさめ》のなかを宿場に戻ってきた父の姿が見える。掲げられたいくつもの提灯《ちょうちん》が見える。

良助《よしすけ》のきかん気そうな口元が見える。照れくさそうにおちかに笑いかける瞳が見える。別のひとひらが耳元を横切り、喜一《きいち》の豪快な笑い声が聞こえてくる。兄のあとを追いかけて走ってゆく、幼いおちかの足音と声が聞こえる。お兄ちゃんどこ行くの？　おちかも連れてって。

かと思えば、建具商の藤兵衛《とうべえ》の憂い顔が見える。彼の悲しげな微笑を映したひとひらが翻ると、その紙吹雪の裏側には真紅の曼珠沙華《まんじゅしゃげ》の花が咲いている。その年の初雪を掌を天に向けて受けようとする、少女のおたかの寒気で紅潮した頰が見える。気を失ったおたかをかき抱く、清太郎《せいたろう》の横顔が見える。

紙吹雪は舞い踊るばかりで、一向におさまらぬ。おちかの心もおさまらぬ。

唐紙《からかみ》が開いて、叔母《おば》のお民《たみ》の声がした。

「おちか」

振り返れば、廊下はすっかり夕闇に沈み、お民の顔も姿も影のようだ。

「お客様はとっくにお帰りのようなのに、どうしたんだえ」

おちかは膝《ひざ》をずらして叔母に向き直った。お民は身軽に立ち、黒白の間に入ってきた。ようやく影から現身《うつそみ》となって、傍らに座ればいつもの叔母である。おちかは急に、泣き出しそうになってしまった。

「おやまあ、あんたも泣きべそをかいて」

お民はちょっと目を丸くして、苦笑いの顔になる。

「あんたも――って」

「あんたがここに籠《こも》って出てこないものだから、おしまがさっきから萎《しお》れていてね。差し出がましいことをしてしまった、もうお嬢さんに顔向けできませんとか、譫言《うわごと》のようなことを言い並べて、メソメソしているんだよ。八十助《やそすけ》が手を焼いている」

謹厳な番頭もまた、しっかり者の女中頭の周章狼狽《しゅうしょうろうばい》に大慌て。叱っても慰めても効き目がないので、今ではおしまに、泣くな、泣かないでくれと頼み込んでいるという。

「あれもそのうち、泣き出すよ、八十助が泣くなんて、鬼の霍乱《かくらん》より珍しい。おしまと手に手をとって泣くようなら、旦那《だんな》様に頼んで東両国《ひがしりょうごく》に掛け小屋を出していただこうかね。面白い見世物になるだろう」

大真面目に言うお民である。叔母さんたらと、おちかも思わずしょげた笑いをこぼした。

「いったい、おしまはあんたに、どんな粗相をしたんだね」

おちかは打ち明けた。黒白の間の変わり百物語で語られたことについて、叔父《おじ》の伊《い》兵衛《へえ》より先に叔母に話すことになるとは、思ってもみなかった。

石倉屋滅亡の話を聞き終えても、お民の表情にはまったく変わりがない。出入りの八百屋や魚屋と、勝手口で世間話でもしているかのような顔つきだ。

「それであんたは、怒っているの」

答えに詰まり、おちかは胸に手をあててみた。期せずしてそれは、お福が何度かした仕草とそっくりだった。

己の鼓動が伝わってくる。そこには怒りの拍子があるだろうか。

「――おしまさんには、悪気があったとは思いません」

「でも、怒ってはいるんだね。そんな顔をしているところを見ると」

踏み荒らされたような気がしたのだ。やっと、おちかは言葉を見出《みいだ》した。この胸をいっぱいに塞《ふさ》いでいる後悔と、後ろめたさ。そんなものは気の持ちようだと、あっさり退けられたような悔しさがある。

亡者はいる。生者《せいしゃ》の胸のなかに。浄土もある。生者の胸のなかに。そんな易しいことならば、誰がこうして苦しむものか。

「今回限りのことだ。堪《こら》えてあげておくれ。おしまはいい女中だよ」

おちかとて、これでおしまを三島屋から追い出してくれなどと言うつもりはない。

叔母の言葉に、かえってひるんでしまった。

「よ、よくわかっております」

「だったら、堪忍してやっておくれ」と言って、お民は微笑んだ。

「明日、喜一さんが来るよ」

文《ふみ》が届いた、という。

「ただただ懐かしい兄さん——というわけにはいかないことは、あたしだって充分に承知している。でも、会えば懐かしいだろう。機嫌が直るといいね、おちか」

どっしり構えて穏やかに笑うお民に、おちかはいささか困惑してしまう。叔母さん、石倉屋の話を何とも思わないんだろうか。

尋ねると、お民は茜色《あかねいろ》に染まる障子の方に目を投げて、少し眩《まぶ》しそうな顔をした。

「さても面妖《めんよう》なお話だよね。夢見が悪くなりそうだけれど、でも、怖いというよりは、哀れだねぇ」

「——お彩さんですか」

「いえいえ、違うよ」お民は掌をひらひらさせた。「姉弟《きょうだい》の間柄におかしな疑いをかけたと濡《ぬ》れ衣《ぎぬ》を着せられて、挙げ句に命を落としたっていう、古参の奉公人さ」

宗助《そうすけ》のことだ。

「死んでからも、お店《たな》を案じて亡者になって現れたんだろう？　だのに、その後のことがまったく語られていないよね」

言われてみれば、そうである。

「お福さんて人の言うとおり、亡者がここにいるんだとしても」と、お民はぽんと胸を叩《たた》いた。「どんな忠義者でも、所詮《しょせん》は奉公人。用が済んだら、誰も気にかけてくれないんだね。いても、いないのと同じだ。あたしには、その方がよっぽど哀れで悲しく思えますよ」

その口ぶりには、幾分かの腹立ちが混じっていた。

「その、お吉っていうお嫁さんのことも、そうですよ。何ひとつ悪いことをしていないのに、石倉屋さんの凶事に巻き込まれたばっかりに、酷《むご》い目にあってさ」

どうしているのかしらと、お民は呟《つぶや》く。

「お吉さんが……ですか」

「そうだよ。今も手鏡のなかに閉じこめられてるんだろうかね。それとも、お彩と市太郎が死んだとき、解き放たれたのかしら」

もし、今もそのままであるならば、誰がどうやったら件《くだん》の手鏡から出してあげられるのか――

お民は、己の下で働く女中が病みついてでもいるのを案ずるように、顔を曇らせて考え込んでいる。

「お福さんも、兄嫁さんがどうなったかってことは、何も語らなかったんだろう？　そういうものなのかね。気にする方がおかしいのかしら」

あたしも――尋ねてみようとさえ思いつきませんでした。

おちかは、二の句が継げなかった。

その夜は風が強かった。寝付かれぬおちかは、夜の闇の深いところで、三島屋の梁《はり》や柱が、重たく軋《きし》む音を耳にした。

おちかの心の底にも、同じ音が響いていた。

二

喜一は、翌朝五ッ（午前八時）に三島屋へとやって来た。

晩秋の朝といっても既に陽はきっぱりと昇りきり、奉公人たちはお店の表戸を開ける支度に忙しく、袋物の職人たちは仕事に取りかかっている。お民など、今日一日の奥の仕切りをおしまに言いつけて、裏通りの貸家の作業場へ行ったばかりのところを呼び戻されることになってしまった。

もう少し早いか遅いかすればいいのに、間の悪い人だ――と、とっさに思ったおちかは、兄に意地悪な自分に、たちまち嫌気がさした。

兄さんと会ったら、どんな顔をしよう。

だが、そんな取り越し苦労は、勝手口の上がり框《がまち》に腰をおろし、おしまに足を濯《すす》いでもらっている喜一が、ふとこちらを振り返ったとき、消し飛んだ。

「おちか」

久しぶりだ、元気だったか——照れたように声をうわずらせ、盥《たらい》を踏んで立ち上がってしまった喜一である。頬に血がのぼり、目が潤んで、それがまた照れくさいのかごしごしと拳《こぶし》で顔をこする。

「兄さん」

おちかもそう返すのが精一杯で、あとはもう涙が出るばっかりだった。喜一の足元では、彼の足を拭《ぬぐ》うための手拭いで、おしまがたまりかねたように顔を押さえる。

「さあさあ」と、お民が微笑んでぽんと手を打った。叔母《おば》の目尻《めじり》も赤くなっている。

「とにかくお上がりなさいな、喜一さん」

伊兵衛とお民と、喜一とおちか。三島屋の奥の客間で、四人は親《ちか》しく向き合った。

無論、黒白の間ではない。床の間の掛け軸は恵比寿《えびす》鯛釣りの図。信楽焼《しがらきやき》の背の高い花入れには、お民がどこから取り寄せたのか、ほどよく色づいたイガを三つつけた栗の枝が、無造作に投げ込んだように見せかけて、実は入念に活《い》けてある。違い棚には青磁の香炉や紙細工の狛犬《こまいぬ》。魔除《まよ》けの笊《ざる》をかぶって、大きな目をぱっちりと見開いているのが可愛らしい。その隣には、お民が手ずからこしらえた、お手玉を重ねた起き上がりこぼしのてっぺんで、赤いだるまさんが笑っている。

迷った挙げ句に、おちかはこの三島屋にやってきたときに着ていた着物を選んでいた。それはつまり、川崎宿の実家《さと》を出るとき、喜一が目にした着物でもある。

思えば、丸千を離れて三月《みつき》だ。兄の顔を見るまでは、たった三月だと思っていたが、こうして喜一と並ぶと、長い三月だったように感じる。

喜一は一度、去年の松の内のことだが、丸千の跡取りとして父に連れられ、三島屋に年賀の挨拶《あいさつ》に来たことがある。あれ以来だねぇ、少し貫禄《かんろく》がついたんじゃないか。兄さん義姉《ねえ》さんは達者かね？　丸千は繁盛していることだろうね――ひとしきり、親《しん》戚《せき》同士とお店同士の挨拶が交わされた。

それからたっぷり半刻《はんとき》をかけて、喜一は丸千から担いできたお土産を披露した。下手な行商人ほどの大荷物である。行李《こうり》や風呂敷《ふろしき》包みを次から次へと開けては、中身を取り出す。

「兄さん、これを一人で持って来たの？　誰も連れてこなかったの？」

「秋の御大師様《おだいし》詣《もう》での客が押し寄せて、みんな忙しい時季だ。猫の手も借りたいくらいなのに、うちの者《もん》たちを引っ張り出せるもんか。俺には供なんか要らないしな」

お土産の大半は日保《も》ちのする食べ物で、干物や漬け物、川崎宿名物の菓子の類《たぐい》だった。が、お民が嬉《うれ》しそうにそれらをひととおり受け取ると、喜一はいずまいを正したようになって、最後の風呂敷包みを取り出した。

ほどくと、畳紙《たとう》が現れた。ふたつある。

「叔母さんと、おちかに。おふくろが見立ててこしらえたんです」

「開けてもいいかしら」と、お民が膝《ひざ》を乗り出す。どうぞどうぞと、喜一は拳で鼻の下をこする。

いそいそと畳紙を開いたお民は、歓声をあげた。「まあ、きれいだこと。ご覧なさいよ、おちか」

帯である。お揃いの、どちらも藍《あい》が基調の深い色合いだが、金糸銀糸が散っていて重みがある方がお民の、赤みが多い方がおちかのものだろう。

文様もまた、二つとも雪持文《ゆきもちもん》だった。

「あたしが雪持松、おちかが雪持南天だね」

お民が恭しい手つきで帯を取り上げ、おちかの胴にあてて、いっそう顔をほころばす。

「これからの季節にうってつけだよ。なんていいお見立てなんでしょう」

「いい品だ」と、伊兵衛も喜んでいる。「おちかへの土産は当然だがね、お民にまで有り難い気遣いをいただいて」

役得だねと、お民に笑いかける。お民の顔も笑みくずれる。

「この織りは上方《かみがた》のものでしょう。義兄《にい》さん義姉さんが、わざわざ取り寄せてくださったのね」

喜一も嬉しそうで、頬が上気している。

「はい。うちの常客に、加賀の呉服屋の番頭さんがいるんですよ。その人に頼んで――」

「まあ、それじゃずいぶんと前から手配していたのね」

ここで、座敷に落ち着いてから初めて、喜一がそっとおちかに目を寄越《よこ》した。

「おまえが江戸に発《た》ってすぐに、おふくろが、な」

おちかは帯を身にあてたままこっくりした。

「親父は、せっかく加賀から取り寄せるんだから友禅にしろって言ったんだけどな。おふくろが、それじゃおちかは袖《そで》を通しませんって言ってさ。ずいぶん考え込んでたよ」

確かに、優美で華やかな友禅の小袖だったら、おちかは畳紙を開いただけで、すぐしまいこんでしまうだろう。家を離れた娘にうんと贅沢《ぜいたく》をさせてやろうという父の想いも嬉しいが、今のおちかの心情を汲《く》んでやろうという母の思いやりは強く身に沁《し》みる。

雪持文には、ただ冬の意匠というだけではない意味がある。植物のしなやかな枝葉が雪の重みに耐える様を写したこの文様には、やがて雪を撥《は》ね返して立ち直る植物の命の力と、春を待つ心が込められているのである。

お民の雪持松は、「松」で三島屋の繁盛を言祝《ことほ》ぎ、そこに積もる雪をおちかに見立てて、どうぞ娘をよろしくお願いいたしますという、母の想いが託されている。おちかの雪持南天は、この南天のように春を待つ心を失わないでおくれという願いと、南天の「難を転ずる」の謂《いわ》れにかけたものであろう。

どちらも、おちかにとって容易《たやす》いことではないとわかっている。でもおちか、母さんはこうしてずっとあんたのことを想っているからね――艶《あで》やかな帯の布地を通し、母の声が聞こえてくるような気がして、おちかは固く目をつむった。

やっぱり仕立てが違いますよなどと、帯を左見右見《とみこうみ》しつつはしゃいでいるお民も、もちろん文様の意味合いは百も承知のはずだ。帯に頰を寄せて何度もうなずいているのは、義姉さん、おちかのことは確かに引き受けましたと、そこに込められた想いに返事をしているのだ。

「うちと江戸のあいだは何度も行き来してるけど」と、喜一が頭をかいた。「追いはぎが怖いと思ったのは、今度が初めてですよ。この帯を盗《と》られるようなことがあっちゃ、俺は二度と家に帰れない」

「そりゃあそうだ。難儀なことだったなぁ」

伊兵衛が頓狂《とんきょう》な声を出して労《ねぎら》い、三人で笑う。おちかはまだうつむいて涙をこらえていた。

と、笑い声の切れ間に、喜一の腹が鳴る音を聞きつけた。おちかだけではない。お民も「おや」という顔になる。

「喜一さん、あんた朝ご飯は？」

喜一は上気を通り越してゆでだこさながらになった。「いや、その」

「川崎を朝発ちして来たにしちゃ着くのが早いし……。昨夜のうちに江戸に来てたんじゃないのかね」と、伊兵衛も問うた。

実はと、喜一はしどろもどろになって打ち明けた。つい気が逸《はや》り、昨日も日暮れ前にはこちらに着いていたのだが、その足で真っ直ぐ三島屋に来るだけのふんぎりはつかず、定宿《じょうやど》にしている商人宿に泊まった。だが、昨夜の晩飯も今朝の朝飯も、宿で用意してくれたにもかかわらず、どうにも喉《のど》を通らなかったのだという。

「おちかの顔を見るまでは、ね」お民が察して言葉を足した。「だけど、会うのがおっかない気持ちもあって、だからこうして顔を見たら、ほっとしてお腹も減ってきたと」

優しい兄さんを持ったねぇ、おちかはと、お民も優しい目をして笑った。

すぐに手を打っておしまを呼ぶと、喜一の土産を有り難く押し頂いて下げさせた。自分も立ち上がり、お民は手ずから喜一の朝飯の支度にかかった。膳《ぜん》を調えたお民が戻ってくるまでは、伊兵衛が座持ちをしてくれた。赤くなって汗ばかりかいている喜一と、涙ぐんで目を伏せているおちかとでは、おかしな黙《だんま》り比べになってしまうところだ。

「お給仕はあんたに頼むよ、おちか」

お民の声をしおに、伊兵衛も座を立った。

「積もる話もあるだろう。喜一、遠慮なんぞ要らないから、ゆっくりしていきなさい」

喜一は鼻の頭に汗をかいて、あ、ありがとうございます叔父《おじ》さんと、調子っぱずれな声をあげた。伊兵衛は軽やかに笑い、お民の背中をそっと押して、唐紙を閉めた。

おちかは指で目尻《めじり》を拭《ぬぐ》って、兄の給仕をした。喜一は黙って箸《はし》を取り、黙って飯をはみ、おみおつけをすすり、漬け物を噛《か》んだ。

表通りの喧騒《けんそう》を離れた奥座敷に、一抹の愛嬌《あいきょう》と一抹の悲しみを共に含んで、喜一ひとりの朝餉《あさげ》の音がする。

兄の顔がまだ真っ赤なままなのは、悪さが過ぎて叱られた腕白《わんぱく》坊主のように涙をこらえているからだと、おちかは悟った。

「あたし、叔父さんにも叔母《おば》さんにも本当によくしてもらってる。心から有り難いと思っています」

胸の前で両手を合わせ、おちかが小さく呟《つぶや》くと、喜一は口いっぱいに飯をほおばったまま、うん、うんとうなずいた。

「おとっつぁんおっかさんも、達者なのよね？　少しは――よくなったのよね？」

口のなかがいっぱいだというせいだけではなく、喜一が返事を寄越すまで、少し暇がかかった。

「何とか気張ってるよ」

「……うん」

「おまえのことは、ずっと心配してるよ」

喜一は箸をおくと、拳で目元と口元をぐりぐり拭った。おちかを見る目は涙で潤んで、臆病《おくびょう》な犬のようにまばたきを繰り返す。

切なくなった。兄に飛びついて一緒に泣きたくなるのを、おちかは堪《こら》えた。お膳をひっくり返しちゃう。

「でも、おふくろはよく言ってる。おちかは丸千を離れて良かったんだ、三島屋さんへ行った方が、ここにいるよりずっと良かったんだってな。ときどき親父が、おまえのことを考えて、目に見えて萎《しお》れてると、尻《しり》を叩《たた》くみたいにしてそう説教してるよ」

目に浮かぶようだ。

両親に会いたい。むらむらと、抑えがたくこみ上がってくる想いに、おちかはとうとう涙をこぼした。

「――ごめんな」

喜一は、両の膝頭《ひざがしら》を掌《てのひら》で包むようにして背を丸め、頭を下げる。大きな身体の兄だが、今はちんまり縮まって見える。

「まだおまえに会いにきちゃならんとわかってたんだ。やっとここで落ち着いたころだもんな。もうちょっと――せめて半年ぐらいしてからでなきゃ、俺たちは顔を見せちゃならねぇ。それくらいの分別はあったんだけど」

うつむいてぼそぼそ謝る喜一の口元から、白い飯粒がぽとりと落ちた。

バカね。おちかが思うより先に、言葉がこぼれた。

「バカね。兄さんたら」

喜一が涙目を上げる。おちかの涙も、もう止まらない。

「あたしがみんなに会いたくないわけないじゃない！　兄さんが、あたしに会いにきちゃいけないわけなんか、あるもんか！」

わぁっと叫びながら、おちかは喜一に飛びついた。二人で抱き合って、おちかは泣いた。喜一も泣き出しながら笑っていた。そうかそうか、ごめんなと笑っていた。

朝餉の膳は、何とか無事だった。声をあげて泣く兄妹《きょうだい》の傍らで、ご飯とおみおつけが、まだほんのりと湯気をたてている。

喉元まで詰まっていた気憶劫《きおっくう》と怯《おび》えを、それぞれに涙で押し流してしまうと、兄妹には語り合いたいことと聞きたいことが山ほどあった。子供時代に戻ったような有様で、口先で押し合いへしあい、話の腰を折ったり互いの言葉におっかぶせたりで、かしましいことこの上ない。掛け軸の恵比寿《えびす》様が釣り竿《ざお》をしまい、鯛を小脇に、耳をふさいで逃げ出してしまってもおかしくなかった。

両親のどちらも、元気満々とは言えないが——なにしろおちかがいないのだから——どうにか日々を暮らしていること。たまには笑顔が戻ることもあること。懐かしい奉公人たちの働きぶり。親しくしていた近所の人たちの様子。おちかは次々と聞き出して、胸のなかへ収めていった。

いちばん尋ねたくて、いちばん尋ねにくいことは、やっぱり最後になった。

「波之家《なみのや》の皆さんは、どうしてる?」

滑らかだった喜一の舌も、この問いには返事が鈍った。「うん、まあ、な」

うちとおっつかっつだよ、という。

「おばさんは、相変わらず寝たり起きたりしてるらしい。だっても、ずいぶん持ち直してはきてるけど、痩《や》せちまったよ。湯治にでも出そうかって、おじさんは話してる」

幼なじみの良助の父母だから、喜一は今でも「おじさん、おばさん」と呼んでいるのだ。おちかも、素直にそれに倣うことにした。

「おじさん、大丈夫かな……」

あの日、戸板に乗せられて家に帰ってきた良助の無惨な亡骸《なきがら》をひと目見るなり、波之家のおばさんは、蹴《け》っ転ばされた薪《まき》ざっぽうみたいに倒れた。そのまま寝付いてしまって、以来おちかはおばさんの顔を見ていない。幽霊のようだという噂だけを聞いた。

「おじさんは気丈だよ。うちの親父よりしっかりしてる」

喜一は、すまなそうに分厚い肩をすぼめた。「あの時だって、松太郎のしでかしたことは松太郎だけの咎《とが》で、丸千は関わりないって、真っ先にかばってくれたのはおじさんだったんだもんな」

松太郎は丸千の奉公人で、その彼が人を殺《あや》めるという不始末をしでかしたのだから、両親が代官所へ引っ張っていかれて、奉公人の仕置不行届《しおきふゆきとどき》を咎められ、入牢《じゅろう》ということになったって、おかしくはなかった。丸千が闕所《けっしょ》——旅籠《はたご》の鑑札も株も取り上げられ、身代すべてを召し上げられるということだってあり得た。これまで、そういう例がないわけではない。

それを、まさに身を挺《てい》して防いでくれたのが、波之家の主人だったのだ。旅籠の株仲間にも助力を仰ぎ、丸千が潰《つぶ》されずに済むよう手を尽くしてくれた。

おまえはそんなことを案じなくていいと、おちかはずっと蚊帳《かや》の外《そと》に置かれていたし、もとより気持ちの上でもそんな余裕はなかったから、詳しいことは知らない。ただ、結果としていくぶんかの過料だけでお沙汰《さた》が済んだということは聞いている。

実のところは、過料として払った額の何倍もの金子《きんす》を、蔭《かげ》でこっそり包んで、お役人方に渡しているはずだ。そういう裏がなければ、お目こぼしもない。その金は、丸千からだけでなく、おそらく波之家からも出ているはずである。

公《おおやけ》の始末がついた後、この先、波之家さんと軒を並べて旅籠商売を続けていくことはできないと、丸千をたたもうとしたおちかの父を説き伏せて、引き留めてくれたのもおじさんだった。

——今度のことは、ここにいる誰が悪いんでもねぇ。悪い奴はもう死んだ。良助は運が悪かった。けども、あんたらの娘のおちかちゃんは生きてる。あの娘《こ》がどんなに辛《つら》いか考えろ。あんたら夫婦だけなら、丸千を潰して川崎宿を立ち去って、遍路になろうが、どこぞで野垂れ死にしようが勝手だ。だがな、おちかちゃんから、この家を奪うようなことだけはしちゃなんねぇ。あたしのせいで家が失《な》くなっちまったなんて、思わせちゃなんねぇ。

ねんねこのころから知ってる子だ。もうすぐうちの嫁になるはずだった娘《こ》だ。おちかちゃんはあんたらだけの娘じゃねえぞ。これ以上、おちかちゃんを悲しませるな。

波之家のおじさんが、丸千の奥で懇々と、両親に向かって説教をしていたことを、おちかも覚えている。

だがそのときのおちかは、おじさんの「あたしのせいで」という言い回しだけが耳に引っかかって、胸が苦しくなって、その声から逃げ出してしまったのだった。ああ、波之家のおじさんも、元凶はあたしだと思ってるんだなぁ――と。

そんな方向からしか、おちかには物が見えなかったのだった。

「親父は、波之家さんには一生、足を向けて寝られねぇと言ってる」

喜一の言葉に、今のおちかはためらいなくうなずくことができた。

「うん、あたしもそう思う。本当に、どれだけ感謝しても足らないよ」

と、顔を上げた喜一の目が、おちかを見つめて明るくなった。

「おじさん、おちかちゃんはどうしてるだろう、江戸から何か言って寄越さないかって、俺の顔を見るたんびに訊《き》いてさ。いくら叔父《おじ》さんの家だからって、一人で居候してるんじゃ肩身が狭かろう、喜一おまえ早く様子を見に行ってやれって、矢の催促だったんだ。昨日、俺が発《た》つ間際にも、わざわざ来てくれてな」

――まだ泣き暮らしていやしねぇよな。喜一、頼んだぞ。おちかちゃんを頼んだぞ。

やっと乾いた涙なのに、また泣けてきてしまいそうだ。

「なのに、今はおまえの方が、波之家のおじさんは大丈夫かなぁって訊くんだな」

しみじみと、喜一は嬉《うれ》しそうだった。その眼差《まなざ》しは、淡くはあるが確かに眩《まぶ》しいものを見ているようだ。

「おまえ、何だか強くなったんじゃねぇか」

やっぱり、江戸へ来てよかったんだ。こっちの水が合うんだな――という兄に、おちかはまばたきして笑みを返した。

「そんなんじゃないよ。でも、そうね。伊兵衛叔父さんに、ちょっと変わった趣向の荒療治をしてもらって、それが効いてきてるのかもしれない」

効いているという実感は、今の今まではなかった。でも、兄さんに会ってわかった。そうだ、あたしはいつの間にか、暗い落とし穴の底でうずくまることをやめていた。自分で自分の膝を抱えて、膝頭におでこをくっつけて、口に入るものは自分の涙だけ――という心の持ちようから抜け出していた。

「何だよ、その荒療治ってのは」

喜一になら、隠さず打ち明けていいだろう。あのね――と、おちかは語った。長くなるからかいつまもうと思いながらも、語りはついつい詳しくなった。曼珠沙華《まんじゅしゃげ》の話、人を呑《の》む屋敷とそこに囚《とら》われたままの女《ひと》の話、道ならぬ恋を映した手鏡の話。三つ目はなにしろ姉弟が恋し合う話だから、兄さん気まずいのじゃないかしらとちらりと思い、でもしっかり語った。喜一は目を瞠《みは》って聞き入っている。

「だからその黒白の間で、あたしも良助さんと松太郎さんのことを打ち明けて――」

そこまで来て、おちかはやっと気がついた。喜一の顔色が変わっている。

三

「兄さん、どうしたの?」

おちかが何度か呼びかけても、喜一は魂を抜かれたみたいに座り込んでいるだけだ。その気の抜けた顔を、冷や汗にしとど濡《ぬ》らして。

「兄さん、しっかりして!」

喜一の肩をつかんで、おちかはぐいぐいと揺さぶった。やっと兄の目が晴れた。だが晴れたからこそ、そこに酷《むご》いほどくっきりとした翳《かげ》があるのを、おちかは見た。

「変わり百物語の趣向が、どうしてそんなに兄さんをびっくりさせるんでしょう。兄さん、何が気になるの?」

喜一はおそるおそるというように、重たげに目を動かしておちかを見た。

「伊兵衛叔父さんは、なんの酔狂で、おまえにそんなおっかないことを」

やらせているんだ――と尻《しり》つぼみに呟《つぶや》いて、喜一はうなだれた。

「無理強いじゃありません。最初のうちはあたしもわけがわからなくて、どさくさまぎれに面倒を押っつけられたみたいで、そりゃ腹も立ちました。でも、今は違う」

これまで三人から三つの話を聞いただけで、おちかの心のなかでは何かが動いた。良助が死んで以来、おちかの心のなかに根を張り葉を繁らせていた何かが弱り、枝を減らし、入れ替わりに別の何かが根を下ろして、少しずつ育っている。それは、おちかにとっては良いもののような気がする。

だから強くなってきたのだもの。

「不幸なのはあたしだけじゃないって思うことで、おまえ、ちっとは救われたってことかい？」

喜一の虚《うつ》ろな問いかけに、おちかは強くかぶりを振った。「そんなちまちました計算高いことじゃないのよ、兄さん」

一生懸命考える。言葉を探して、おちかは頭を働かせた。

「うまく言えないけど……たぶんね、あたし、こうして他所《よそ》様の不幸なお話を聞くこて、自分が怖がっているものの正体を知ろうとしているんだと思う。相手の正体がいまま闇雲《やみくも》に恐れて逃げ回ってるより、その方がいいってことがわかってき

うん、

「おちか」喜分ではないけれど、その言い方が、今はいちばんしっくりくる。

まだ冷や汗をかいている。

「そんなおっかないことをしていて、おまえこの家で、おっかないものに出会ったりはしていないのか？」

「おっかないものって」

あたしはただお話を聞いているだけよ、と言いかけて、おちかは言葉を呑んだ。背筋を悪寒が走り抜ける。悟るものがあったのだ。

「——そういう兄さんは、おっかないものを見たりしているの？」

たちまち、喜一は逃げるように身を縮めた。

おちかの推察は確信に変わった。兄はただ、娘を想う両親に急《せ》き立てられ、妹を案じて江戸へ出てきたのではない。ほかにも理由があるのだ。ずっと性急な理由が。

「丸千で、何か起こってるのね」

今度はさっきより優しい手つきで、兄の肩に掌《てのひら》を置き、そっと撫《な》でた。

「あっちで何か起こってるから、あたしのことも心配になって、急いで会いに来てくれたんじゃないの。そうでしょう？」

うなずくのではなく、喜一はこくりと頭を落とした。急に疲労の色が見えた。

おちかの背を、再び戦慄《せんりつ》が駆け抜ける。でも今度のは、あたしの覚悟の力が背骨に通ったのを感じたんだ。

「何が起きてるの、兄さん。あたしに教えて頂戴《ちょうだい》」

穏やかに問いかけ、懐紙を出して喜一の手に握らせた。喜一は目が覚めたようになってそれで顔を拭《ぬぐ》うと、ひとつ息を吐いた。

「おまえがこっちに来て、半月ばかり過ぎてから」

丸千に、松太郎の亡霊が現れるようになったのだという。


最初は、夢だと思ったそうだ。

「夜中にな。よく言う〝夢枕に立つ〟ってやつでさ」

ふと喜一が目覚めると、松太郎の白い顔が、上から覗《のぞ》き込んでいる。驚いた喜一が話しかけようとすると、ぱっと消えた。

「着てるもんとか、あの日のまんまだった」

そういうことが、二、三度続いた。黙っているのも苦しくて、喜一は両親に、遠回しに尋ねた。近ごろ、松太郎の夢を見たりしないかい？

両親には、そんなことは起きていないようだった。とりあえず、喜一は安堵《あんど》した。

松太郎はその後も現れた。が、喜一が何か言おうとすると、すぐ消えてしまうことに変わりはない。

「あいつも寂しいのかと思って、墓参りにも行ってみたんだ」

松太郎の墓は、街道筋の山中にある。ああいうことをした者だからこそきちんと葬らないといけないというので、供養は丁寧にした。ただ、さすがに宿場に近いところには置かれないので、彼の墓はぽつりと孤立している。

墓のまわりを浄《きよ》め、酒を一杯置き、喜一は戻った。だが、その夜もまた松太郎は現れ、すぐに消えた。

「あいつが消えた後に、声に出して訊《き》いてみたんだ。松、俺に何か言いたいことがあるのか。何かしてほしいのか。俺に聞いてやれることなら聞くから、逃げずに出てこいって」

するど翌日から、松太郎は昼日《ひるひ》中《なか》にも丸千に現れるようになった。二日に一度ぐらいの割合だが、廊下の角や座敷の隅、そしてあの裏庭の薪《たきぎ》の山のそばに、不意と現れる。一度など、喜一が厠《かわや》から出てきたら、目の前に立っていたことがあった。

「なのに、何をするわけじゃないんだ。俺があいつに気づくと、ふうっと消えちまう」

喜一にこの姿を見せられるだけでいい、とでもいうように。

語りながら、喜一はまたうっすらと冷や汗をかき始めていたが、おちかは冷静だった。心の臓がとくりとくりと打つのを感じるが、それは胸が波立っているからではなく、逆に、あまりに静かに座っているせいだろう。

「みんなが——見るの？　松太郎さんを」

喜一は大きく目を見開くと、二度、三度と首を横に振った。

「それが、俺だけなんだ。松公は、俺にだけ姿を見せてるらしいんだよ。親父もおふくろも、奉公人たちも、誰も気づいてない」

松公という呼び方が、おちかの胸に、刹那《せつな》、灼《や》けるような懐かしさと切なさを呼び戻した。思わず、ぎゅっと掌を握りしめる。

「だから俺、あいつを見かけると、いつも話しかけるようにしてさ。おまえ、俺に言いたいことがあるんだろ。ちゃんと聞くから、ちゃんと言ってくれって」

松太郎は俺を恨んでる。喜一は声を高めることもなく、淡々と言った。

「恨まれて当然のことを、俺はした。だから、あいつの恨み言を聞いてやらないとならねぇ。そう思ってさ」

「そんなの、兄さんよりあたしの方が、ずっとそうだよ」

おちかがずばりと言い切ると、喜一の目元がかすかに緩んだ。

「そういうおきゃんな言いよう、久しぶりに聞いたなぁ」

おちかは握っていた掌をほどいて、指でくちびるを押さえた。喜一がハハ、と笑う。

「でも松公は、やっぱり何にも言わないんだ。俺の顔を見て、はっきり俺だってわかってるだろうに、話しかけてはこないんだ」

そうこうするうちに、喜一にはぼんやり感じるところがあった。

「あいつ、何だか困ってるふうに見えるんだよ」

「困ってる？」

「うん。迷子みたいにさ」

自分がどこにいるのかわからない。どこへ行けばいいのかわからない。どうしてここにいるのかもわからない。

「——成仏できないで迷ってることは、そりゃ間違いないんだけどよ」

喜一は指で生え際をぽりぽり掻《か》いて、首をかしげる。冷や汗がひいてきた。

「何か恨みがましい感じじゃねぇんだ。本当に途方に暮れてるっていうか……」

だから迷子さと、もう一度強く言った。

喜一はこのことを固く胸に秘め、誰にも話さずにいた。

そのころ丸千では、両親がおちかに会いに江戸へ行きたいという話を始めていて、喜一はむしろ止める側に回っていた。もう少し経って、おちかが三島屋さんの暮らしに慣れてからの方がいいよ、と。

「だけど俺、あんな顔してる松太郎を見るとさ、あいつ、おまえのところにも姿を現してるんじゃないかって、気になり始めたらどうしようもなくって」

それでもずいぶん我慢していたのだが、とうとう両親に、だったら俺が代わりに江戸へ行って、様子を見てくるよと申し出た。親父とおふくろがいきなり訪ねるには、やっぱりまだ早いと思うからさ。

「それで、言伝《ことづて》をくれたのね」

「うん」

喜一も忙しい身体だから、決めてすぐ江戸に発《た》つわけにはいかない。あれやこれやと日々の仕事に追われているうちにも、松太郎は姿を見せる。

喜一は彼に、子供のころからの兄貴分の風を吹かせて、心のなかできっ、と叱りつけるようになった。松公、おまえおちかを悩ませてるんじゃねぇだろうな。そんなことやってるんだったら、すぐやめろ。俺はこれからおちかンとこ行って、確かめるからな。確かめて、おちかがおまえを怖がってたら、卒塔婆《そとば》引っこ抜いて墓を倒して、さんざんな目に遭わせてやるぞ。

と、それは松太郎に伝わるようだった。

「いやいやって、するんだよ」

喜一兄さんが案じてるようなことを、俺はやってないよ——というように。

そしてまた、途方に暮れたような目になって、松太郎の亡霊はすうっと消える。怖いより腹立たしいより、哀れをもよおすような眺めだった。

「でな、半月ぐらい前のことだ」

久しぶりに、松太郎が喜一の夢枕に立った。

「ぱっと消えたりしないで、そこにいて、初めて話しかけてきたんだ」

「──喜一兄さん。

松太郎はその場に膝《ひざ》を折って正座した。

「──手前《てめえ》でもよくわからねぇうちに迷い出てきて、兄さんに心配かけました。

頭を下げて、泣き顔になった。

「──それでも、ようよう手前の行き場所がわかったんで、これからそっちへ向かいます。もうご迷惑はかけません。

その時つくづくよく見て気づいたのだが、松太郎の着物には返り血が点々と散っていた。

どこへ行くんだと、喜一は訊いた。あの世かと。

「あいつは良助を手にかけてる。極楽浄土になんか渡れるわけないもんな。地獄へ行くんだと思ったら、なんかこう、たまんなくなっちまって」

俺は迷惑なんかしてねぇ。行きたくないところなら、行くな。俺に見えるだけなら、おまえは誰の迷惑にもなってねぇ。ずっとここにいたっていい。譫言《うわごと》のように、喜一はそんなことを言い並べていた。

おちかは胸が詰まった。兄さんらしい。そして松太郎さんらしい。

「──松太郎さん、何て言った？」

喜一は太い眉《まゆ》を寄せると、それがな、と声を低める。

「どうにも、しきりと呼ばれている。そこへ行けばいいらしいから、行きますっていうんだよ」

呼ばれていい、いる？

——そこが手前の住《す》み処《か》だと、教えてくれる声があるんです。

だからその声の言うとおりにしてみますと、松太郎はちょっとほっとしたように笑い、そして消えた。

以来、ぷっつり姿を現さなくなったというのである。

「二、三日は、俺も様子を見てたんだ。松公、また出てくるんじゃねぇかってな」

しかし、六日経っても七日経ってもそのままだ。松太郎は丸千からいなくなった。

完全に姿を消したと納得して、それから喜一はあわて始めた。

「こりゃまずい、あいつ、今度こそ三島屋さんに行ったんじゃねぇだろうなって、思いついてさ」

もしもそうなら、後の祭りだ。もっと強く引き留めるのが俺の役目だった。松太郎の未練と悲哀を、おちかに背負わせてはならない。

「——それで、泡を食って出てきたんだよ」

来てみれば、当のおちかは百物語の真似事《まねごと》なんかをやらかしているという。そりゃあ、青ざめるのも無理はなかろう。

「ああいう遊びは、怪しいものを招くんだぞ。おまえ、知らねぇわけじゃねぇだろ」

「知ってるよ。でも……」

おちかには納得がいかない。

「ともかく、あたしは松太郎さんの亡霊になんか会ってない」

「本当か？」

おちかはうなずき、半ばすがるような目つきをしている兄の肘《ひじ》のあたりを、ぴしゃりとぶった。

「こんなことで、あたしが嘘をつくわけがないでしょう。松太郎さんは、ここにはいない。誰かから、そんな話を聞いたこともないもの。叔父《おじ》さん叔母《おば》さんが、あたしに隠してるはずないし」

そうか……と、喜一はうなじをさする。

「俺はもう、おまえがあいつの亡霊に悩まされてるんじゃねぇかって思うと、矢も楯《たて》もたまらなくてさ」

もしもそうなら、松太郎の首根っこをつかんで川崎宿まで連れ帰ろうと心に決めていた、という。

だが一方で、おちかに会うのが怖い気持ちもある。合わせる顔がないとも思う。その狭間《はざま》で、喜一は目が回りそうなほどに揺れ続けていたのだろう。

その優しさが、心に沁《し》みる。

「亡者の首根っこを、どうやってつかまえるつもりだったの？」

「そんなもんは、まあ気合いだ。何とかなる。あいつは俺には勝てねぇんだからな」

小さく噴き出して、うんそうだったねと呟《つぶや》いて、おちかは兄も、松太郎も可哀相だと思った。

いや、可哀相——だけじゃない。この気持ちは。

良助への後ろめたさが混じっているのか。

「ここにいないのなら」と、喜一は座敷のなかを見回した。朝餉《あさげ》の膳《ぜん》の残り。さしかける陽の光。掛け軸の恵比寿《えびす》様のふっくり笑顔。

「松太郎の奴、どこへ行ったんだろう」

亡者の行くところは知れてるか。

おちかには気になることがある。「呼ばれてるって言ってたんだよね？」

「ああ」

「その前に、そもそも丸千に出てきたときから、迷子みたいな顔をしてたんだよね？」

喜一はうなずく。「それが何かあるか」

「だからその黒白の間で、あたしも良助さんと松太郎さんのことを打ち明けて――」

そこまで来て、おちかはやっと気がついた。喜一の顔色が変わっている。

三

「兄さん、どうしたの？」

おちかが何度か呼びかけても、喜一は魂を抜かれたみたいに座り込んでいるだけだ。血の気の抜けた顔を、冷や汗にしとど濡《ぬ》らして。

「兄さん、しっかりして！」

喜一の肩をつかんで、おちかはぐいぐいと揺さぶった。やっと兄の目が晴れた。だが晴れたからこそ、そこに酷《むご》いほどくっきりとした翳《かげ》があるのを、おちかは見た。

「変わり百物語の趣向が、どうしてそんなに兄さんをびっくりさせるんでしょう。兄さん、何が気になるの？」

喜一はおそるおそるというように、重たげに目を動かしておちかを見た。

「伊兵衛叔父さんは、なんの酔狂で、おまえにそんなおっかないことを」

やらせているんだ――と尻《しり》つぼみに呟《つぶや》いて、喜一はうなだれた。

「無理強いじゃありません。最初のうちはあたしもわけがわからなくて、どさくさまぎれに面倒を押っつけられたみたいで、そりゃ腹も立ちました。でも、今は違う」

これまで三人から三つの話を聞いただけで、おちかの心のなかでは何かが動いた。良助が死んで以来、おちかの心のなかに根を張り葉を繁らせていた何かが弱り、枝を減らし、入れ替わりに別の何かが根を下ろして、少しずつ育っている。それは、おちかにとっては良いもののような気がする。

だから強くなってきたのだもの。

「不幸なのはあたしだけじゃないって思うことで、おまえ、ちっとは救われたってことかい？」

喜一の虚《うつ》ろな問いかけに、おちかは強くかぶりを振った。「そんなちまちました計算高いことじゃないのよ、兄さん」

一生懸命考える。言葉を探して、おちかは頭を働かせた。

「うまく言えないけど……たぶんね、あたし、こうして他所様《よそ》の不幸なお話を聞くことで、自分が怖がっているものの正体を知ろうとしているんだと思う。相手の正体がわからないまま闇雲《やみくも》に恐れて逃げ回ってるより、その方がいいってことがわかってきて――」

うん。まだ充分ではないけれど、その言い方が、今はいちばんしっくりくる。

「おちか」喜一はまだ冷や汗をかいている。

悪寒ではなく、ひやりとした閃《ひらめ》きが、おちかの胸の奥に生じた。

「あたしのせいじゃないかな」

松太郎が丸千に現れたころ、おちかは変わり百物語を始めていた。

「建具商の藤兵衛さんに会ったのが、ちょうどそれぐらいのころだもの」

曼珠沙華《まんじゅしゃげ》の話を聞きながら、相手の語りに引き込まれながら、自然とおちかは松太郎のことを思い出していた。昔の出来事を思い出していた。我が身に降りかかった不幸のことを思い出していた。

「だけど、思い出すなら、それまでだっていくらでもあったじゃねぇか」喜一の顔が、くしゃりと歪《ゆが》む。「おまえ、一日どころか一刻《いっとき》だって、あのことが忘れられなくていたじゃねぇか」

「うん、そうだよ。そうなんだけどね」

黒白の間で人と対するようになってからは、思い出し方が違ってきたのだ。

「それまでは、思い出すっていうより、ふいと頭に浮かんできちゃって、辛《つら》くて悲しくて、大急ぎでそれを押し隠す、というふうだったの。あたしが思い出そうとか、考えようとかしていたわけじゃない」

辛い事柄に、襲いかかられていたようなものだった。

「変わり百物語を始めてからは、違ってきたのよ。自分で思い出すようになった。しっかり見つめるようにもなった」

それが、おしまに語ることにもつながった。

「だから、松太郎さんが丸千に現れたのは、あたしのせいかもしれない。あたしが松太郎さんを呼んでしまったのかもしれないわ」

口に出していうと、いよいよそれは確からしく思えてきた。おちかは両手を握りしめた。

「ちょっと待てよ」と、喜一が遮る。膳の上の湯飲みを取り上げると、冷め切ってしまったお茶をがぶりと飲んだ。

「だったら、何で今、松公はここにいねぇんだ？」

空いた手で、おちかと自分のあいだをつんつんと指さす。

「あいつがおまえに〝呼ばれて〟迷い出てきて、また〝呼ばれて〟行き先がわかったって、丸千から離れたんなら、ここに、おまえんとこに来るはずだろ？」

おちかはくちびるをきゅっと締めて、兄を見た。喜一は、俺の方が理屈が通ってるぞ、と言わんばかりの顔をしている。睨《にら》めっこだ。

「そうだよねぇ」と、おちかは折れた。

「そうだよ」と、喜一はそっくり返る。「だいたいおまえ、呼んで出てきてほしいなら、松公じゃなくて良助の方だろうが」

勢いがつき過ぎ、言い過ぎた。おちかの顔を見て、喜一は青くなった。「あ、ごめん」

みるみるうちに表情がしぼんでゆく。身体さえ縮んでゆくようだ。

「ごめん、今のは余計なことだった。俺が悪い。だからそんな顔するな」

「そうじゃないのよ、兄さん」

「何もそうじゃなくない。俺が言わずもがなのことを言ったから」

「違うのよ」

おちかは声を強めて兄を遮った。

「あたしの心から、まるっきりお留守になってた」

──良助さんのこと。

ひどく虚《うつ》ろな、空っぽの声が出た。

「たった今、兄さんに言われるまで、そんなふうには思いもしなかった」

「だってそれは、おまえ」

喜一は泡をくっている。額まで色の抜けた顔に、目が泳いでいる。兄さんにとっても、あたしがこんなふうに言うなんて、思いがけない以上のことなんだ。

「ま、松太郎のことだって、たった今聞いたばっかりじゃねぇか。そう次から次へといろいろ思えるわけねぇだろ」

「松太郎さんのことなら、先《せん》から考えてたよ。さっきも言ったでしょう。何度も何度も思い出してたのよ」

なのに、良助のことは想わなかった。

胸の奥にはすかすかと冷たい風が吹いているのに、身体は重い。座っているその場から、沈み込んでいってしまいそうな気がする。

「良助には、おまえが思い悩まなくちゃならないことが纏《まと》わりついてないからだ」

喜一は言って、己にもそう納得させようとするかのように、うんうんと一人で強くうなずいた。

「良助のことは、ただただ悲しいだけだ。あいつが殺されたのは、おまえにとって、まるっきりの災難だった。天から大岩が降ってきて、あいつを押し潰《つぶ》しちまったみたいなもんだった。どうしようもなかった。だから何も考えられないんだよ。松太郎のことみたいに、ああすればよかった、こうすればよかった、あれがいけなかった、これがいけなかったって考えられないんだよ」

そうだろうか。おちかは、己の心の内側に向かって目を凝らしてみる。兄さんの言うとおりなんだろうか。

「良助と松太郎を、おまえのなかで一緒くたにして思い出したくねぇっていう気持ちもあるんだろ。良助のことは、大事にとっておきたいんだ」

そうだろうか。

ふと、おちかの口から言葉がこぼれ出た。

「あたしの気持ち、本当はどっちにあったんだろう」

古い行李《こうり》を開けてみたら、そこに入れた覚えのない、でも確かに自分のものに違いない懐かしい玩具《おもちゃ》が、ぽつりと底にしまい込まれていた。見つけた途端にわかった。

ああ、これは大事なものだった。いつの間にか忘れていたけれど、でも大事なものだった。これが大事だということを考えてさえみなかったけれど。

そんな想いがこみあげてくる。

喜一は目に見えてあわてた。目ばかりではなく、今度は身体まで泳いだ。

「お、おかしなことを言い出しやがって」

どっちって、どういう意味だ。

「兄さん」

「何だよ」

「松太郎さんがうちに来て一年ばかり経ったころ、兄さん、おとっつぁんと喧嘩《けんか》して、三日も納戸に籠《こも》っちゃったことがあるでしょう。覚えてる？」

苦い口つきになって、喜一は素早く「忘れた」と答えた。嘘だ。

「あのとき、松太郎さんが納戸の戸に頭をくっつけて、何か話してたって。見た人がいるのよ。兄さん、何を聞いたの？　松太郎さんの話を聞いたから、納戸から出てきたんでしょう。それから松太郎さんに優しくなったもんね」

喜一はまた嘘をついた。「忘れた。知らねえ。覚えてねえ」

「あの人の身の上話だったたんじゃない？」

「あんな子供に身の上話もへったくれもあるかい」

「あの人にはあったわよ。崖《がけ》の下に投げ落とされたときのこと、兄さんに話したんじゃなかったの？　誰に捨てられたのか。どうして捨てられたのか」

青ざめた顔のまま、喜一は表情だけやたらに気張って、

「知らねぇ」と、もう一度言った。それから急に力が抜けたようになって、

「そんな大事なことを聞いてたら、俺だって忘れるもんか」

弁解するように、小声で言い足した。

「あン時はただ——あいつ、俺に謝ったんだ。ぺこぺこ謝ったんだ。それ聞いてるうちに、俺、無性に嫌になってきたんだよ。弱い者苛《いじ》めをしてることが」

今度はおちかにも、兄の言葉が嘘か真実《ほんとう》か見抜くことができなかった。

「弱い者いじめなら、兄さんだけがしたわけじゃなかったのに」

二人で、しばらく黙り込んだ。黙っていることで、何かを作り直しているような気分だった。お互いの立つ足場。お互いを結ぶ橋。お互いの領分を分ける小さな垣根も。

胴震いをして、喜一は顔を上げた。

「松公、どこにいやがるんだ？」

喜一は、まるで松太郎がまだ生きていて、丸千で働いていて、ちょっと出かけたきり帰ってこないのを叱ってでもいるかのような言い方をした。どこをうろついていやがるんだよ？

「俺、しばらく厄介になっていいかな」

「もちろんよ。叔父《おじ》さんも叔母《おば》さんもそのつもりなんだもの」

喜一はきりりと眉《まゆ》を吊《つ》り上げる。「しっかり見張って、もし松太郎がこの家のなかに隠れてるなら、見つけてやる」

それもまた、亡霊よりも生きている人に対するようなもの言いだ。

「兄さん」と、おちかは言った。「懐かしいね」

あのころが。あんなことが起こる以前のみんなが。

喜一はおちかを見た。おちかも兄の目を見ていた。やめてくれよと、喜一は言った。

「俺は、また泣きそうになる」

こうして、喜一は三島屋に逗留《とうりゅう》することになった。伊兵衛とお民に連れ出されて、数日は名所を訪ね歩いたりしたが、それが済むと、「三島屋さんの商いを習いたい」

と、あれこれ立ち働くようにもなった。喜一さんは骨惜しみしない働き者だねと、お民が感心する。

松太郎の亡霊は現れなかった。喜一が彼を見つけることも、おちかが彼を見ることもなかった。

「やっぱり、ここにはいないのかな」

そういう喜一は、怒ったような口調とは裏腹に、ずいぶんと寂しそうだった。

「だったらあいつ、いったいどこへ呼ばれて行っちまったんだろう」

その答えは、思いがけないところから舞い込んできた。

四

堀江町《ほりえちょう》の草履《ぞうり》問屋越後屋の清太郎がおちかを訪ねてきたのは、喜一が三島屋に逗留を始めて六日目のことであった。

小僧ひとりを供に、不躾《ぶしつけ》で非礼なことは百も承知ながら、ぜひともおちかさんにお会いしたい——と、急《せ》き込んだ様子の彼を奥の間に通し、応対したのはお民である。おちかは伊兵衛と喜一と三人で、その様子を唐紙の陰から見ていた。そうしろと、叔父夫婦に命じられたからである。

清太郎は窶《やつ》れた顔で、目の下にうっすらとくまが浮いていた。おちかは胸が騒いだ。おたかさんに何か起こったのだろうか。清太郎さんがあたしを名指しで訪ねてきたならば、ほかの用件であるわけがない。

お民は、このごろめっきりと朝晩の冷え込みがきつくなってきただの、越後屋さんではどこへ紅葉狩りにおいでになりますかだの、のんびりと世間話をしている。清太郎は律儀に受け答えしているが、目元が落ち着かず、焦《じ》れているのは明らかだった。そしてとうとう、お民が三島屋のこの秋の新しい意匠について語り出すと、たまりかねたようにその話の腰を折って、ひと膝《ひざ》乗り出した。

「お内儀《かみ》さん、たいへん失礼なことと存じますが、手前はおちかお嬢さんにお目にかかりたくて参上したのでございます。どうかお取り次ぎをお願いいたします」

お民は空とぼける。「あらあら、そんなにお急ぎでございますの？　あいにく、おちかはちょっとお使いに出ているんですよ」

手ずから茶菓を取って勧める。何とか調子を合わせようと、清太郎が苦しそうに口で息をするのを、おちかは見た。

「叔父さん、わたし」

唐紙に手をかけると、まあ待てと伊兵衛と喜一の二人に止められた。

「どうして止めるの？」

「喜一に、もう少し清太郎さんをよく見させておあげよ」

真顔ではあるが、伊兵衛の目はどこか面白がっているみたいに輝いている。一方の喜一はどこまでも真剣だ。

「あいつは何者なんだ、おちか」

「だから、ちゃんと話したでしょ？　もう忘れたの？　安藤坂にあった、人の魂を呑《の》んでしまう恐ろしいお屋敷の話をしてくれた人のお身内で――」

「草履問屋の若旦那《わかだんな》だ」と、伊兵衛が注釈を添える。「道楽もせんし、商いの目筋にも、なかなか良いものを持ってると評判だよ」

「優男《やさおとこ》だなぁ」

「降るように縁談が来るんだが、片っ端から断っているそうだ。手前のような未熟者は、まだ身を固めるには早いとか言ってな」

伊兵衛は、いつの間にか妙に清太郎に詳しくなっていやしないか。

「気にいらねぇな」喜一はほっぺたを片方だけふくらましている。「ンな体裁のいいことを言い並べる野郎に、ロクなもんはいねぇ」

座敷ではお民が身振り手振りつきで話に興じている。清太郎は堪えている。

「もう、なんでこんな意地悪をするの？」

立とうとしたおちかの袖《そで》を、伊兵衛が押さえた。「あと少しお待ち」

喜一がおちかを押しのけて唐紙ににじり寄り、ほんの一寸ほどの隙間に目をあてて、

「役者になれそうな色男だ。俺はああいうのは好かん。猫みたいな声をしてるし」

もしかして、あいつはおちかに執心してるんですか叔父さんと、喜一は険悪な目をして伊兵衛に尋ねる。伊兵衛は鼻でぅ〜んと唸《うな》る。

「兄さんたら、今はそんなことを気にしてるときじゃないのよ」

「おまえこそ、何をムキになってるんだ」

「ムキになんかなってやしません。お客様に失礼だって言ってるだけよ」

早口の声が高くなり、唐紙の陰のやりとりが、座敷の方に漏れ出てしまいそうだ。と、お民がそれと察して、いっそう大らかにおしゃべりの声をはずませた。「そういう次第でございましてね、越後屋さん。三島屋では今、この意匠の売り出しに身代を賭《か》けようかというほどに入れ込んでおりますのよ」

ああ、はあと、清太郎は肩を落とす。

「そういえば主人は、せっかく越後屋さんとご縁ができたのだし、草履の鼻緒にも手を伸ばしてみようかなどと申しておりました。三島屋でこしらえて、越後屋さんだけで売っていただくんです。おかげさまで手前どもも越川《えちかわ》や丸角《まるかく》に次ぐ評判をとれるようになりましたけれども、あのふたつの名店と同じことばっかりやっていては、いつまで経っても三番手に甘んじておらねばなりません。何か目新しい工夫をいたしませ

んとね」

お民、良いことを言うなぁと伊兵衛が呟《つぶや》く。

「草履の鼻緒か。面白いね」

「ふつう、袋物屋が扱うものじゃないでしょう」と、喜一が顔をしかめる。そこが付け目さと、伊兵衛は笑う。

「二人とも――」

さすがにおちかがカッとなったとき、清太郎がほとんど身を揉《も》むようにして、話に興じるお民の前に手をついた。

「お内儀さん、たいへん申し訳ございません。ございませんが、手前はおちかお嬢さんに急ぎの用件があってまかり越しました。おちかさんの身の上に案じられるところがあり、心配でいてもたってもいられなかったからでございます」

唐紙の陰で、おちかは息を呑んだ。ようやくお民もおしゃべりをやめ、頬を引き締める。

「それはどういう事柄でございましょうか」

一転して切り口上で問い返すお民に、清太郎はちょっと気圧《けお》された。答えに迷っているところに、お民がたたみかける。

「おちかは、主人伊兵衛の兄夫婦の一人娘。この三島屋にとっても愛《いと》しい姪《めい》であり、大事な預かりものの娘でございます。そのおちかのことを、叔父叔母《おじおば》のあたしどもをさしおいて、一度や二度お目もじしたくらいの越後屋さんの若旦那に、なぜそこまで案じられなければならぬのか、合点が参りません」

そ、それはと清太郎はさらに詰まる。と、土気色だった彼の顔が、紙のようにすうっと白く変わった。思い決めたのだ。

「ならば打ち明けてお伺いいたします。三島屋さん、このところ、おちかさんに変わったことはございませんでしょうか。何かに怯《おび》えていたり、悩んでおられるようなご様子はありますまいか」

おちかは両手で胸元を押さえた。隣では伊兵衛が、唐紙の隙間から覗《のぞ》く清太郎の白い顔を凝視している。そして、喜一はおちかを見つめている。

「おちかが何を悩むのでございましょう」

「そんなご様子は見られませんか。なければよろしいのです。手前の取り越し苦労でございます。ただ――」

「ただ、何でございますの」

お民は、底意地悪く追い込むような口つきをする。清太郎は面を上げた。

「手前の姉のおたかが、近ごろ折節、今までにないことを口走るようになりました。そのなかに、おちかさんのお名前が出てくるのです。それともう一人」

松太郎、という人の名前も——

喜一が思わず「え!」と声をあげた。驚いた清太郎が、唐紙の方に目を向ける。おちかはさっと立ち、唐紙を押し開けて座敷のなかにまろび入った。

「清太郎さん、ちかでございます。お待たせをいたしました。そのお話、わたしがお伺いいたします。おたかさんは、何をどのようにおっしゃっているのでございますか?」


一同は黒白の間へと場を移した。今度は、おちかが清太郎と向き合って座った。

「以前にお話し申し上げましたとおり」

清太郎はおちかの顔を見て勇気づいたのか、窶れた頬に血の気が戻っている。

「姉は今、越後屋の奥の座敷牢《ざしきろう》に暮らしております」

おちかは目の前が暗くなる想いだった。

「やっぱり、そうなってしまったんですか」

「ええ、とはいえ、さして堅牢な座敷牢ではございません。姉が一人で出歩くことができぬよう、出入口に錠をつけ、窓を塞《ふさ》いだというだけのことでございます。それでもまあ、当たり前の座敷とは違いますから……」

身の回りの世話は、老練な女中頭が一人で受け持っている。清太郎は毎日おたかの

座敷に顔を出し、

「話しかけても返事があるわけではなし、姉から何か言ってくるということもございませんが、それでも顔を見ているだけで、手前は少し安心することができるものですから」

今日は良い天気ですよとか、このごろ朝晩のお菜が美味《おい》しいですね、賄いが腕を上げたのでしょうかとか、ひとしきり向き合って他愛ないことをしゃべっては引き揚げる——ということを繰り返していた。

「姉の表情はいつもぽかんとしておりまして、瞳《ひとみ》は暗く、あさっての方を向いておりますす。手前と目と目が合っても、そのことにさえ気づかないのか、顔をそらしたり、あるいはうなずいたり、身体を動かすようなことはございません。まるで生き人形でございました」

ところが、十日前の昼下がりのことである。

「いつものように手前が姉の座敷を訪ねますと、姉は窓の方に向いて座っておりました。明るい陽射《ひざ》しが、まともに姉の顔を照らしておりました」

姉さん、眩《まぶ》しいでしょう——そう声をかけて、清太郎はおたかの肩に柔らかく手をかけ、その身体の向きを変えようとした。するとそのとき、真っ暗に凝《こご》り、開けっ放しになっているおたかの瞳の奥で、何かが動いた。

「最初は、手前の姿が映ったのだろうと思いました」

だが、清太郎が離れても、おたかの瞳のなかでは何かが動いている。信じがたいことだが、清太郎にはそれが、

「――何者かが、姉の瞳の奥を歩いて横切ったように見えたのでございます」

姉さんと、清太郎は呼びかけた。もう一度、おたかを驚かさぬよう充分に気をつけて、顔を近づけ、その瞳を覗き込む。

すると。

「姉の瞳の奥から、若い男の顔が手前を見返して参りました」

驚きに、清太郎はとっさに身を引いてまばたきをした。すると瞳のなかの男は消えた。呼んでも、揺さぶっても、おたかの瞳は暗く凝ったままに戻ってしまった。

翌日、清太郎は起き抜け早々におたかを訪ねた。何も起こらなかった。気になって仕方ないので、日に二度、三度と訪ねた。やはり何も起こらなかった。翌々日もそれを続け、あてが外れてばかりだったので、

「あの出来事は手前の目の迷いだったのだろうと思うことにいたしました」

だが四日目のことである。清太郎がおたかの座敷に入るや否や、おたかがぽっかりと口を開いてこう言った。

――蔵が、開いたわ。

おちかは両手を拳《こぶし》に固め、膝《ひざ》の上に置いてじっと座っていたが、この言葉を聞いて、どうしようもなくびくりと震えた。居並ぶ三人、叔父叔母は顔を見合わせ、喜一はおちかと清太郎の顔を見比べている。おちかを見るときには怯えが、清太郎を見るときにはかすかな険がある目つきとなり、今にも何か言い出しそうな口つきで、喜一は身構えている。

「確かに、そうおっしゃったのですね」

おちかの問いかけに、清太郎はすがるようにうなずいた。

「それだけではございません。姉さん、何ですかと手前が問い返しますと」

——虫干しをしなくっちゃ。

おたかはうっすら微笑んだという。

今度こそ、おちかは慄然《りつぜん》として拳を固め直した。おたかの内に今もある、あの安藤坂の屋敷の蔵の虫干し。屋敷が新たな人を求めている。飢えを満たす時がきたのだ。

「はい」と、清太郎もひとつうなずいた。二人の目が合い、理解が通った。

「この上は、片時も姉から目を離してはいけないと思いました」

清太郎は思いきって、その日からおたかの座敷で寝起きするようにした。事情を承知している越後屋の両親と一部の奉公人たちは、反対こそしなかったものの、ひどく不安がり、他にも人を付けようと言った。が、清太郎以外の者が誰か座敷にいると

──たとえそれが例の女中頭であっても──おたかはまったく口を開かない。

そして、清太郎と二人きりになると、ぽつり、ぽつりとこぼすように呟《つぶや》くのだ。

──お客様よ。

──ねえ、お屋敷にお客様が来たの。

──嬉《うれ》しいわ。賑《にぎ》やかね。

一時は持ち直した清太郎の顔色が、またぞろ白く変わってしまった。そして、彼もまた拳を固く握りしめている。おちかは不意に、その手を取ってあげたいという気持ちに襲われて、自分で自分にたじろいだ。

「姉が何か口走るたびに、手前は近づいてその瞳を覗くようにいたしました」

そこには何もない。ただ清太郎の顔が映っているばかりである。が、ときどき出し抜けに、まるで陽炎《かげろう》のように、頼りなくぼんやりと揺れながら、

「立派な瓦屋根《かわらやね》を戴《いただ》き、緑の溢《あふ》れる広い庭には白壁の蔵──あの安藤坂の屋敷の幻が見えることがあるのでございます」

見えたかと思うと、すぐに消える。清太郎の見間違いなのかもしれない。気の迷いが生む錯覚なのかもしれない。

「いいえ」と、おちかはきっぱり首を振った。「見間違いじゃありません。清太郎さんがご覧になったものは、確かにおたかさんの内にあるのだと、わたしは思います」

清太郎の引き攣《つ》った口元が、ここに来て初めて、安堵《あんど》に緩んだ。叔父叔母《おじおば》が再び顔を見合わせ、目顔で何か語り合う。喜一が気まずそうに咳払《せきばら》いをして、

「あの……」と言い出した。

「兄さん、ちょっと待って。もうちょっと」

おちかの言葉に、清太郎は目を瞠《みは》る。「兄さん？」

「はい、兄の喜一です」

喜一はバツが悪そうに頭を下げる。清太郎はもっと狼狽《うろた》えて、あわてて座り直そうとしてよろけてしまった。

「し、失礼いたしました。てっきりこちらの番頭さんだと」

八十助と見間違えていたらしい。二人の歳はずいぶんと違うが、確かに喜一の落ち着きぶりには、番頭に相通じるところがあった。短いあいだに、それだけ三島屋に馴染《なじ》んだということか。

「わたしの実家《さと》から、ちょうど訪ねてきているところでした。清太郎さん、ごめんなさい」おちかは手をついて頭を下げた。「この黒白の間で伺ったお話を、わたし、兄にも教えてしまいました。ですから兄も、おたかさんと安藤坂のお屋敷のことを存じております。お気を悪くなさらないでくださいまし」

いいえ、それはもちろんと、清太郎は少し戸惑いつつも首を振る。

「そうして、おたかさんはほかにも何かおっしゃるようになったのですね？」

喉《のど》が渇いて、おちかの声が震えた。

「人の名前を――松太郎という名前を呼んだ。それは、どんなふうに？」

つい昨日のことだと、清太郎はためらいがちに続けた。目は喜一を見ている。今一度松太郎の名が出た途端、喜一が鬼のような怖い顔になったからである。

「姉がまた、お客様がいると申しましたので、思い切って尋ねてみたのです。そのお客様は、どこのどなたですか、と」

おたかは答えた。うっとりするような微笑みを浮かべて。

――松太郎という人よ。

「手前の知り合いに、その名前の人はおりません。松太郎という友人はおりますが、姉は知らないはずでございます」

清太郎はさらに問うた。そのお方は姉さんの知り合いの方ですか、と。

おたかはかぶりを振り、

――三島屋のお嬢さんが知ってる。

はっきりと、聞き間違いようのない答え方だった。

――松太郎さん、三島屋のおちかさんに会いたがってるわ。おちかさんもここへ来ればいいのに。

あら、いいえ。さらにおたかはかぶりを振り、こう続けた。

——きっと来るわ。来ることになるわ。松太郎さんに会いに来る。来ないわけがないもの。

気の抜けたようなため息が聞こえた。お民である。片手で夫の手を握り、片手で胸を押さえている。

「ああ、ごめんなさい。胸に悪いわ」

見れば目のまわりが白くなっている。伊兵衛が肩を抱いてやった。

おちかもまた、肩を抱かれるのを感じた。兄である。喜一は鬼のような顔から、鬼を見たような顔に変わっていた。

「これはいったい、どういうことだよ、おちか。おまえにはわかるか？」

なんでこいつが松太郎を知ってるんだ。おたかって人のところに、なんで松太郎がいるんだ？　泡を飛ばさんばかりに問いかける喜一の手に触れて、おちかは言った。

「兄さん、落ち着いて。あわてることなんかないわ。松太郎さんが誰に——何に呼ばれてどこへ行ったのか、これですっきりしたじゃありませんか」

喜一の下あごが震えている。兄がこんなに取り乱すのを見るのは、あの恐ろしい事件以来のことだ。

「だって──あいつは──なんでそんなわけのわからねぇ他所《よそ》の屋敷になんか」

「安藤坂のお屋敷が、人の魂を求めているからよ。そうしてあたしが、おたかさんを知ったからよ。みんなつながってるのよ」

おちかを通して、安藤坂の屋敷は松太郎をつかんだのだ。そして彼の、死してなお彷徨《さまよ》う魂を呼び寄せたのだ。

「あのお屋敷は、そういう場所なのよ」

俺にはわからねぇ。喜一が頭を抱える。清太郎はすっかり白っちゃけてしまった頬に両手をあてて、兄妹を見つめる。そして呟いた。

「姉は、松太郎とはどんな人だという手前の問いに、こう申しました」

──死人《しびと》よ。おちかさんがよく知ってる。おちかさんのために死んだ人。

──だから、おちかさんもおっつけここに来ることになる。そのことは、あの娘《こ》もよくよくわかってる。

あの娘は死人に憑かれてるから。

「やめろ!」喜一が怒鳴った。「そんな話、おちかに聞かせないでくれ!」

今にも清太郎の胸ぐらをつかみそうになるのを、伊兵衛とお民が二人がかりで抱き留めた。おちかも兄を押しとどめながら、激しい動悸《どうき》を呑《の》み込んでいた。松太郎。そう、このあたしのために死んだ人。

「おちか」

うずくまってしまった喜一を抱えるようにして、伊兵衛が穏やかな声で言った。

「清太郎さんに、おまえのことをお話ししなさい。できるだろう？　おまえにはもう、その覚悟があるはずだ」

お民もうなずく、ちょっぴり涙目だ。「お話ししないことには、清太郎さんにはわけがわからないでしょう」

わからなくても既に、おちかを案じてくれている清太郎なのである。

おちかはようやく気づいた。さっき叔父叔母が、わざとおちかを引き留めて清太郎に会わせないようにしていたのは、そうやっておちかを試していたのだと。おちかが清太郎を放っておけるかどうか、おちかが自ら彼の前に出て行くかどうか、見定めるために。

「はい。お話しいたします」

おちかは清太郎に向き直った。

五

翌日、約束した昼の四ツ（午前十時）に、清太郎が寄越してくれた迎えの駕籠《かご》に、おちかは乗り込んだ。後ろの駕籠には喜一が乗っている。駕籠とは大げさだし、歩いてお訪ねした方が目立たないでしょうというおちかに、清太郎は、拝むように言った。

「堀江町へおいでいただくあいだに、万にひとつ、何かあってはいけません。どうか駕籠でおいでください」

何かあるって何があるんだと喜一は首をかしげ、おちかも、そんなことを聞いたせいでかえって不安が増してしまった。

「おまえ、大丈夫かい？」

出がけになって、喜一はさらに念を押す。

「大丈夫って、何が」

「だって……良助と松太郎のこと、赤の他人に打ち明けたのは初めてだろ？」

一夜明け、あらためて清太郎と顔を合わせることになって、おちかが決まり悪くないかと喜一は尋ねているのだろうけれど、おちかは勝手に深読みしてしまって、妙にカチンときた。

「兄さん、あたしは別に、清太郎さんをどう思ってるわけでもないんですから、どう思われようとかまわないんですよ」

そこまで案じているわけではなく、もっと漠然と妹を気遣っていた喜一はぽかんとした。彼は後ろを向いて、そっと目をしばたたいた。あれ？　おちかの奴、なんであんなにムキになるんだろう。

おちかは地味な支度をした。お民から借りた狢菊文《むじなぎくもん》の小紋に、渋い銀鼠色《ぎんねずいろ》の棒縞《ぼうじま》の帯を合わせ、髷《まげ》には塗りの櫛《くし》ひとつ。半襟や帯締めにも暗い色合いばかりを選んだので、ひと目見た伊兵衛が驚いた。

「通夜にでも行くようだ」

「でも、狢はいいかもしれませんね」と、お民はうなずいている。「化かされる前に、こっちが化かすくらいの心持ちで行った方がいいでしょうよ」

おたかの内に巣くっている安藤坂の屋敷の真の主が何ものであれ、人を惑わすものであることに疑いはなさそうだから、と。

駕籠は何事もなく堀江町に入り、越後屋の裏口に着いた。表通りのにぎわいは聞こえてくるが、裏道は静かで、垣根越しに色鮮やかな紅葉の庭が見える。

右隣に、間口一間半のこぢんまりした手拭《てぬぐい》屋があり、裏手は職人の作業場になっているのだろう、鮮やかな絞り模様の反物を裁ってせっせと縫っていた職人が、駕籠から降りようとするおちかと喜一に気づいて目を瞠《みは》った。すぐ隣で物差しを使っている別の職人を肘《ひじ》で小突くと、耳に口を寄せて何か囁《ささや》く。と、その職人もいかにも驚いたような、珍しそうな顔でこちらを振り返った。

越後屋は繁盛している問屋なのだろうけれど、その家の住人たちを訪《おとな》う客は希《まれ》なのだ。やはり、おたかがいるからか——胸の奥がしんとするような気分で、駕籠かきが揃えてくれた草履《ぞうり》に足を入れ、おちかが立ち上がると、いきなり鼻緒がぷつりと切れた。

江戸へ出てきて以来、他家を訪問するのは初めてのおちかである。着物だけでなく、履物にも充分気をつけたつもりである。お民も厳しく検《あらた》めてくれた。何より、すげ替えたばかりの新品の鼻緒だ。それが、足の甲のところ——つまりはほとんど真ん中から、かまいたちにでも斬られたように断ち切れている。

ちょうど清太郎が、番頭らしい老人を引き連れて迎えに出てきたところだった。彼は立ちすくむおちかの足元を見て、抑えきれずにあっと声をあげた。みるみるうちに顔が曇ってゆく。

喜一が駆け寄ってきた。「どうした?」

おちかがちょっと足を動かしてみせると、彼も頬をぴくりとさせた。

「すぐにはすげなく帰らないでくださいよ、というお示しでしょう」

にっこりして、おちかは言った。

「お気になさらないでくださいませ」

清太郎が店の者を呼ぼうとするのを止めて、喜一が手拭いを裂いて手早く直してくれた。

「お帰りまでには、お取り替えいたします」
清太郎は色の抜けた顔で呟《つぶや》き、腰を折って一礼すると、おちかと喜一を奥へと促した。

越後屋の主人夫婦――清太郎の両親に挨拶《あいさつ》しないわけにはいくまいが、気が重い。ひょっとすると白地《あからさま》に嫌な顔をされるかもしれないし、されても仕方がない。あるいは、おちかを越後屋に招き入れることで、清太郎は父母から叱られているかもしれない。

そんなこんな、おちかの心中に渦巻いていた懸念は、すべて取り越し苦労だった。清太郎の父親は、いかにも名代《なだい》の問屋の主人にふさわしいおっとりとした貫禄のある人だし、母親の方は温かみのある明るい顔立ちで、その声を聞き、話し方を知った瞬間に、おちかの気持ちはいっぺんで軽くなった。

若いころには、器量よしというより愛嬌《あいきょう》よしで、まわりの人びとに愛《め》でられた娘だったのだろう。この女《ひと》が玉の輿《こし》に乗ったのは故のないことではないと、おちかはしみじみ納得した。越後屋の主人が、血が繋《つな》がっているわけでもなく何の義理もない少女のおたかを手元に引き取り、今日まで親身に世話を焼いてきたのも、それが愛妻のたっての願いであったからにほかなるまい。

そして今、おたかを「姉さん」と呼ぶ清太郎と心をひとつにして、越後屋夫婦はおたかを案じているのだった。

同時に清太郎の両親として、一人息子が思わぬ迷惑をかけているらしいおちかに、ひととおりではない気の遣いようだった。何度も越後屋夫婦に頭を下げられて、おちかはかえって身の置き所のない思いをした。

「こんな面妖《めんよう》なことに巻き込んで、お嬢さんにはまことに申し訳ございません」

「おたかに会ってくださるという温かいお気持ちは嬉《うれ》しいが、本当によろしいのですか」

清太郎は、変わり百物語のことは話しても、おちかの尋常ではない苦しい身の上話までは、両親に打ち明けていないらしい。隣でかしこまっている喜一も、それと察したのだろう。清太郎をちらりと見て、目顔で何か伝えようとしたらしい。清太郎が軽くうなずき返して、口を真っ直ぐに結んだ。何ぼ何でもおちかさんのあんな辛《つら》い話、うかうかと口に出すものですかという表情だ。

おちかは、良助と松太郎のことを聞き、清太郎がもっと冷たいというか遠いというか、これまでとは違う顔をするものとばかり思い込んで――覚悟を決めていたし、そう易々《やすやす》とその覚悟をほどくまいとも思っていたのだけれど、心は揺れた。気分の悪くなるような揺れではなかった。

おたかのいる座敷は、この広い家の、いちばん奥にあるという。前を清太郎、後ろを喜一に守られて、おちかは長い廊下を歩んだ。越後屋の繁栄をそのまま映して、家には建て増し、普請直しの跡がいくつも残っていた。きらびやかな造りではないが、梁《はり》や柱の太さ、建具の様子、畳の色艶《いろつや》などから、越後屋の身代の裕福であることと、それを無闇《むやみ》に誇ろうとはしない謙譲な家柄が偲《しの》ばれる。

「母にしてみれば、安藤坂の屋敷は、実の父親の仇《かたき》でございます」

無言でひとつ、ふたつと廊下の角を曲がったところで、懐から小さな袱紗《ふくさ》に収めた鍵《かぎ》を取り出し、清太郎が言った。

「ならばこそ、おたか姉さんのことが、二重に哀れでならないのです。祖父の清六《せいろく》が、命と引き替えに助け出したはずのおたか姉さんが、今でもあの屋敷に囚《とら》われたままであることが、歯がゆく口惜《くちお》しくてならないのです」

言いにくそうに喉《のど》に湿りをくれてから、喜一が言った。「清太郎さんは、怖くないんですか」

清太郎は足を緩めた。「手前が？」

「子供のころ、清太郎さんも錠前に祟《たた》られてるんでしょう。安藤坂の屋敷の、いろいろ怪しいことの根っこになっているらしい、蔵の錠前に」

清太郎はちょっと首をよじって振り返ると、目元と口元だけで微笑した。

「実は、手前はその時のことを、ほとんど覚えていないのです」

詳しい事情はすべて、ある程度の歳になって、両親から聞いたのだという。

「ただ、今でもたまに、夢を見ます」

「夢？」今度はおちかが足を止めかける。「どんな夢でしょう。例のお屋敷が出てくるんですか」

清太郎は手にした鍵を掌《てのひら》のなかに握り込んで、かぶりを振った。「屋敷も、蔵も、祖父も姉も出て参りません。ただ、何かひどく息の荒い、飢えて渇いて凶暴になっているけだものの鼻息のようなものが、ずうっと手前を追いかけてくるという夢でございます」

追いつかれそうになると、そこで目が覚めるという。

「カチカチという、金気の音も聞こえます。最初のうちは何の音かわかりませんでしたが、今ではわかったように思います」

何の音ですかとおちかが問い返す前に、彼は最後の角を曲がって、

「こちらでございます」

一面に真っ白な唐紙の前で立ち止まった。

「ここは先《せん》から姉の座敷でして、絵柄のついた唐紙だったのですが、張り替えました」

時折、この唐紙の柄が変わって見えると気づいたからだ。

「手前ひとりの勘違いではなく、母や、姉の世話をしている女中頭も同じように申しますので、変わったらしいかと変わったとわかるように、無地のものに取り替えました」

おちかは息を詰めた。「それは——唐紙の柄が」

清太郎はおちかを見てうなずく。「はい。安藤坂の屋敷に使われていた唐紙の柄に変わるのだと思います」

色鮮やかで豪奢《ごうしゃ》な牡丹《ぼたん》の花の柄だという。

思わずというように、喜一がちょっと唐紙から身を引いた。「今は真っ白だけどな」

「はい。変わって見えるのは、ほんのまばたきするほどのあいだのことですから」

「それ、いつからでしょう？」

清太郎が目を伏せた。おちかは察した。

「おたかさんが、三島屋にいらした後からのことなんですね」

永年、おたかのなかでまどろんでいた安藤坂の屋敷が、おたかが三島屋まで足を運んできておちかに会い、彼女の内に封じられている屋敷の来歴を語ったことで、眠りから覚めたのだ。

——あたし自身も、屋敷の力の目覚めに手を貸したのかもしれない。

おちかのなかに封じられている、血塗られた出来事の思い出が、安藤坂の屋敷を揺り動かしたのだ。だから屋敷は、おちかを招いた。

あなたには、あの家がよく似合う。

いや違う。おたかはこう言ったのだ。あなたはあの家によく似合う。

おちかこそ、安藤坂の屋敷の新しい主人にふさわしいという意味ではなかったか。

屋敷は、おちかを欲しているのだ。

清太郎が唐紙を開けた。

十畳敷きほどの広間である。が、畳が敷いてあるのは壁際の六畳分ほどで、あとの三方のぐるりは板敷きになっている。そして畳の部分の三方を、頑丈そうな格子が囲んでいる。壁には引き戸がついている。あの奥が厠《かわや》なのだろう。

三人は、幅の狭い板敷きへと足を踏み入れた。おちかは振り返り、唐紙を閉めた。

鮮やかな牡丹が見えるかと、一瞬、身構えた。唐紙は真っ白のままである。

ほのかに、白檀《びゃくだん》の香りがした。

座敷のなかは、隅々まで白々と明るい。格子の内側には、小さな簞笥《たんす》、小引き出し、姫鏡台に衣桁《いこう》、針箱に絎台《くけだい》まで揃えてあった。寝具はきちんとたたまれ、きれいな更紗《さらさ》のような布をかけてある。居心地好《よ》く小ぎれいに整えてやろうという、越後屋の人びとの精一杯の気遣いが見える。

その気遣いに囲まれ、格子の内に、おたかはぽつりと座っていた。両手を膝《ひざ》に、目は開いているが、眠っているかのように静かだ。

こちらに横顔を見せて、うっすらと微笑している。微笑の先には誰もいない。格子があるだけだ。

おたかは、座敷に入ってきた三人に気づいた様子さえないのである。

おちかは見つめた。おたかの優美な顎《あご》から首にかけての線。真っ直ぐな背筋。薄紫色のお召しに、手鞠《てまり》柄の刺繡《ししゅう》の帯を締め、髷《まげ》はきちんと整えられている。

「座敷牢《ざしきろう》を造ってからも、姉の使っていた道具の類《たぐい》は、できるだけ身近に置いておこうと思いました」

いつの間にか三人は寄り添っていた。おちかは清太郎に並び、喜一はおちかの背中にくっついている。

「それでも、あの針箱の中身は空っぽです。姉が裁縫をすることなどございませんから」

針や鋏《はさみ》が手近にあっては、万が一のこともあるかもしれない。

「ただ、ああしたものがそばにあることで、ある時ふっと正気に返ってくれるのではないかと、母は願っております」

清太郎は、音もなく足を滑らせて、おたかの正面に回った。そこには大小ふたつの潜《くぐ》り戸が設けられていた。右の潜り戸は、大人でもちょっと頭をかがめれば楽に出入りすることができる。左の潜り戸は、床上すれすれのところに付いていて、一尺四方ぐらいの大きさだ。膳《ぜん》を出し入れするためのものだろう。

大きな潜り戸には錠前がぶらさがっていた。清太郎は手にした鍵を、その錠前にあてた。

かちりと音がした。

清太郎が息を整える。そして言う。「手前が夢のなかで耳にするのは、この音です」

清太郎の後に続いて正面に回り、おちかは気がついた。窓のそばの板敷きのところに、青磁の香炉がひとつ据えてあって、かすかな薄青色の煙をたてている。さっき感じた白檀の匂いは、これが源だったのだ。

清太郎は潜り戸から錠前を外した。そして戸の引き手に手をかけ、

「おたか姉さん」と、声をかけた。気負いも震えも用心もない、見事に平静な声だ。

「お客様をご案内しましたよ」

清太郎が格子の内側に入る。おちかも潜り戸をくぐる。身体の大きな喜一が入りやすいように一歩横へと動くと、おたかに近づくことになった。

おたかが、ゆっくりと首を巡らせてこちらを向いた。

おちかの胸にこみあげるものがあった。

足袋《たび》をしゅっと鳴らして、おちかはおたかのそばへと駆け寄った。膝をつき、すぐ

におたかの両手を取った。

「三島屋のちかでございます。変わり百物語の趣向で、お目にかかりました。よもやお忘れではありますまい。やっと、わたしの方からお訪ねすることがかないました」

さっきこちらを向いてくれたのは、おちかが来たと判ったからではなかったのか。手を取り、顔と顔とを近づけても、おたかは同じ方を向いたままである。つかんだ手を揺さぶると、おたかの身体もふらふら揺れる。薄笑いもそのまま宙に浮いている。

「おちか、そんな手荒なことをしちゃいけないよ」

あわてた喜一が、おちかの肘《ひじ》を取って引き戻そうとする。だが、おちかはさらに、おたかににじり寄った。

「いらっしゃるんでしょう？　そこにおいでなんですよね？　おたかさん、ちかです。安藤坂の屋敷に似合いのちかが参りました。どうぞお出迎えくださいまし」

おちかは右手を上げ、おたかの頬にそっとあてた。優しく顔の向きを変えさせる。

二人の瞳《ひとみ》と瞳が正対した。

おたかの瞳の奥で、何かがひらりと動いた。

おちかには、それが人影に見えた。小さな小さな人の姿。女の子だ。髪をお団子にして、つっ丈の元禄《げんろく》を着ている。

刹那《せつな》、その女の子がおちかを見た。あら、という驚き顔も見えた。

少女のころのおたかだ。両親と弟たちと、安藤坂の屋敷で暮らしたおたかだ。あの屋敷と、屋敷を囲む四季のうつろいの美を愛し、それに魅せられ、心を奪われたおたかだ。

今にも、愛らしく高い声が聞こえてきそうだった。おっかさん、お客さんが来たよ。いやいやそれとも、屋敷に仕える両親の子供らしく、「ご主人様」だろうか。ご主人様、お待ちかねのお客様が見えましたよ。

突然、おちかの手がおたかの手からもぎ離された。喜一である。おちかの手首をつかみ、身体ごとおちかを引き倒さんばかりに、強く引っ張ったのだ。

「何するの、兄さん！」

喜一は目を見開いている。金魚のようにぱくぱくしている。

カチカチと金気の音が小さく響く。見れば、清太郎が手にした錠前と鍵《かぎ》が触れ合って鳴っているのだった。引き戸の前に座り込み、震えている。

「お、おまえ」

喜一が口元から唾《つば》を飛ばし、あわあわと声を出した。まだおちかの手をつかんだまま、彼もまた腰が抜けたようになっている。

「い、今の見たか？　人が、人が」

「兄さんも見たのね？　女の子がいたわ」

おちかはさっと清太郎を見返った。「清太郎さんには見えましたか？」

彼は身体ひとつ分、おちかたちからは離れている。錠前と鍵がぶつかり続けている。

その音に合わせるように小刻みにかぶりを振り、

「て、手前は、女の子、など」

瞳を覗《のぞ》き込まねば見えなかったか。

「ただ、音が」

「音？」

「風が、風が吹いて。木枯らしのような」

安藤坂の屋敷の庭を渡り、木々の枝を鳴らす風の音だ。

「そんなの、窓の外から聞こえたんじゃねぇのか？」

礼儀も忘れ、喜一は荒っぽく言い放つと、這《は》うようにして立ち上がり、どかどかぶつかりながら潜り戸を抜け、連子窓《れんじまど》へと駆け寄った。破らんばかりの勢いで開け放つ。

窓のすぐ外、手を伸ばせば触れるほどの近いところに、白壁が立ちはだかっていた。

この壁の照り返しで、おたかの座敷はこんなにも明るいのだ。

「越後屋の蔵でございます。土蔵がふたつ、並んでおります。こちら側には庭も立ち木もございません」耳を押さえて、清太郎が震え声で言う。逃げているみたいな早口だ。「まだ聞こえます。広い庭を風が吹き抜ける。落ち葉がカサコソと舞っている」

喜一の大きな背中がびくりとした。兄さんにも聞こえたんだ。きっとそうだ。おちかは耳元に手をあてた。そう、あたしにも聞こえる。冬枯れの屋敷の庭を、風が、風が——

この座敷の唐紙が、豪奢《ごうしゃ》な牡丹《ぼたん》柄に変わっていた。

おちかははっと息を呑《の》んだ。途端に、唐紙は無地に戻った。風の音も絶えた。

おたかは微笑を宙に泳がせたまま、横座りになっている。半目になっている。

その肩にそっと両手をあてて、おちかはおたかを座り直させた。おたかの頭がぐらぐら揺れる。頼りなくて、壊れてしまいそうだ。

おちかは、おたかを引き寄せて抱きしめた。細い背中に両手をあてて、ゆっくりと撫《な》でさする。三島屋で初めて会ったときよりも、痩《や》せてしまったようだ。

おたかの髪油の匂いがする。

「ちかでございます。おわかりでしょう」

子供をあやすように、おちかは優しく囁《ささや》きかけた。

「おたかさんに会いに参りました。どうぞ、お屋敷に入れてやってくださいませ」

「だ、駄目だよおちか！」

悲鳴のように叫んで、喜一が駆け戻ってくる。清太郎がおちかを呼ぶ。おちかはかまわなかった。ひしとおたかを抱きしめると、その顔を上げさせた。そして今一度、目と目を合わせた。

おたかの瞳の奥に、松太郎がいた。

お嬢さん。

確かに彼の声を聞いた。おちかの身体が、浮いたように軽くなった。

六

気がつくと、おちかは冬枯れの木立のあいだに佇《たたず》んでいた。おたかも喜一も、清太郎も消えている。おちかは独りぼっちだ。そしてここは――

目の前には、重たげな瓦屋根《かわらやね》をいただいた大きな屋敷がそびえている。屋敷の左手の奥には、見間違えようもなくはっきりと、白壁の土蔵が見える。

ここは安藤坂の屋敷の庭先である。しかし、このうら寂しい眺めは何としたことだろう。幼かったおたかの心を魅了したという、四季折々の美に満ちた屋敷とは思われない。

ここから目の届く限りでも、壁はひび割れ、屋根が傾《かし》ぎ、瓦がところどころ欠け落ちているのがわかる。雨戸がはずれて落ち、障子紙は破れて惨めに垂れ下がっている。

庭木はみな枯れている。おちかが半歩足を動かしただけで、履物の下で、枯れ落ちた小枝が鋭い音をたてて折れた。植え込みもすべて葉を落とし、すかすかの細かい枝だけが寒そうに風に揺れている。庭土も水気を失い、そこここでひび割れていた。

おたかの心の内に棲《す》み着いた安藤坂の屋敷は、いつの間にかこんなにまでうらぶれてしまったらしい。

おちかはゆっくりとまばたきをして、目を細めた。おたかという女主人を得て、安藤坂の屋敷は安泰のはずではなかったのか。

しかし、おたか一人の力では、この屋敷の飢えを満たしてやることはできなかった。だから、新客の到来を喜んだ――

あらためてぐるりとまわりを見回してみる。屋敷の屋根の向こう、庭を囲む生け垣の外側は、白い霧に閉ざされている。霧は音もなく流れ、ゆるゆると動いているが、それ以外は何もない。道も、他所《よそ》の家の屋根も、町場ならどこかに必ずあるはずの火の見櫓《やぐら》の形も見えない。

この世の場所ではない。あの世でもない。おたかの内側だ。

おちかは両手を胸にあて、自分の心の臓がことりことりと打っているのを感じとった。あたしは生きている。おたかの心のなかへと吸い寄せられ、入り込んできてしまったけれど、命は保っている。まず、それをしっかりと覚えておこう。

屋敷の正面に向かって、一歩踏み出す。庭木をまわり、植え込みの隙間を通り抜けて、歩き始める。と、植木の枝が袖《そで》にからんできた。払おうと手を動かすと、別の枯れ枝がいたずらな生き物のようにぴょんと跳ねて、おちかの手の甲を叩《たた》いた。痛みはなかったが、そこにはうっすらと血が滲《にじ》んだ。おちかはとっさに、その傷にくちびるをあてた。

顔を上げてみると、その枯れ枝の先に、一輪の赤い花が忽然《こつぜん》と現れていた。椿だ。

おちかの血を吸い、命を得て花が咲いた。

そういうことか。おちかは一人うなずき、両手をしっかりと身体の脇につけて、さらに歩みを進めていった。

式台のついた立派な表玄関には、無論、人影はない。湿って腐りかけているのか、板敷きの部分がふくれて浮き上がっている。玄関脇の中の口には、緩やかな三段の階段がついているが、二番目の段が真ん中からへし折れていた。

おちかはまた庭の方を振り返ってみた。玄関のこの造りからして、この屋敷は武家の住まいだ。が、ならばせめて片番所の付いた長屋門ぐらいはありそうなところなのに、ここにあるのは生け垣ばかりである。

かつて、清太郎の祖父清六に請われ、この屋敷の来歴を調べた岡っ引きは、これが建てられたのは百五十年も昔のことで、もともとは武家屋敷だったと言ったという。

「もともとは」という言い方には、その後は違うという意味が感じられる。裕福な商人や地主が持ち主となった時期があり、そのとき、武家のしるしである長屋門は取り払われたのか。

しかし岡っ引きは、町場の俺たちには手も目も耳も届かないことの多い屋敷だ——とも言ったそうだ。ならば、屋敷の持ち主は代わっても、屋敷の正体は変わっていないということだろう。それはまた、屋敷の持ち主が誰になろうとも、屋敷の主人は変わらないということでもある。

永らくこの内側に謎を封じて、同じ場所に立ち続けてきた。誰も手出しをしなかった。しようがなかった。

そして、いざ急にせかれて手出しをしたときには、清六のような肝の据わった老人でさえ、歯が立たなかった。

おちかは、そこに一人で踏み込んでいこうとしている。なのに、不思議と心は平らかだった。

女子供ならば中の口から上がるべきだ。しかしおちかは、敢《あ》えて玄関へと踏み込んだ。あたしはこの屋敷に招かれた正客だ。何の遠慮が要るだろう。

「ごめんくださいまし」

我ながら、涼やかな声が出た。しんとして、がらんどうの、埃《ほこり》さえ舞い立たぬ静けさのなかに、おちかの声は響き渡った。

上がってすぐの目の前に、色あせた衝立《ついたて》が据えてある。古びて黄ばんでいるものの、竹林に虎の重厚な絵柄だ。

その衝立の端から、小さな手がひょいと出た。誰かいる。

艶《つや》やかな黒髪をお団子にして、頭のてっぺんに載せている。つっ丈の赤い元禄は梅の模様。黒目勝ちの大きな目をくりんと瞠り、衝立の陰で膝立ちになっている。

おちかも目を瞠《みは》った。おたかだ！

おちかがまだどんな声も出せずにいるうちに、少女のおたかはひらりと立ち上がって、廊下の奥へと駆け出した。裸足《はだし》の足の裏がぺたぺたと廊下を打つ。出し抜けの出会いに一瞬後れをとったおちかは、履物を脱ぎ捨てて玄関から跳び上がった。

「おたかさん、待って、待って！」

長い廊下の脇には、次の間や書院などの座敷が続いている。唐紙がはずれ畳は陽に焼け、どこも荒れ果てた有様だ。廊下はかなり先で右に折れているが、このひと呼吸のあいだに女の子の足でそこまで駆けられたはずはないのに、おたかの姿はもう見えない。

座敷から座敷へ、また廊下に戻ってはまた別の座敷へ。おちかは広い屋敷のなかを駆け抜けて捜し回った。おたかの名を呼び続け、どこにいるの、出てきてちょうだいと呼びかけながら。

どれぐらい屋敷の奥まで入り込んだろう。息が切れて立ち止まると、そこは八畳ほどの座敷で、縁側がついていた。雨戸も障子戸も開け放たれており、庭をすっかり見通すことができる。

もう冬枯れの景色ではなかった。緑に溢《あふ》れ、花木には花の色がある。はらはらと落ちるのは枯れ葉ではなく花びらだ。桜、梅、椿にさざんかに、紅白の躑躅《つつじ》。一度にみんな咲き誇っている。

花びらがこぼれるのは、木々の枝のあちこちに掛けられた着物や帯が、やわらかな風に揺れているからだった。染め、織り、刺繡《ししゆう》。贅《ぜい》を尽くし、美を極めた逸品ばかりが、絢爛《けんらん》たわわに庭の緑を彩っている。

――虫干しだ。

それは、おたかの家族が引き寄せられた恐ろしい運命の入口だった。

だが、そうと知っていてもなお、見蕩《みと》れずにはいられない。閉ざされていた土蔵のなかから、次々と取り出され、披露される衣装の数々。気がつけば、いつの間にやら屋敷の頭上の白い霧は晴れて、青空が出ている。さしかける陽光に、金糸銀糸が誇らしげに光る。

庭木のいちばん手前、鳳凰《ほうおう》の刺繡が見事な黒絹の振袖の陰から、さっきの女の子が顔を覗《のぞ》かせた。

「きれいでしょ」

おちかに向かって問いかける。

「ここにはきれいなものがたんとあるのよ。ほしくない？」

すぐには応じる言葉が出ずに、おちかはぎくりと止まったままでいた。女の子の黒い瞳《ひとみ》には、奔放な着物の色彩群のなかで、たったひとつだけ堅実な木の実の輝きが宿っている。

「おたか――ちゃん」

やっと名を呼ぶことができた。おちかはするりと動き出す。縁側の端へと近づいてゆく。

「おたかちゃんよね。ここには一人でいるの？　ずっとあんた一人だけなの？」

女の子は黒い振袖の陰に隠れると、庭木の反対側から顔を出した。この年頃の子供の人見知り。半ばはにかみ、半ば用心している。本当にそれらしい。まったく、本物の子供が今そこにいるようだ。

「着物、ほしくない？」

ちょっとうつむいて足元を見たまま、少女のおたかはもう一度訊《き》いた。

「身体にあててみたら？　顔映りを見てみたら？　そしたら、うんとほしくなるわよ」

静かに深くひと呼吸してから、おちかは逆に問いかけた。「でも、この着物にはちゃんと持ち主がいるでしょう？　黙ってあたしのものにしてしまうわけにはいかないわ」

いいのよ――と、おたかは言う。また木の陰に隠れ、今度はそのまま声だけで、

「ホントはほしいくせに」と呟《つぶや》いた。

おちかは思い切って縁側から庭へ飛び降りた。足袋《たび》裸足の足の裏に、庭土はふわりと軟らかい。さっきまでは乾ききってひび割れていたのが嘘のようだ。

素早く走り、黒振袖の掛かった庭木の裏側へと回り込んだ。おたかはいない。

「おたかちゃん、かくれんぼしてるの？」

まわりを見回しながら、できるだけ明るく言ってみた。「そんなら、あたしが鬼ね」

驚いたことに、はずんだ笑い声が聞こえてきた。どこだ？　おちかの後ろだ。あの植え込み。咲き乱れる躑躅の花のなかから、おたかがぴょこんと起き上がる。

「つかまらないもん」

見る者も共に微笑んでしまう、愛らしい笑顔だ。少女のおたかの身なりは貧しく、裸足の臑《すね》は痩《や》せている。だがそんなことは気にならない。

「つかまえちゃうから」

おちかは戯《おど》けて袖《そで》をまくり上げ、さあ追っかけるわよという恰好《かっこう》をしてみせた。お

たかは声をたてて笑い、赤い躑躅の花を乱して逃げ出し——たかと思うと、蛇にでも出くわしたみたいにびくりと止まった。おちかも一瞬ひるんでしまう。

「どうしたの？」

おたかがこっちを見た。小さな白い顔に怒気が浮かんでいる。瞳が燃えている。

「あんた、一人で来なかったね」

突然の恨みがましい目つきと口調に、おちかは困惑を通り越して背中が寒くなった。

「え？」

「ずるい！」

甲高く言い捨てるなり、おたかはつむじ風のように駆け出した。その姿がかき消える。おたかが通り抜けた道筋で、着物や帯が翻る。

「おたかちゃん！」

追っても見えない。なんと素早いのだろう。あれではまるで——人ではなく——魂だけであるかのようだ——

いや、真実その通りなのだろう。ここにいるおたかは現身《うつそみ》のおたかではないのだから。

取り残されてふらふらと、おちかは庭の奥へと歩を進めてゆく。おちかの周囲では、庭じゅうの枝という枝を彩っている数え切れないほどの着物と帯が、一斉に舞い上がり、風になびく。衣擦《きぬず》れの音がおちかの耳に満ちる。

そして気がつく。ああ、土蔵の扉が開いている。

観音開きの、見るからに頑丈そうな分厚い塗りの扉と、その内側の格子戸。どちらもいっぱいに開け放たれている。誘われるように、おちかの爪先《つまさき》はそちらに向かう。

土蔵のなかから、人影が現れた。おちかは立ち止まる。人影も立ち止まる。

松太郎だった。

「お嬢さん」

聞き間違いようがない。懐かしい松太郎の声だ。片手を土蔵の扉にかけて、庭木の枝のあいだを透かすように、少し首を傾けて、

「おちかお嬢さん」

呼びかけてくる。そこには欠片《かけら》も邪気がない。痛みも悲しみもない。あんな酷《ひど》い出来事が起こる前、丸千では日々そうしていた。当たり前のように共に寝起きし共に立ち働き、何度となく呼んだり呼ばれたりしてきた。暑いの寒いの、今日はお客が少ないだの、今日は忙しくて目が回りそうだの、他愛ない暮らしのなかのやりとりを交わしてきた。そんな折々の松太郎の声。

「来てくだすったんですね」

松太郎の顔が、ほっこりと緩んだ。笑い泣きに、目尻《めじり》が下がる。

おちかの胸にもこみあげてくるものがあった。前後を忘れ、松太郎に向かって駆け出した。ごめんなさい、ごめんなさい、ごめんなさい。かける言葉があるとしたら、それだけだ。

宙を泳いだおちかの腕を、誰かの腕ががっちりとつかんだ。強く引き戻されて、おちかは危うく尻餅《しりもち》をつきそうになった。よろめきながら横様に、何か柔らかなもののなかへと倒れ込む。

花だ。真っ赤な花がいっぱいに咲いている。それがおちかを受け止めてくれた。これはいったい――

曼珠沙華《まんじゅしゃげ》だ。一面の曼珠沙華。そしてそのなかでおちかの腕をとらえているのは、建具商の藤兵衛その人であった。

「三島屋のお嬢さん」

間近に再会した藤兵衛は、黒白の間で会ったときと同じ憂い顔に、かすかな微笑を湛《たた》えていた。そこにわずかでも笑みがなかったなら、おちかはけたたましい悲鳴をあげて、その手を振り払ってしまったことだろう。

「と、と、と」

「藤兵衛でも藤吉でも、お好きなようにお呼びなさい。私はあの座敷であなたに昔話を語った私でございますよ」

ようやくおちかの腕を放すと、その手を宥《なだ》めるように軽く上げて、

「この曼珠沙華のなかに隠れておれば、大丈夫。この屋敷も、すぐにはあなたを見つけられますまい」

曼珠沙華は私の花だから——

「あなたは」

驚きが醒《さ》めるというより、驚きを突き抜けてしまって、おちかは呆然《ぼうぜん》とへたりこむ。

「あなたは、亡くなったはずです」

「はい、私はもうこの世のものではございません」

藤兵衛は落ち着き払ってそう認めた。

「ですから、お嬢さんに従《つ》いてくることができました。この屋敷の意には染まぬことでございましょうが」

おちかを招いていた土蔵の方へ、松太郎が立っていた方へ、藤兵衛はきっと刺すような眼差《まなざ》しを投げた。

「だからこそ、私は従いて参りました。みすみすお嬢さんを、この屋敷に渡すわけには参りません」

この世のものではないからこそ、ここに来られた。それは、松太郎と同じだ——

おちかははっと思い当たった。「さっき、おたかちゃんが言ってました。あたしが一人で来なかったって。それ、藤兵衛さんがいるっていう意味だったんですね」

藤兵衛は微笑みを広げてうなずき、さらに驚くべきことを言った。「私だけではございませんよ。ほかにもおります。お嬢さんが、その耳とその心で聞き届けたお話のなかに出てきた不幸せな死人《しびと》たちが」

信じられない。おちかは、曼珠沙華の花々のあいだから、そっと後ろを振り返ってみた。頭の上の遥《はる》か高いところで、数々の着物が揺れている。

と、その下を、女の影が横切った。髷《まげ》にかけたしぼりの手絡《てがら》がくっきりと見えた。

「あれは？」

問いながら、そっと首を伸ばしてみる。女には連れがあった。若い男が一人寄り添っている。二人がこちらに顔を振り向ける。

人形のように整った目鼻立ち。面差しが似通っている。ということは――

「石倉屋さんのお彩さんと市太郎さん」

お福の姉と兄だ。おちかが耳で聞き、心で受け止めた今ひとつの辛《つら》い昔話。

「錠前職人の清六さんも、近くにいるはずでございます。私らはこぞって、お嬢さんをお守りするために参ったのです」

この屋敷は亡者の住まうところ。藤兵衛は凜々《りり》しくそう言い切った。

「なればこそ、亡者の私どもが、お嬢さんのお力になれましょう。お嬢さんがおたかさんを連れてお帰りになれるよう、お手伝いをいたしましょう」

その声の温かさは感じるものの、おちかには未《いま》だ信じることができかねて、何をどう返していいのかわからない。

問うべきは——そう、何故《なぜ》？　何故なのかということだ。

「何故、皆さんがあたしを助けてくださるんです？」

「お嬢さんが聞いてくださったからですよ」

我々の胸の痛みを。生きていたときにしでかした、愚かな過ちへの後悔を。

「聞いて、わかってくださった。お嬢さんの心の内で、涙を流してくださった。そんな酷い出来事は他人事《ひとごと》だと、忌まわしい、愚かでくだらないと顔を背けたりなさらずに、我が事のように悼んでくださった」

藤兵衛は言って、あらためておちかの手を取ると、しっかりと握りしめた。

「私どもの罪はお嬢さんの魂の一部になり、お嬢さんの涙で浄《きよ》められました。私どもは解き放たれたのです」

藤兵衛の手には温《ぬく》もりがあった。とうてい、死者の手とは思えない。その目には光があった。己の過去を悔やんで逝《い》った者の目にあろうはずのない、おおらかな光が。

「今度は私どもが、お嬢さんをお嬢さんの辛い過去からお助けする番でございます」

宙にさまよっていたおちかの目が、やっと落ち着きを取り戻した。藤兵衛の言葉が心に沁《し》みこんでくる。

「あたしの——過去」

「お嬢さんを苦しめているものが、ここに呼ばれて来ておりますね」

松太郎だ。屋敷に招かれ、あの土蔵にいる。

「だけど松太郎さんは悪くないんです。あの人は、あたしを苦しめようと思ってたわけじゃない」

「それでも、松太郎さんのしたことが、お嬢さんを苦しめた。想いは別でも、しでかしてしまったことは消しようがございません」

藤兵衛はまた、土蔵の方向へと目を上げた。

「だからこそ、お嬢さんを苦しめたことで、松太郎さんもまた苦しみ迷っているのですよ。この屋敷は、そういう魂を欲している。ならば、松太郎さんのこともまた、放ってはおかれませんね」

「一緒に助けられるでしょうか？」

つい、すがるように口にしてしまって、おちかは混乱した。こんな理屈、通るものなのか？　あたしは何を言ってるんだろう。

「皆で一緒に、ここを出ましょう」藤兵衛は揺るがず、力強く言った。「そして、ここを空《から》にするのです。この屋敷も年貢の納め時でございますよ」

藤兵衛は、いじめっ子をやっつけに、腕まくりして鼻の下をひとこすり、さあ出かけようという腕白坊主《わんぱく》のような顔である。黒白の間の昔語りでは、一度も見せたことのなかった顔である。

「なに、土蔵のなかに潜んでいるのは、さして手強《てごわ》いものではございません」

とうに名前を忘れ、亡者の形さえ失った、ただの未練の塊だ——

「今まで誰も、そのことを、土蔵のなかのものに教えてやらなかっただけの話でございますよ」

お嬢さんなら、打ち負かせます。

七

藤兵衛に手をとってもらい、おちかは、曼珠沙華の咲き乱れるなかで立ち上がった。ほっそりとした茎のてっぺんについた、島田髷のように大きな真紅の花々が、おちかのまわりを埋め尽くしていた。

ここから仰ぐと、安藤坂の屋敷の全景が見渡せた。少し離れたところから眺めているみたいに、ひとまわり小さく見える。周囲を囲む庭の緑の美しさと、あの土蔵の白い。

壁が毒々しいほどくっきり浮き立っているのと引き比べて、屋敷はぐんとみすぼらし

老いていいるのだと、おちかは思った。力を失っている。

本丸は、やはり土蔵なのである。

「ここは、お庭ではありませんね」

曼珠沙華《まんじゆしやげ》が群れているこのあたりは、屋敷の庭と地続きであるようでいて、違って

いた。生け垣に囲まれていないし、曼珠沙華以外の花も立ち木もない。

おちかの言葉に、藤兵衛がうなずく。そして、ほらご覧なさいと、前方を指さした。

庭の一角、濃い紫の振袖《ふりそで》をその枝に引っかけた梅の木の下に、さっき見かけた男女

――お彩と市太郎が佇《たたず》んでいる。二人で、梅の木の根元のあたりを眺めていた。

曼珠沙華の群れを抜け出て、おちかは二人に歩み寄った。藤兵衛が、おちかの肘《ひじ》の

すぐ後ろに付き添ってくれている。

おちかに目を留めて、石倉屋の娘のお彩が、先んじて微笑んだ。

「永いこと、割れませんでした」

おちかはお彩に見蕩《みと》れていて、すぐには言葉の意味がつかめなかった。まあ、なん

と綺麗《きれい》な娘さんだろう。姉の美貌《びぼう》を讃《たた》えるお福の言葉は、けっして思い出に輪をかけ

たものではなかった。お彩は、ちょうどこの梅の枝に掛けられている振袖と同じだっ

た。精魂込めて、端正に、ひとつの疵《きず》もないように生み出された美。

そんな姉に寄り添う市太郎もまた、振袖に合わせて仕立てられた帯のように、しっくりとお彩に釣り合う美の持ち主だった。お福の話だけでは、今ひとつ得心のいかなかったところ——姉と弟が男女として慕い合うなどということがあるものだろうか——という疑問が、ゆっくりと解けてゆく。

この二人は最初《はな》から一対だ。ひとたび会ったが最後、離れようがなかった。ああなるしかなかったのだ。

「おお、割れましたか」

藤兵衛が、褒めるように優しい声で言う。おちかはやっとお彩市太郎から目を離し、彼らが見ているものを見た。

梅の木の根元に、一枚の手鏡が砕け散っていた。銅の手鏡である。緑青《ろくしょう》に喰《く》われ、年月に曇ることはあっても、本来は割れようのないものだ。それが粉々になっている。

「お吉も、外に出られた……」

どこかにいるはずですと、市太郎が涼やかな目を上げて、屋敷の方を透かし見た。

「己でしでかした咎《とが》なのに、己でお吉を解き放ってやることができませんでした。それどころか手前も姉も、己の咎のなかに囚《とら》われて、動きがとれなくなっておりました」

誰にも会えず、声も届かず、どれほど悔いても、想いも通じなくなっていた。

「あなたのおかげで、ようやく外に出ることがかないました」

「おとっつぁんも、おっかさんも」と、お彩が続ける。

「石倉屋の皆さんが？」

「はい」お彩は嬉《うれ》しそうに目を細めた。「やっと会えます」

ありがとうございました。姉弟《きょうだい》は、揃って深々とおちかに頭を下げた。

おちかは不意に、叔母《おば》のお民が言っていたことを思い出した。

「石倉屋さんに忠義を尽くした奉公人の、宗助さんのことはお忘れでしょうか」

お彩は驚いたのか、花びらのようなくちびるがひらりと開いた。市太郎も姉を見返る。

「宗助も、ここにおりますでしょうか」

「いるはずです。わたし、捜してきます。あなた方はご両親をお捜しなさい」

そしておちかはくっと息を止め、一気に言った。「でも、お福さんはいませんよ。あの人はこちらの人ではありませんから」

お彩は、あたかも満開の紅梅が風に花びらを散らすように、ほろほろと笑みをこぼした。

「存じております。もちろんです。お福は、大きくなりましたね」

おちかさんのおかげで、見えました。

その表情、その声音があまりにも幸せに満ちていて明るかったので、おちかの心の一瞬のこわばりは、跡形もなく溶けた。

再び藤兵衛に促され、彼の手に手を預けて、おちかは屋敷の内へと踏み入ることになった。みんなを捜そう。すっかり捜し出して、顔を揃えるのだ。

「そうすれば、皆で、土蔵のなかのものを連れ出すこともかないます」

藤兵衛の声は自信に満ちていた。空元気、あてのない希《のぞ》みではない。おちかは感じ取った。藤兵衛の手から、確かにそれが伝わってくるのだ。

廊下に入るとすぐに、屋敷の内のどこからか、おたかを呼ぶ声が聞こえてきた。老人の声である。

「清六さんだわ！」

おちかと藤兵衛は、声のする方に急いだ。清六は、とある座敷の押し入れの戸を開けて、半ばそのなかに潜り込んでいた。奉公人用だったのだろう、質素な造りの座敷だが、押し入れは壁の一面を占めるほどに大きい。

「おかしいなぁ……さっきここに逃げ込んだのに」

ぶつぶつ呟《つぶや》きながら這《は》い出てきた清六は、おちかを見てあっと声をあげた。

「あんた！　お嬢さん！」

いきなり飛びついてきたので、おちかは押し倒されそうになった。藤兵衛が笑いながら割って入る。

「まあまあ、清六さん」

清六は、錠前職人という根仕事《こん》を極めた老人らしく、きびきびとよく動く眼と手の持ち主だった。あんたは誰だいと藤兵衛に尋ね、まだ返事のないうちに、はたと考え込む。

「いや……どうも俺はあんたらを知ってるような気がする。おかしいな。お得意さんでもないのに、どうしてか知っているようだ」

藤兵衛は宥《なだ》めるように清六の肘のあたりをほとほと叩《たた》くと、さらににっこりした。

「お互いにねぇ、知っているんですよ。こちらのおちかさんのおかげです」

二人とも、おちかにとっては変わり百物語のなかの人びとで、今は亡者である人びとだ。夢でも見ているような心地で、おちかは藤兵衛と清六の邂逅《かいこう》を見つめる。が、不思議がってばかりもいられない。

「おたかちゃん、さっきまでここにいたんですか」

清六は渋面になって押し入れを振り返る。

「走っていくのを見かけたから、呼んだんだ。だのに、逃げちまった。清六じいちゃんだよって呼んだのに」

「捜し続けてください。見つけたら、一緒にここから出ていこうって言って、お庭に連れて行ってください」

「出られるのかい？」問うてから、清六はまた首をかしげる。「出るって……そもそも、俺はいつここに来たんだろう」

「おちかさんが勧進元《かんじんもと》ですよ。これは私らの、いっぺんきりの、講みたいなものだ」と、藤兵衛が言う。うん、講だ。その言い回しが気に入ったのか、彼は繰り返した。おちか講だ。

「お伊勢《いせ》参りでも行くかね」

清六の口調だけ聞いていると、いたって呑気《のんき》で、自分がすでに死んでいることに気づいていないかのようだ。

「ああ、いいですなぁ」藤兵衛は嬉しそうに頬を緩める。「ともかく、清六さんはおたかちゃんを捜してください。私らも捜します」

おたかの名を呼びながら、さらに座敷から座敷を巡ってゆくと、厨《くりや》にたどり着いた。屋敷の構えに合わせて、厨も広い。据え付けの竈《かまど》がふたつあり、灰が溜《た》まっている。上の煙抜きからは、蔦《つた》が入り込んで垂れ下がっていた。

荒れ果て、埃《ほこり》にまみれた什器《じゅうき》の類《たぐい》が転がっている。勝手口脇には、ひとかかえもありそうな水瓶《みずがめ》が三つ。ひとつはぱっくりと割れ、ひとつは横倒しになり、ひとつは縁が欠けてひびが走っている。

その前で、女がしゃがみこんで泣いていた。女に寄り添って前屈《かが》みになり、縞《しま》の着物に襷《たすき》をかけた年配の男が一人、しきりと女の背中をさすっている。

「宗助さん」と、おちかは呼んだ。

男女が顔を上げた。泣き濡《ぬ》れた女の顔は、お福が評していたとおりのおかめ顔である。

「お吉さんですね」

宗助は、おちかが漠然と思っていたより骨太で、がっちりとした身体つきをしていた。が、その手を見れば、彼が繊細な仕立て仕事の職人であったことは明らかだ。

「若お内儀《かみ》が……手前のことはご存じないのでしょうがないですが……」

宗助は困り果てているようだ。おちかは子供のようにぴょんと土間に跳び降りた。

「でも宗助さんには、お吉さんがわかるんですね？」

死んでもなお、石倉屋のことを案じていた忠義の奉公人である。

「はい。ですが、お嬢さんと、そちらさまはどなたです？」

宗助はひと目で、藤兵衛が職人や奉公人の立場の人ではないと見抜いたらしい。謙譲な口調だった。

「まあ、おいおいわかります」と、藤兵衛は丁寧に応じた。「石倉屋の若お内儀さん、いえ、お吉さん。泣くのはおやめなさい。あなたがどうして泣けるのか、このお嬢さんはご存じだ。だからもう泣かなくていい」

おかめ顔のお吉は、泣いていても愛嬌《あいきょう》があった。美しくはないが、愛《いと》しい顔だ。いっとき、確かにこの人は石倉屋を明るくしたはずである。

「怖かったでしょう」

おちかは、何も小難しいことを考えずに、ごく当たり前のようにお吉を抱き寄せた。お吉も泣きながら身体をあずけてきた。

「ねぇ、寂しくて怖かったですよね。でも、もう終わりました」

「あたし……あたし……」

「すっかり終わりました。だからもう、泣くだけ泣いたら、それでしまいだ」

穏やかに、藤兵衛はお吉に言い聞かせる。

「私もそうだから、わかるんだ。お吉さんのことを、このお嬢さん、おちかさんは知ってる。知ってもらったら、重石《おもし》がとれた」

あんたは本当に気の毒だったけれども——と、藤兵衛は声を落とした。

「誰もあんたが憎くてしたことじゃない。許せとは言いませんよ。ただ、勘弁してやってください。堪《こら》えてやってくださいよ」

できるでしょう?

「今ならばね。今となっては、ね」

まばたきして涙を落とし、お吉は寝ぼけたような眼差《まなざ》しで藤兵衛を、おちかを見た。

「あたしは、どうしてここにいるんでしょう」

「じきに立ち去りますよ。一緒に行きましょう。お吉さんは一人じゃない」

宗助が勢い込んでうなずく。「手前が、若お内儀にお供いたします」

その真摯《しんし》な横顔に、思わずおちかは手を合わせた。叔母《おば》さんは正しかった。こういう奉公人を、徒《あだ》やおろそかにしてはいけない。

どこか廊下の先の別の場所で、どたばたと子供の足音が入り乱れたかと思うと、男の子の声がにぎやかに弾《はじ》けた。

「兄ちゃんが鬼だよ、つかまえてみな！」

それに続いて、春吉《はるきち》、走るんじゃねぇと叱りつける、年長らしい男の子の声も聞こえた。

「おや」と、藤兵衛が顔を上げる。「どうやら清六さんは、おたかちゃんのお身内を先に見つけたようですね」

おちかはどきりとした。それが伝わったのか、お吉がしがみついてくる。

「あの子たち、誰です？」

「いえ、怖いものじゃありません。大丈夫ですよ」

おまえたち、暴れるんなら庭でやれと、清六の張りのある声が響いてくる。老職人は、想いの残る別れ方をさせられた愛弟子《まなでし》一家との再会に、若返ってさえいるようだ。

おちかは、お吉を抱きかかえたまま藤兵衛を見た。「辰二郎《たつじろう》さんたちは、やっぱり亡くなっていたんでしょうか」

この屋敷に呑《の》まれて、閉じこめられていただけではなかったのか。

「残念なことでございますが」と、藤兵衛は答えた。「遠い昔の出来事ですよ」

「でも、屋敷の焼け跡から亡骸《なきがら》らしいものは出てこなかったそうですよ。見つかったのは清六さんだけだったんです」

人は魂ばかりでできているわけではない。必ずその器、身体がある。ならば、辰二郎おさんの夫婦と、おたかの兄姉弟《きょうだい》たちの身体だって、どこかにあるはずではないか。

おちかの問いかけに応じる前に、藤兵衛は丁寧に宗助に頼んだ。

「宗助さん、お吉さんをお願いします。庭の、曼珠沙華《まんじゅしゃげ》がたくさん咲いているところで休ませてあげてくださいよ」

かしこまりましたと、宗助が引き受ける。お吉は素直に彼に従い、彼にかばわれながら庭へと出ていった。

藤兵衛がおちかに向き直る。「清六さんの亡骸が見つかった後、屋敷の焼け跡はよく検《あらた》められたのでしょうか」

おちかは考え込んだ。清太郎の語ってくれたことを思い出してみる。

「取り片付けたということでした。そこは今も更地のままで、ぺんぺん草さえ生えないそうなのです」

藤兵衛は、考え込むようにうなずいた。

「誰も、進んで検めたくはなかったのでしょうね。ならば、亡骸や骨は、きっとあったはずです。埋もれているのかもしれない」

「でも、それなら、おたかさんが気づかなかったはずはないと思います」

「おたかさん——おたかちゃんにはわからなかった。気づかなかったのですよ。それこそが、この屋敷がおたかちゃんをたばかっている証《あかし》ではございませんか」

背筋に冷たいものが走るのを感じて、おちかは身を縮めた。

「皆さん、どうやって亡くなったのでしょうか」

藤兵衛の穏やかな口調は変わらない。が、眼差しのなかに悲痛な色が浮いた。

「阿鼻叫喚《あびきょうかん》の出来事があったとは思えません。辰二郎さんたちは、一人また一人と土蔵に入り、そこで屋敷の見せる夢のような幻のなかに浸り込んで、静かに弱っていったのではありますまいか」

おたかが命を拾ったのは、清六たちが踏み込んだとき、あの子の身体だけはまだ保っていたからなのだ。

――まだ駄目なんだ！　まだあたしの番がこない！

助け出されるとき、おたかが叫んだ言葉の意味も、それならわかる。

おちかの身体の芯《しん》に、今までなかった感情の火が点《つ》いた。

怒りである。おちかは腹を立てていた。

「なんて酷《むご》いことを」

「酷いことでございます」

「非道で、狡《ずる》いことです」

「そうですよ。この屋敷の主《あるじ》はそういうものなのです」

土蔵のなかにいるものは。

おちかは拳《こぶし》を固めて姿勢を正した。「松太郎さんを連れ出さなくちゃ。藤兵衛さんのおっしゃるとおり、この屋敷を打ち負かさなくちゃいけません」

でも――どうやって？

迷ってゆらいだおちかの眼差しを、藤兵衛はしっかり受け止めた。

「どうすればいいのか、おちかさんはもうご存じのはずでございますよ」

「わたしが？」

「ええ。何も難しいことはない」

今までと同じことをすればいい。これまでおちかが〝黒白の間〟でしてきたことを。

藤兵衛は強く温かな声で言った。「お嬢さんが私どもにしてくだすったことを、今度はこの屋敷の主にもしておやりなさい」

土蔵の観音開きの扉の前には、松太郎とおたかが立っていた。松太郎が後ろに立ち、おたかの華奢《きゃしゃ》な肩に両手をのせている。

少女のおたかは、拗《す》ねたような目つきをつくろうとしていたが、その瞳《ひとみ》がしばしば揺れて、落ち着きを失っていることが、おちかにはわかった。

気をとられているのだ。庭にいる両親や兄姉弟たちに。

亡き人びとの魂は、曼珠沙華の花の群れのなかに、ひとかたまりになって佇《たたず》んでいる。おたかの兄姉弟たちはまだ遊び足りないようで、しきりと花畑から出ていこうとするのを、辰二郎とおさんが押さえている。

お吉は宗助にもたれかかっている。お彩と市太郎は、お吉の目から隠れるように、少し離れたところでうつむいている。そのふた組のあいだに、背中で我が娘と息子を庇《かば》い、嫁には謝るように頭を垂れて佇んでいる夫婦は、石倉屋の鉄五郎《てつごろう》とおかねに違いない。

みんな揃った。おちかは一同にうなずきかけた。

「おたかねぇちゃん」

いちばん幼い弟の春吉が、土蔵の前のおたかに呼びかける。

「ねぇちゃんも、こっちへおいでよ」

それを聞いた途端に、松太郎の表情が動いた。険しく、嫌悪するように眉《まゆ》を寄せ、少女のおたかの身体を回して、土蔵のなかへと押しやった。

「入ってな。さあ、いい子だから」

おたかはちょっとよろめき、瞳は未練に引かれて春吉の方へと引っ張られる。そこを松太郎がさらに強く押して、おたかはつんのめるようになって土蔵の内側へ消えた。ついで、松太郎も扉の敷居を跨《また》ぎ越す。その刹那《せつな》、挑むような鋭い目をおちかの顔にぶつけてきた。

さあ、おまえもこっちへ来られるか?

おちかは受けて立つ。ええ、行きましょう。

「藤兵衛さん」

「私はここにおります」藤兵衛はおちかの手を強く握りしめ、そっと放した。「皆と、お嬢さんをお待ちしておりますよ」

はい、と応じて、おちかは踵《きびす》を返し、土蔵へと歩み寄る。屋敷の庭じゅうで、木立に掛けられたきらびやかな数多《あまた》の衣装が、手を打って喜ぶかのように舞い踊った。

おちかは土蔵へと一歩踏み込む。

淡い陽射しのなかに、細かな埃《ほこり》が漂っている。存外と狭い。二階へ続く梯子段《はしご》が手前に大きくせり出しているせいもあるし、壁に据え付けられている桐の箪笥《たんす》や、積み上げられた木箱が幅をとっているのだ。おまけに、箪笥の引き出しは大半が抜き取られ、床に積み上げられている。虫干しだからだ。

おちかは臆《おく》せず、しかし足音をひそめて、それらのあいだを抜けてゆく。うっすらと白く埃をかぶった黒い床板。そこに子供の裸足《はだし》の足跡がついている。突き当たりの壁に背中をくっつけて、おたかがこちらを睨《にら》んでいた。

松太郎もそこにいた。金具に棒を通して担うことができるようになっている、見事な黒塗りの櫃《ひつ》の上に腰かけていた。

おちかは二人に向き合うと、一礼した。そしてその場にするりと正座し、今度は床に指をついてもう一度頭を下げた。

「神田三島町、袋物屋三島屋のちかと申します」

両手をついたまま顔を上げ、ぴたりと松太郎を見上げる。彼の顔からは表情が消え失《う》せ、のっぺりとした沈黙だけが貼りついている。

少女のおたかがつぶらな瞳を瞠《みは》る。さも憎さげな、さっきの目つきは借り物だ。今のこの子は、ただ成り行きに驚いているだけだ。

おちかは続けた。「わたくしは、叔父《おじ》、三島屋主人《あるじ》伊兵衛の命を受けまして、変わり百物語の聞き役を相務め居《お》る者にございます。本日もその趣向にて、此方様《こなた》がご秘蔵の不可思議譚《ばなし》をお聞かせ願いたく、まかりこしましてございます」

さて。おちかは凜々《りり》しく微笑んだ。

「わたくしにお話をお聞かせくださるのは、どなた様でございましょうか」

八

おちかの声音が響いて消えると、土蔵の内には再び沈黙が満ちた。水のように冷たい静けさ。おちかはその重みを両肩に感じることさえできた。

松太郎が、その沈黙を押しやった。

「俺の話なら、お嬢さんはとっくにご承知でしょう。今さら言い並べるまでもない」

この屋敷に踏み込んで、初めて邂逅《かいこう》したときの松太郎の声と姿に、おちかはとっさに、確かに、懐かしさを覚えた。欠けた指を補う詰めものをした手袋まで、すべて在りし日のままだったからである。

が、今。土蔵のなかでは少し違う。

何だろう、この声は。松太郎はこんな嗄《しゃが》れたような声をしてはいなかった。もちろん、彼の声ではあるのだけれど——

松太郎の表情もそうである。おとなしい人だったから、喜怒哀楽にはっきり分けることのできぬ、茫洋《ぼうよう》とした面持ちでいたことは、よくあった。それを無表情というのなら、今のこの顔もそうだ。でも何かが違う。

ひたと見つめると、松太郎も見つめ返してくる。おちかは目をそらさずに、ゆっくりと言った。「それでも、あたしが知っていると思っているあなたのお話と、あなたの胸の奥にあるお話とは、きっと違うと思うのです。食い違っていたからこそ、あんな辛《つら》いことが起こったのですものね」

辛いこと。松太郎はおちかの口真似をして繰り返し、嘲《あざけ》るように短く笑った。

「そうですかい。でもお嬢さんは肝心なことをお忘れだ。あんなことは、起こったんじゃねぇ。俺が起こしたんだ」

あなた一人じゃない。皆で起こしたのだ。言おうとして、おちかは堪《こら》えた。あたしは聞き手だ。話すのは松太郎だ。

口をつぐんで、おちかは待った。きらきら光りながら浮いている埃は、いつになったら落ちてくるのだろう。これは本当に埃なのだろうか。この家の真の主《あるじ》の、砕けた心の欠片《かけら》なのではあるまいか。

「――恨んでいるんでしょう」

松太郎が低く呟《つぶや》く。おちかの耳には、その声はいっそう変わって聞こえた。

松太郎の声に、混じりものがある。

「訊いてるんですよ。答えてくださいよ、お嬢さん。俺を恨んで、怒っているはずだ」

おちかは目を瞠ったまま止まっていた。今、松太郎の瞳が動いた。あれは彼の瞳ではない。

別人の声。別人の瞳。

おちかは尋ねた。「あなたはどなたでございますか」

松太郎が応じる。「何を茶化《ちゃか》すようなことを――」

「重ねてお尋ねいたします。あなたはどなたです？　松太郎さんのなかに隠れておられますね」

二人のやりとりを、まばたきもせずに見つめていた少女のおたかが、我慢が切れたみたいにびくりと震えた。おちかはおたかに目をやると、微笑みかけた。

「怖くありませんよ。大丈夫」

おたかは忙《せわ》しなくおちかと松太郎を見比べながら、背中で壁をこするようにして、その場にずるずるしゃがみこみ、手足を縮めた。

「どうぞお応《こた》えくださいまし。そしておでましくださいまし」

おちかは床に手をついて平伏した。

面《おもて》を上げた、そのとき。

松太郎の身体が急に傾き、宙に泳ぐようにふらついて、櫃の上から転がり落ちた。

しかし何の音もしなかった。布きれが風に吹き落とされたかのように、松太郎はへろりと床の上に転がった。

おちかは彼に飛びついた。抱き起こすと、さらに驚いた。まるで重さがない。肩も腕も冷たく、その頭はおちかの胸にもたれかかるように垂れている。触れることはできるのに、重みがない。

「お、お嬢さん。すまねぇ」

松太郎はおちかから身を離そうとするが、うまくいかない。手も足も、彼の思うように動かないのだ。

まるで、操り手を失った浄瑠璃《じょうるり》の人形のようだった。おちかは確信した。今の今まで、松太郎のなかには、彼をここに呼び寄せたものが入り込んでいた。

「こんなところに呼ばれて――俺はどうしてここに――お嬢さんに何を」

鼓動がない。呼気もない。松太郎はすでに亡く、ここにあるのは彼の念が化した姿だ。それでもおちかは、彼の口からこぼれ出る言葉に、狼狽《ろうばい》を感じた。彼の震える眼《まな》差《ざ》しに、恥を感じた。彼の悲しみが、その軽く虚《うつ》ろな身体を通して伝わってきた。

「あなたのせいじゃありません」

おちかは叫び、松太郎の肩口に顔を伏せた。

「あなたが悪いんじゃない。ごめんなさい、ごめんなさい。どんなにか謝りたかったの」

松太郎の全身が、波打つようにわなないた。

「謝るって、お嬢さんが、俺に」

どうして。どうして。同じ問いかけを湛《たた》えて、二人の目がぴたりと合う。

おちかは深くうなずいた。ただ、うなずいた。何か言おうとすると、言葉より先に涙が出てきてしまう。それはいけない。ここで泣いてはいけない。

「俺は良助さんを手にかけた。お嬢さんの恋しい人を殺《あや》めた。なのに、お嬢さんは俺に謝るって」

「あたしだけじゃありません。兄さんもあなたに謝りたいって。松太郎があんなふうに思い詰めてしまったのは、俺たちの傲《おご》りや意地悪のせいだったって」

二人の脇では、腰を抜かしたようになっていた少女のおたかが、少しずつ尻《しり》をずらして、二人から離れようとしていた。おちかは気づかなかったが、おたかはそうやって、さっきまで松太郎が腰かけていた櫃に近づいているのだった。

その櫃《ひつ》が、おたかを惹《ひ》きつけていた。おたかの瞳《ひとみ》には、いつの間にか底光りするような青白い輝きが宿っている。

少女は手を伸ばし、櫃に触れようとする。

その刹那《せつな》、割って入るかのように、土蔵の外から子供たちの声が聞こえてきた。

「おたかぁ」

「おたかねぇちゃん」

はじかれたように、おたかは櫃から手を引っ込め、勢い余って床に転んだ。互いを支え合うようにしていたおちかと松太郎は、驚いて振り返る。

「おたかねぇちゃん、出てきてよ。もういたずらしないから、出てきてよう」

あれは末の春吉の声ではないか。心細さに裏返り、甘く訴えるような声音が、おちかに力を与えてくれた。あの子に、あんな悲しそうな声を出させないために、あたしはここに来たのだ。

「おたかちゃん！」

きっとおたかの目を見つめ、松太郎の身体を支えながら、

「二人で、ここから出なさい。今すぐ出るんです。おたかちゃんにこの兄《あに》さんをお願いします。あんたならできるわね？　この兄さんを連れて、お庭に出なさい。みんな、そこで待ってるから！」

「――待ってる？」

まだ床に転がったまま、それでもおたかは呟いて、そしてその呟きが強くしっかり

とした問いかけになった。

「待ってるって、お父ちゃんとお母ちゃんが？」

「ええ、あなたの兄さん姉さんたちも、春坊も。みんなあなたに会いたがってる」

おたかぁ～。呼び声が聞こえる。ほら、とおちかは大きな笑顔をつくる。

「行きなさい。こんなところからは出ていくんですよ！」

おたかは仔兎《こうさぎ》のように跳ね起きた。松太郎の手を取ると、ぐいと引っ張る。おちかは松太郎を優しく押しやって――

いきなり、引き戻された。松太郎の身体が力を取り戻し、冷たい腕がくねるように動いて、おちかの胴をとらえる。ついで、その手がおちかの首にかかった。

間近に見る彼の目は、また別人の目にすり替わっている。

「旨《うま》いことを言うな、この尻軽女《しりがる》め」

嗄れた混じりものの声で、松太郎はおちかを罵《ののし》る。喉元《のど》を強く絞め上げられて、おちかは声も出ない。息が止まりそうだ。

「心にもない言葉ばかり並べて、まだ俺をだまくらかそうという腹だろうが、そうは問屋がおろさねぇ。二度は騙《だま》されねぇぞ！」

おちかの首が絞まる。身をもがいて、必死で松太郎の手に指をかけ、掻《か》きむしろうとしても爪が立たない。頭のなかが真っ白になり、気が遠くなる――

「嫌だ！」

土蔵のなかに、おたかの悲鳴が響いた。嫌だ、嫌だ、嫌だと叫びたてながら、少女は松太郎に飛びかかり、あたるを幸いにぶったり蹴《け》ったりし始めた。

「そんなことしちゃ駄目だ！　そんなのもう嫌だ。やめて、やめて、やめてってば！」

おたかは小さな粒の揃った歯を剝《む》き出すと、いきなり松太郎の二の腕に嚙《か》みついた。ぎゃっと叫んで、松太郎はおちかを突き飛ばすようにして離した。おちかはどっと横様に倒れ、激しくむせて、咳《せ》き込んだ。

「お、お嬢さん」

我に返った松太郎は、またぞろ腑《ふ》抜《ぬ》けたようにへたりこむ。目に涙を溜《た》めたおたかが、彼の袖《そで》をつかんで引っ張る。

「外へ出ようよ！　早く出よう！」

そのとき、おちかは感じた。床に伏しているから、全身に響いてくる。

ずずずず――

土蔵が揺れ始めた。軋《きし》んでいる。積み上げられた木箱や簞笥《たんす》の引き出しがかたかたと鳴り、床の上で滑るように動き出す。おちかが手をついて身を起こすと、壁の漆喰《しっくい》の破片が顔に降りかかってきた。

建物ごと、土台から揺れている。なかでも揺れが激しいのは、あの櫃だ。四隅を順番に浮かせて、踊るように跳ね動いている。この櫃の鳴動が、土蔵を揺り動かしているようにさえ見える。

あれが、あれこそがこの土蔵の核なのか。あのなかにいるものが？

閃《ひらめ》きに、おちかの胸ははずんだ。が、つと目の隅にとらえた光景に、血が凍りかけた。土蔵の出入口の二重扉も揺れている。観音開きの扉が、扇《あお》ぐように左右にふれて、今にも閉じてしまいそうだ。

「早く、早く逃げて！」

扉が閉まる！

と思った瞬間、土蔵の外から一本、二本の腕が伸びてきて、閉じかかる扉をがっちりと押さえた。

「おたか、おたか！」

「おちかさん！」

清六の声だ。藤兵衛の声だ。

「こっちこそ、そうは問屋がおろしません。さあ早く出ておいで！」

清六じいちゃん、とひと声呼んで、おたかは二重扉の方へ駆け出した。重みのない松太郎の身体は、少女の力に、軽々と袖を引かれてついてゆく。

二人が二重扉から外に飛び出したその時、おちかは座り直すと、揺れに負けぬよう手を突っ張って、声を張り上げた。

「お鎮まりなさい！　わたしは逃げません！」

松太郎が腰かけていた櫃、おたかが惹きつけられていたあの塗りの櫃に、目を据える。櫃は嬉《うれ》しげに跳ね踊り、土蔵を揺り動かしている。

「隠れんぼうがお好きなあなたは、そこにおいでのようですね」

揺れに負けぬよう、足を踏ん張って立ち上がり、櫃に近づく。蓋《ふた》に手を置く。

ずいぶんと古い品だ。贅沢《ぜいたく》な拵《こしら》えであることはわかるが、脇腹に描かれていた家紋らしきものは、すっかり剝《は》げ落ちてしまっている。いや、これはあるいは——削《そ》ぎ落とされたのだろうか。

「ようやく、相対《あいたい》でお話を伺うことができるようになりました。開けさせていただきますよ！」

寸時の躊躇《ためら》いもなく、おちかは櫃の蓋を開けた。それは存外に重く、土蔵の激しい横揺れに、それ自身の重みで傾いて、ごとりと床を打って落ちた。

地響きと振動が、嘘のようにやんだ。

おちかの胸がすうっと晴れた。喉の痛みも消えてゆくようだ。

しかし、櫃のなかは空っぽだった。

古布《ふるぎれ》と埃《ほこり》の匂い。かすかな黴《かび》臭さ。それだけだ。なかには何もない。肩すかしである。

「空ですね」と、おちかは声に出して言った。

「こんな空っぽのものが、あなたなのでございますか」

これがあなたのお話ですか。

土蔵のなかはしんとしている。

藤兵衛は言った。お嬢さんが私どもにしてくだすったことを、この屋敷の主にもしておやりなさい、と。

おちかは空の櫃の底を見つめて考える。

この土蔵は座敷牢《ざしきろう》として使われていたという。もとの持ち主である武家の血筋が絶え、屋敷の主人が代わっても、また誰かが蔵に閉じこめられるような事情が生まれて、とうとう誰も住まなくなった。

ならば、ここにはいくつもの悲しみや苦しみが閉じこめられているはずだ。おちかが「あなた」と呼びかけている屋敷の主も、実は一人ではないのかもしれぬ。話を聞くべき相手は何人もいるのかもしれぬ。

なのに、さも怪しげなこの櫃《ひつ》は、空っぽだ。

なぜ空なのだ。山ほどの話が、積もり積もった想いがあるべきなのに。

おちかの心に、何か冷たくぬるりとしたものが滑り込んできた。

この櫃に入りたい。

櫃に入って蓋を閉じ、隠れてしまいたい。これまでの辛《つら》いこと、悲しいこと、忘れたくても忘れられぬ悔いを、我が身もろとも隠してしまいたい。

いや、そうするべきなのだ。おちかには咎《とが》がある。そうやって償うべき咎が。

この櫃に入るならば、すべてを容易に償うことができる。仏門に入るよりも手軽に、時と手間を省いて。

この櫃に入ってしまおう。

「おちかさん！」

「お嬢さん！」

おちかははっと目をしばたたいた。櫃の縁に置いた手が離れる。今のは藤兵衛だ。そして松太郎の声だ。

慄然《りつぜん》として、空っぽの櫃に目を落とす。何だろう今の想いは。抗《あらが》いがたくおちかを誘う、この土蔵の、この屋敷の意志は。

櫃に入ったら、おちかはここの主になる。

櫃が空だから、屋敷はおちかを求めている。

眉間《みけん》に皺《しわ》を寄せ、おちかは考える。

——土蔵のなかに潜んでいるのは、さして手強《てごわ》いものではございません。

藤兵衛はそう言っていたのではなかったか。

——とうに名前を忘れ、亡者の形さえ失った、ただの未練の塊だ。

そして、櫃のなかは空っぽだ。

天啓のように、おちかは悟った。そうだ、空だ。空であることが、この屋敷の主の話なのである。

「すべては遠い昔のこと」

かすかに節をつけて、自然と、歌うような呟《つぶや》きになった。おちかは、土蔵のなかをゆっくりと見回しながら続けた。

「繰り返されてはきたけれど、過去のこと」

この屋敷の時は停まっているように見えるけれど、それは見せかけだ。時は流れる。誰も時から逃れることはできない。

「悲しみ苦しみ、恨みと怒り。それは時を超えて残ります。でも」

それらの暗い想いを抱えていた人びとのことは、やがて忘れられてゆく。

ひとつひとつの話は、忘れられてゆく。

だから、空なのだ。

この屋敷の主の正体は、空なのだ。空であるからこそ、屋敷は人を求めてきたのだ。

求めて、呑み込んできたのだ。

それが、この屋敷の語るべき話なのだ。

「忘れられたことが悲しいのですね。忘れられてゆくことが悲しいのですね」

おちかの心は晴れ渡り、瞳《ひとみ》には清い涙が浮いてきた。

「もう、そんな悲しみに浸っているのはよしにしましょう。新しいことをするんです」

何が忘れられようと、どこまで忘れ去られようと、けっして消えずに残っている、この屋敷の主の〝願い〟をかなえるということを。

「あなたも、ここから出たいのですよね」

気づいてみれば、何と易しい答えであることか。それが、おちかがこの屋敷から聞き出すべき話なのだ。

「ずっと閉じこめられてきた。外に出たいのは当たり前じゃありませんか」

子供のように爪先《つまさき》立ってくるりと廻《まわ》り、袖《そで》を振って、おちかは土蔵のなかに呼びかけた。

「さあ、わたしと一緒に出て行きましょう」

毅然《きぜん》として背を伸ばし、おちかは二重扉へと歩み寄る。櫃の蓋は開けっ放し。積み崩れた引き出しを無造作に避け、微笑みを浮かべて、一歩また一歩と。

「外は明るいですよ。皆さんが待っていますよ」

おちかの手が扉に触れる。扉は、ごく当たり前のようにすうっと外側に開く。

おちかは敷居をまたぎ越える。

藤兵衛がいた。辰二郎がいた。清六がいた。松太郎がいた。おちかを見ると、藤兵衛を先頭に、自然と列をつくって並ぶ形になった。

「ああ、お嬢さん」

藤兵衛が懐かしいものを見るように笑う。

「そのまま振り返らずにおいでなさい。ちゃんと、ついてきておられますから」

屋敷の主が、おちかの後ろに。

「一緒に、あちらへ行きましょう」と、藤兵衛はおちかの背後に声をかけた。「あの曼珠沙華《まんじゆしやげ》がきれいな場所に」

女たちと子供たちは、曼珠沙華の花のなかで固まっている。が、おちかの歩みと藤兵衛の声に、彼女たちもまた列をつくり、おちかの後ろからついてくるものを出迎える。

松太郎が無言でおちかに並んだ。おちかは彼の手を取って微笑んだ。微笑みながら、もう一度言った。ごめんなさい、と。

「取り返しがつくことならば、どんなものと引き替えにしても取り返したいって、わたしたち、みんな思っています」

松太郎はただ首を振る。

「俺は、はぐれ者でした」

生まれてこない方がよかったくらいだ。

「俺を山道から投げ捨てたのは親父です」

もっと驚いていいはずなのに、おちかの胸は凪《な》いでいた。

「丸千の皆さんには、どうしても言えなかった。言ったら、皆さんにも見捨てられるような気がして。親に捨てられるような子を、他人様《ひと》が大事にしてくれるはずがない」

だから言えなかった。それが俺の僻《ひが》みになった。怯《おび》えになった。

「あんなことを、したくはなかったんです。自分でも、どうしてしでかしたのか、今となってはわかりません」

抑えきれない混乱した感情が、あの刹那《せつな》、あの一瞬だけ、松太郎を人でなしに変えた。

「お嬢さんには、優しくしてもらったのに」

もういい。もういいの。そう言うかわりに、おちかは彼の手を強く握りしめた。

曼珠沙華の花の群れが近づいてきた。真紅の花に囲まれて佇《たたず》むお彩と市太郎の美しい貌《かたち》に、見蕩《みと》れるようなとろんとした表情が浮かんでいる。二人だけではない。花のなかの誰もが、おちかの背後に続くものに魅せられている。

「さて、お嬢さん」

つと足をとめ、おちかの袖口に手を添えて、藤兵衛が言った。

「あなたはここまでだ。おたかちゃんのそばに行ってあげてください」

藤兵衛が目で示した先には、おたかがいた。豪奢《ごうしゃ》な振袖を枝にかけた松の幹に抱きついて、ぽつんと立っている。

九

少女のおたかの黒い瞳は、まばたきもせず、曼珠沙華の群れのなかの人びとを見つめていた。そこにはおたかの父と母がいる。姉と兄と弟がいる。清六じいちゃんもいるからだ。

「おちかさん」

その場から動けずにいるおちかに、藤兵衛が穏やかな声音のまま呼びかける。

「おたかちゃんと並ぶまで、まだ振り返っちゃいけません。さあ、そのまままずうっとお行きなさい」

易しいことです。おたかちゃんだけを見て、おたかちゃんのそばまで歩くんです。おたかのいる松の木のそばまで、おちかの足で十歩くらいだろう。おたかの前髪が乱れ、額に垂れかかっているのが見える。か細い腕が、まるで己をそこに縛りつけようとでもするかのように、固く固く、木の幹に巻きついているのも見える。おちかは震える足先を前に押し出した。

おちかとおたかは、もう、あの真紅の花のなかには踏み込めない。戻れない。あの人たちとは一緒に行けない。

そんなことはない。

声ではなかった。耳に聞こえたのではない。心に伝わってきた。心を素手でつかまれた。冷ややかで力強い手。ためらいのない手。

おまえもおいで。

大きくよろめいて、おちかは立ち止まってしまった。

振り返って、こっちをごらん。

冷ややかで力強い手が、今度はおちかの両肩をつかんでいる。つかんで、振り向かせようとしている。

抗《あらが》おうと、おちかは身を硬くして拳《こぶし》を握った。両足を踏ん張って堪《こら》えた。

「あんた」と、声がした。怯えて裏返った、少女のおたかの声だった。おたかの目は、おちかの肩越しに、宙の一点を見ていた。

「あれは何？　あれ、何なの」

最初は小さな呟《つぶや》きだった。が、おたかが同じ問いかけを繰り返すうちに、それは尻《しり》上がりに甲高く、しまいには叫び声になった。あれは何？　あれは何？

おたかの悲鳴が、おちかを縛っていた何かを切り裂き、吹き飛ばした。おちかは駆け出した。ほとんど身を投げ出すようにしておたかのもとへ飛んでゆくと、少女を掠《さら》い取って抱き上げた。そしておたかの目に代わり、おたかが見ていたものを見るために、くるりと身体の向きを変えた。

亡き人びとは、曼珠沙華の花の群れを掻《か》き分けるように、ゆっくりと歩いていた。遠ざかってゆく。

一同はゆるくふくらんだ列をなしていた。先頭には石倉屋のお吉と宗助がいた。忠義者の宗助は、お吉の手を取り支えながら歩んでいる。二人の姿は、この屋敷と庭の全体を取り囲んでいる朧《おぼろ》な霧のようなもののなかに溶け込んで、早くも半ばは見えなくなっている。

中ほどには、辰二郎おさんの夫婦と、清六がいた。子供たちをあいだに挟み、手をつないで歩んでいる。三人の子供たちのなかでは、頑是無い春吉が歩みつつ振り返り、時には立ち止まってしまいそうになる。それを清六が、背中を押して促していた。

春吉の小さな口が開いて、何か言ったように見えた。おたかねぇちゃん——と呼んだのかもしれない。だが声は聞こえなかった。

石倉屋の人びとがそれに続く。お彩は後ろ姿も美しい。両親に挟まれて、軽くうつむいたうなじが白々と見える。曼珠沙華の花のなかで、そこだけほのかに輝いて見えるほどに。

市太郎は両親と姉から少し離れて、一人で歩んでいた。彼のすぐ後ろにいるものに、気づいているのかいないのか。気づいていても気に留めていないのか。その横顔は穏やかで、前を行く姉のしなやかな背中だけを見つめているようだ。

市太郎の背後を歩むもの——

それが歩いていると言っていいのか、おちかにはわからない。浮かんでいると言っても違うような気がする。それはただそこに在る。そこにいる。そして、亡き人びとと共に曼珠沙華の咲き乱れるなかを、霧の先へと遠ざかってゆこうとしている。

淡く金色に輝いている。人の丈よりもずっと高く、ずっと大きい。人の形をなしている。頭がある。肩がある腕がある。足がある。が、おちかが目を瞠《みは》るうちにも、それは形を変えた。とても小さな濃い影となり、こぼれ落ちるように真紅の花々のあいだに隠れた。

おちかが目を凝らすと、次の瞬間にはそれは白く翻《ひるがえ》る衣のようなものに変わって舞い上がり、先を歩む人びとの姿を覆い隠した。おちかがまばたきをすると、また淡い人影へと戻った。

人影のなかに、次から次へとめまぐるしく顔が映り始めた。女かと思えば子供、子供かと思えば老婆。大きな髑髏《どくろ》が見えたかと思えば、女の黒髪がなびく。

一人ではない。封じ込められた想いの塊。形はない。ただ、意志だけはある。

おまえもおいで。

深く息を吸い込むと、腕のなかのおたかをしっかりと抱きしめ直し、おちかは呼気のすべてを声に変えて、返答を投げた。

「行きません」

その刹那、淡い人影が乱れて形を失い、ふわりとふくらんで元に戻るとき、かすかな笑い声をあげた。

いや、泣き声であったかもしれない。

藤兵衛と松太郎は肩を並べ、こちらを向いて立っている。おちかを見て、藤兵衛は笑顔になった。松太郎は、風に吹かれてでもいるかのように、ゆっくりと身体を揺らしている。

藤兵衛が頭を下げた。松太郎も同じように身を折った。そして二人とも、もうおちかに目をくれることはなく、背を向けて歩き始めた。ふくらんでは流れ、歪《ゆが》んでは形を取り戻す淡い人影の後をついてゆく。あるいは、二人でせきたててゆく。

屋敷の外に出ていってしまう——

曼珠沙華《まんじゅしゃげ》の花畑が、手前の方から色を失い始めた。ほとんど藤兵衛と松太郎の後を追うように、彼らが通ったそばから枯れてゆく。いや、消えてゆくのだ。そして消えゆく赤い花々のほっそりとした茎のあいだに、おちかは己が聞き取ってきた話のなかの、最後の一人の顔を見た。

あれは、藤兵衛の兄ではないか。花と一緒に消えてゆく。

「ああ、兄さん」

足を緩めず、にこやかな声音で、藤兵衛が呼びかけるのが聞こえてきた。

「どこにいるのかと思ったよ」

その声が最後だった。曼珠沙華の花畑はかき消えた。そこにいた人びとと、土蔵から出てきた屋敷の主と共に。

おちかの耳元で、少女の泣き声が聞こえた。おちかの肩に顎《あご》を載せ、両腕と両足で抱きつきながら、おたかが泣いているのだった。

「あれは、何」

泣きじゃくりながら、おたかは繰り返した。「みんなを連れて行っちゃった。あたしはまた置いてけぼりだ。あたしだけ置いてけぼりなんだ」

「違うわ」

優しくおたかの髪を撫《な》でてやりながら、おちかはいった。

「あれがみんなを連れて行ったんじゃない。みんながあれを連れて行ったの」

「あれは何？」

「この屋敷のご主人様」

おちかはおたかを地面におろすと、涙に濡《ぬ》れたその顔を、懐紙と手で拭《ぬぐ》ってやった。あとからあとから溢《あふ》れ出るおたかの涙は、おちかの指を温かく濡らした。

「ご主人様だけど、もうここには用がなくなったの。だから立ち去ったの。一人では出て行かれなかったから、みんなで一緒に連れて行ったんですよ」

「どうしてあたしは行かれないの？」

全身を震わせながら問いかけるおたかは、おちかが答える前に、えずくように泣きながらこう続けた。「お父ちゃんが、あたしは来ちゃ駄目だって言ったの。一緒に来ちゃいけないって。おまえだけでも残ってよかったって。どうしてそんなこと言うの？」

おちかの目の奥も熱くなってきた。「それが正しいことだからよ」

おたかはふらつきながら身を返すと、曼珠沙華の花畑があった方を向いた。

「あたし、あれが好きだったの」

とってもきれいだったから。

「お父ちゃんもお母ちゃんも兄ちゃんも姉ちゃんも、春坊だって、初めのうちはみんなそう言ってた。だけどあたしがいちばん好きだったのよ。あたしがいちばん、あれと仲良しだったんだから」

あのお蔵のなかで——と、おたかは土蔵を指さしてみせた。

「いつからか、お父ちゃんはおかしなことばっかりしてた。お庭にも穴を掘ったりして。お母ちゃんは泣いてることもあった。兄ちゃん姉ちゃんは大きな声を出して、暴れて叱られたりしてた。どうしてか、あたしにはわかんなかった。ここはいつでもとっても静かで、あたしたちみんな楽しくて、あれはいつでも、とってもきれいだったから」

なのに、さっきは違ってた。

「おたかちゃんに会うときは、あれはいつもよそ行きを着てたのよ。だけどさっきは普段着だった。だから違って見えたのね」

でも、普段着の方が本当よ。

「さ、わたしたちも帰りましょう」

「どこへ？」

「おうちへ」おちかはおたかに手を差し伸べた。「あたしにも、おたかちゃんにも、帰りを待ってる人がいるからね」

高らかに言って笑顔になり、しかしまわりを見回して、おちかはすっと寒気を覚えた。

屋敷も庭も、物音ひとつしない。すべての気配が消え、すべてが虚《うつ》ろになった。風も吹かない。木々の枝を飾る豪奢《ごうしゃ》な着物や帯も、色あせて輝きを失った。

出口はどこにあるのだろう。

「わたしたちも、お庭の端まで行ってみましょうね」

おたかに笑いかけて、歩き出した時である。

目の前、ほんの数歩の先に、一人の男が現れた。どこから来たのかわからない。木の陰に潜んでいたのか。植え込みにかがんでいたのか。いや違う。そんな動きはどこにも感じられなかった。今まで点《つ》いていなかった灯《あか》りが点いて、突然この男の姿を照らし出したというようだった。そして前に立ちふさがっている。

歳は藤兵衛と同じくらいだろうか。恰好《かっこう》もよく似ている。地味な縞目《しまめ》の着物に羽織をつけ、月代《さかやき》は艶《つや》やかに剃《そ》り上げられている。遠目で見たら、藤兵衛と間違えそうだ。

しかし、足だけは赤裸足《あかはだし》だった。男は足袋《たび》も履物もはいていない。

おちかは息を呑《の》んだ。

おちかが察したことを察したのか、男は口元に薄い笑みを浮かべた。

「お帰りになりますか」

これもまた、耳よりも胸に響いてくるような声だった。男のいる方から聞こえてくるのではなく、どこからともなく、おちかの耳元に直《じか》に届いてくる。

「いよいよ、ここも空になりますな」

この屋敷の家守だ。百両を餌に辰二郎を誘い、おたかをここの留守居役に定めた、あの男だ。

「あなたは誰です」と、おちかは訊《き》いた。するりと一歩前に出て、おたかを背中にかばう。

男は笑った。「そんな用心をなさらなくても、もうその子に用はございませんよ」

おたかが背後からおちかにしがみついてくる。おちかはその手をきつく握った。

「あなたは何ものです」

さあ、と男は目を宙に泳がせた。軽く足を踏み替えると、異様に白く骨張った足指が、庭土の上を滑る。

「いろいろな名がございます。その方が便利ですからね」

私も、私を呼ぶ人たちも——と言った。

「ただ、ひとつだけお教えしましょう」

男はおちかの目をとらえると、そこに喰《く》いつこうとでもするかのように、ぐいと乗り出した。

「私は商人《あきんど》です。私が売るものを欲しがる人に売り、私が売りたいものを持っている人から仕入れる。そう、商人でござんすよ」

おちかは臆《おく》せず男の目を見つめ返す。が、おかしなことに、見つめるうちに男の姿は消え、そこには誰もいないように見える瞬間があるのだった。まばたきすれば、男はまた現れる。次のまばたきで、またいなくなる。

「あなたの叔父《おじ》さんと同じです」と、男は続けた。「三島屋さんが、越川と丸角というふたつの名店をつなぐ道筋にお客を見つけたように、私もふたつの場所をつなぐ道筋で、お客を相手にしているんです」

「ふたつの場所？」

あちらとこちらと、と男は言った。「あの世とこの世と申しますかね」

どっちにも要るんですよ、私のような商人が。どっちにもお客がいるんです。

「三島屋のこと、なぜ知ってるんです」

男は心外だという顔をした。「知っているに決まっているでしょう。私はお嬢さん、あなたのことなら何でも知っている。ここに来る人のことなら、知らないことはないんです。正しい商いには、品物をよく知ることが肝心ですからね」

品物、と言い切られた。

同じ場所から動いていないのに、おちかは、男に押されて後ずさりしているような気がしてきた。

「そこを退《ど》いてください。わたしたち、帰るんです」

「道はわかりますかな。うっかりすると、迷いますよ」

迷ったら大変だと喉声《のど》で言って、男はまた笑った。目は動かず、頬も平らなまま、口元だけがひくりと動く。歯は見えない。

「お嬢さんのことは頼みにしていたんですが、あてが外れました。あなたは私なんぞが思っていたより、ずっと冷たいお人だった」

冷たい？　怒りより先に、おちかは戸惑いに眉《まゆ》をひそめた。わけのわからぬ呪文《じゅもん》でもかけられているかのようだ。

「わたしが何だっていうんです」

「だってそうでしょう。あなたは人でなしの味方ばかりしている。何ひとつ悪いことなどしとらんのに命をとられた石倉屋のお吉や宗助は、あんたの眼中にはなかった。藤兵衛の兄さんだってそうだ。あんたが心を寄せるのは、人を手にかけるか、人を不幸にした連中ばっかりでしょう。そいつらにはみんな、致し方のない理由《わけ》があったんだって、かばってやってね」

そんなことはない。おちかはこれまでの話を、そんな偏《かたよ》った耳で聞き取ってはいない。

「なぜかと言ったら、そういう連中はあんたの仲間だからだ」

膝《ひざ》が震える。男の言うことは正しくない。正しくないけれど、間違ってもいないと、おちかの心の隅で囁《ささや》く声がする。

「藤兵衛もお彩も市太郎も、鉄五郎もおかねも、みんなそうだ。辰二郎に至っては、女房子供の息の根をとめて、ここらに埋めたような男ですよ」

「それはあなたがやらせたことじゃありませんか！」

胸の奥から湧きあがってきた叫びが、おちかの口をついて出た。それは恐怖の叫びでもあった。この男は何を言っている？

「私は何もしておらんですよ」

男の口調は変わらない。上機嫌で鼻歌でもうたっているかのように、目は宙に遊んでいる。景色を愛《め》でている。この屋敷を、庭を愛でている。

「私はただ、ここに来たがる連中を案内してきただけだ。この美しい屋敷にねぇ」

おねえちゃん——と、おたかが小さくおちかを呼んだ。

「この人、嫌いだ。早く行こうよ」

おちかはおたかの肩を抱き、共に身を翻した。素早く、つかみかかるように男の声が追いかけてきた。

「あんた、良助さんのことはどうでもいいんですか」

つまずきかけて、おちかは止まった。おたかは必死で手を引っ張る。「行こう。早く行こうよ！」

「良助さんは、まるっきりの殺され損ですな。あんたが松太郎を許したいとばっかり思うもんだから、良助さんの恨みと悲しみは棚上げだ。胸が痛まんですか」

痛まんのですなと、男は続ける。

「松太郎を許さんと、あんたは自分で自分を許せない。全部、あんたの都合です」

ごめんなさい。いえ、もういいの。

——あたしの気持ち、本当はどっちにあったんだろう。

「そういう都合で、あんたは生きてる。これからも生きていくんでしょう。ええ、かまいませんよ。あんたのような人がいるおかげで、私の商いも成り立つんです」

何の商いですかと、おちかは訊いた。歯を食いしばり、声の震えを抑えて。

男は答えない。わずかの間を置いて、いっそ機嫌をとっているような優しい声が、おちかの耳に響いてきた。

「おちかさん。あんたとはまた会う機会がありそうだ。ええ、何度でもお目にかかるでしょうな。あんたの話は終わっちゃいない。私とあんたの商いは、この先、まだまだ続くでしょう」

楽しみだ。腹の底から楽しみです。

「それにはまず、あんたにここから帰ってもらわんとなりませんが、本当に道案内は要りませんかな」

いたぶるような口調に、おちかは前後を忘れて振り返り、男に向かって拳《こぶし》を振り上げそうになった。今にもそうしようというとき、何か小さくやわらかなものが足元に転がってきて、おちかの足の横にあたった。

ひと粒の蜜柑《みかん》だった。

「みかんだ」と、おたかも言った。驚いて目を丸くしている。

地面に目を落とすと、次の蜜柑が転がってきた。最初のひと粒よりも遠いところに止まる。すぐ三つ目が転がってきて、さらに離れたところに止まる。

おちかは足元の蜜柑を拾い上げた。ほの温かい。ついさっきまで、誰かの手のなかに握りしめられていたかのようだ。

思い出した。お彩と市太郎の、ふいご祭りの蜜柑の話を。二人の仲は道ならぬ仲だが、ひとつの蜜柑を温め合った、その場の想いは偽りではない。その温もりだけには罪はない。

この蜜柑は、想いの塊だ。この温もりは、心の温もりだ。

おちかがふたつ目の蜜柑の方へ踏み出すと、さらなる蜜柑が転がってきて止まり、

転がってきて止まり、先へ先へと列をつくり始めた。みるみるうちに、丸く愛らしい点々のつながった、蜜柑の道しるべができあがった。

あたしを案じ、あたしを呼んでくれている人たちが、この蜜柑を転がしている。

「行きましょう！」

おちかはおたかに笑顔を向けると、しっかりと手を握り合って駆け出した。蜜柑の道に沿い、蜜柑を追い抜いて駆ける。二人に追い越された蜜柑は、楽しそうにはずんだ。

「お達者で」

どんどん遠ざかる屋敷の方から、家守の男の平たい声が、かすれ細り消えかかりながらも追いすがってきた。おちかはそれを振り切るために、大きな声で呼びかけた。

「兄さん！　清太郎さん！」

走る、走る、走る。おちかとおたか。姉妹のような二人の娘は、手を取り合って走り続ける。二人の背後では、安藤坂の屋敷の幻が、鳴動と共に土台から砕け散る。柱が折れ壁が倒れ、崩れる端から塵《ちり》になって消えてゆく。庭の木々からは数々の着物や帯が飛び立ち、ひときわあでやかに色彩をまきちらしたかと思うと、灰と化して宙に失《う》せてゆく。

広大な庭は、静けさのなかでゆっくりと傾き、最後まで形を残していたあの土蔵を道連れに、屋敷を呑《の》み込んだ虚空のなかへと、滑るように消えていった。

家守の姿は、既にない。

おちかもおたかも、振り返ってそれを確かめることはない。やがて前方のまばゆい光のなかから、二人を呼ぶ声が聞こえてきた。

神田三島町の三島屋は、名店・越川と丸角のあいだに割り込んで、近年評判の袋物屋である。

ここでは昨今、履物の鼻緒を商うようになった。堀江町の草履《ぞうり》問屋越後屋と手を組んでの試みである。目新しい意匠の鼻緒はすぐ話題になり、流行《はやり》もの、珍しいものに目のない江戸の町の粋人たちが、日々訪れては店先を賑《にぎ》わせている。

さてこの三島屋には、知る人には知られたもうひとつの評判がある。主人の伊兵衛が百物語を聞き集めているのである。但し招かれる語り手は一度に一人で、蠟燭《ろうそく》を灯《とも》すの消すのというゆかしい趣向もなく、語り手は真昼に訪れ、語り終えればすぐ三島屋を後にする。

この変調百物語の聞き手は、主人の美しい姪《めい》である。

かつて越後屋の跡取りの嫁に望まれているという噂があるが、定かではない。

越後屋の誰かが百物語のなかの一話の語り手であったという噂もあるが、これまた定かではない。ただ越後屋で、永く奇妙な病に伏していたおたかという女が近ごろきれいに本復し、三島屋の姪と姉妹のように仲睦《むつ》まじくしていることは確かである。

そしてこれにも、三島屋の百物語がからんでいるらしい。

何の所以《ゆえん》の、どんな意図を秘めた百物語聞き集めであるのか――

それを知ることができるのは、語るべき話を胸に三島屋を訪れる客ばかりである。

解説

縄田一男

かつて江戸川乱歩は、評論集『幻影城』に収録された「怪談入門」の中で、ドロシー・セイヤーズら、海外の作家や評論家の研究を踏まえて、怪談を次のように分類したことがある。

すなわち、一、透明怪談　二、動物怪談　三、植物怪談　四、絵画、彫刻（人形）怪談　五、音又は音楽の怪談　六、鏡と影の怪談　七、別世界怪談（四次元的怪談）八、疾病、死、死体の怪談（医学的怪談を含む）　九、二重人格、分身の怪談　の九つである。乱歩は、「このほかに幽霊化物がそのまま姿を現わす素朴な怪談、化物屋敷、ウイッチなどの妖術、吸血鬼、ウエアウルフ、動物の憑きものなど無数のテーマがある」と続けているが、この他にもユーモア怪談などが挙げられよう。

しかしながら、乱歩も、恐らく平井呈一翁も生前、読むことができなかったのが、〝やさしい怪談〟なるものではないだろうか。そして、自らの怪談の原点を人間に対する慈しみに置いているのが、本書『おそろし　三島屋変調百物語事始』の著者、宮部みゆきなのである。

たとえば、初期短篇集『本所深川ふしぎ草紙』に収録されている「送り提灯」はどうだろうか。未読の方のために詳述はしないが、この一作ほど思春期の少女特有のあやうい憧憬《しょうけい》やおののきを、怪異を通して見事にとらえた作品を私は知らない。さらに『幻色江戸ごよみ』収録の「首吊り御本尊」は、奉公が辛《つら》くて首を吊《つ》ろうとした丁稚《でっち》を、ある神様が励ますというもの。

逢魔《おうま》が時《とき》やぬばたまの夜という怪異が生じるときを逆手にとって、そこに人間性回復の回路を仕掛ける――これは私が宮部作品を論じるときに幾度も繰り返して書いていることなので誠に恐縮なのだが――手法と、私たちの〈現在〉に日々起こっている常識では考えられない事件を、想像力の欠落した人間が起こしたものと定義し、これにその想像力をもって立ち向かう――想像力とは何も奇想天外な話をつくる能力ではなく、その根本にあるのは人を思いやる心である――手法とを止揚したところに宮部作品の原点があると私は考えている。

そしてそれはときに、本書や『英雄の書』のようにラストで現実と接点を持つ壮大なファンタジーにまで及んでいるのである。

ここで話を『おそろし　三島屋変調百物語事始』に戻せば、「家の光」二〇〇六年一月号から〇八年七月号にかけて連載され、加筆・修正を経て、〇八年七月、角川書店から刊行された作品である。
ところで作者もなかなか人の悪いところがあって（失礼！）、あるインタビューで、この作品のことを「『あやし―怪』の次なんで、ものすごく安易なんですけどシリーズタイトルは『おそろし』（笑）。久しぶりに怪談が書けるので非常にわくわくしていますと語っていたが、いざふたをあけてみると、宮部版「百物語」という壮大なライフワークとなっているではないか。しかも、この大部でまだ五話――作者が「連作が積み上がっていくスピードと私自身の生活の速度を合わせていきたい」というのもむべなるかな。

さて、その肝心の物語は、川崎宿の旅籠《はたご》の娘おちかが、眼の前で起こった惨事の衝撃でかたくなに心を閉ざしてしまうのが発端である。そこで袋物屋「三島屋」を営む、叔父《おじ》の伊兵衛は、おちかを引きとり、彼女の心をひらくための荒療治として客を招いて百物語を聞かせることにしたのである。

怪談による心療内科――やさしい怪談も遂《つい》にここまできたかと、私は本書を読みながらそう思わずにはいられなかった。前述の『本所深川ふしぎ草紙』や『幻色江戸ごよみ』をまとめていく傍ら、宮部みゆきは、特殊能力の持ち主であるお初を主人公とした『震える岩』『天狗風』等の〈霊験お初捕物控〉シリーズを刊行。好評を得るも、怪異の見える側と見えない側の意味づけをした『あかんべえ』を上梓《じょうし》したとき、「もう〝霊験お初〟には戻れません」と語ったことがある。宮部みゆきなら、このシリーズをあと何作でも書けたであろう。が、天晴《あっぱ》れ、彼女は退路を断ったのである。その結果として、いま、この百物語があるのだ。

宮部みゆきは「私は怖い話がめちゃくちゃ好きで」——と語っているが、実は、いまこの解説を書いている私も御同類。小学五年生のときにはじめて買った文庫本が、懐しや当時刊行されたばかりの帆船マークのついた創元推理文庫の〈怪奇と冒険〉部門の一冊目、『怪奇小説傑作集1 A・ブラックウッド他』で、TVでは夏になると放送される怪奇・怪談映画をむさぼるように見、親から「こんなものばかり見ていては、いまに変な人間になってしまう」(なったのかもしれない)と本気で心配されてしまった思い出がある。従って、ここからはじまる各篇の解説は、ややマニアックになってしまうかもしれないが、御容赦あれ。

まず、本書を読んで感じるのは、この連作が時代小説でありながら、欧米の名作怪談を思わせるモダンさを併せ持っている点であろう。おっ、宮部みゆき、やってるな！(再度、失礼)てなものである。

たとえば第一話「曼珠沙華」で、この花の中から誰の顔がのぞいたか、という趣向は、物語の設定はまったく違うものの、J・D・ベレスフォードの「人間嫌い」(創元推理文庫『怪奇小説傑作集2』収録)を思わせる。また第二話「凶宅」の〝生きている錠前〟のことが、後に「清六のような肝の据わった老人でさえ、歯が立たなかった」と説明されるや、清六のことが、あと一息のところでモンスターを倒し損ねたピーター・カッシング――英ハマー・プロを代表する怪奇スターで、フランケンシュタイン博士が当たり役だが、その佇《たたず》まいのみで一分の隙もない英国紳士の教養を体現できる存在。「吸血鬼ドラキュラ」で演じたヴァン・ヘルシング博士は何度観ても素晴らしい――のようにも思えてくる。

勿論《もちろん》、これらは私の妄想だが、前述のごとく、怪談による心療内科とはいいつつ、その治療には必ずや痛みが伴う。第三話「邪恋」に描かれているおちかの痛ましい過去は、その好例であり、この物語は本書の軸であるといえるのではあるまいか。また、もともと叔父の伊兵衛のいっていることも「広い世間には、さまざまな不幸がある。とりどりの罪と罰がある」「暗いものを抱え込んでいるのはおちか一人ではない」と、愛ゆえのきびしさに貫かれていたことを思い出していただきたい。

そして、まるで見事なまでに岡本綺堂ばりの第四話「魔鏡」を経て、大団円である第五話「家鳴り」で明らかになる凶宅に重なる怪異の層は、作者自身、「最後に出てくるある屋敷に取り憑く家霊は、日本の風土には本来ない西洋的な悪かもしれない」といっているように、初刊本刊行当時に翻訳されたばかりのブラックウッドのある中篇（メディアファクトリー刊『地獄』収録）と双璧《そうへき》だ、と嬉しくなったのを憶《おぼ》えている。

無論、宮部みゆきのこととて、安易なゴースト・ストーリーのはずもなく、作中人物の一人が「(亡者は)確かにおります。おりますけれど、それに命を与えるのは、わたしたちのここ(胸)でございます」(カッコ内は引用者)というように、畢竟《ひっきょう》、怖ろしいのは人間の心である、ということになる。

子供の頃、「四谷怪談」を見ていると怖いのはお岩の顔だった。だが、大人になると本当に怖いのは、伊右衛門《いえもん》であり、もっと怖ろしいのは、メフィストフェレス的な直助権兵衛《なおすけごんべえ》だと思うようになる。が、それをストレートに描いてしまっては身もふたもない。作者がうまいのは、亡者、或《あ》いは魔の出現の理由を、「待っている」「手放したくなかった」「助けて」等々、人間の身勝手な思惑と対置させている点であろう。それでこそ、この連作は、生者と死者の見事な合わせ鏡として高い完成度を持っている、と私は本書が刊行された際、書いた。だが、いまこの一巻を再読してみると、これは、いささか浅薄な解釈であったことを告白しないわけにはいかない。

宮部みゆきは、次のように指摘している。

いわく「こんなに不幸な人がいるんだから自分はまだマシだとか、私たちはともすれば物語の使い方を間違いがち。そしてともすれば間違うようなことを、ハッキリいわないとダメな時代なのかな、ヤンワリではもう伝わらないのかなと、最近私は何かにつけて思うんですね」と。

いわく「考えてみれば誰の心にもこういう黒々とした邪悪なものは潜んでいて、本書はおちか自身のなかにもあるその真っ黒なものの正体を百話かけて見極める物語ともいえる」と。

そして、宮部みゆきの時代小説は、ただ、時代小説としてあるのではない。彼女の中で現代もののミステリーとどこかでリンクしているはずなのである。

ではそこで、おちかが背負わされている黒々としたものの正体を、仮に次のように想定してみたらどうであろうか——。

それは、戦後の高度成長期からバブル期にかけて、来世に地獄も極楽もないと割り切ってしまった時点で、物質的豊かさに溺《おぼ》れ、現世に極楽を見出《みいだ》すべく奔走に奔走を重ね、かえって地獄をつくり出してしまった日本人そのものの姿ではないのか。

また書き手の側からいえば、戦前はお金はなくても心があった時代であり、戦後は心はなくてもお金があった時代。そして平成のいまは、心もお金もなくなった時代。宮部みゆきは、その乱離骨灰《らりこっぱい》と化した日本の荒野に、人間のあるべき姿を取り戻すべく、物語を書き続けているのではあるまいか。このライフワークの成功を心から祈る次第である。

〈書誌〉
連載　「家の光」二〇〇六年一月号〜二〇〇八年七月号
単行本　二〇〇八年七月、小社刊
ノベルス　二〇一〇年六月、新人物往来社刊

おそろし

三《み》島《しま》屋《や》変調《へんちよう》百《ひやく》物語《ものがたり》事始《ことはじめ》

宮部《みやべ》みゆき

平成24年 4月25日　初版発行
令和7年 5月15日　38版発行

発行者●山下直久

発行●株式会社KADOKAWA
〒102-8177　東京都千代田区富士見2-13-3
電話　0570-002-301（ナビダイヤル）

角川文庫 17369

印刷所●株式会社KADOKAWA
製本所●株式会社KADOKAWA

表紙画●和田三造

●お問い合わせ
https://www.kadokawa.co.jp/（「お問い合わせ」へお進みください）
※内容によっては、お答えできない場合があります。
※サポートは日本国内のみとさせていただきます。
※Japanese text only

ISBN978-4-04-100281-0　C0193

◆◇◇

角川文庫発刊に際して

角川源義

第二次世界大戦の敗北は、軍事力の敗北であった以上に、私たちの若い文化力の敗退であった。私たちの文化が戦争に対して如何に無力であり、単なるあだ花に過ぎなかったかを、私たちは身を以て体験し痛感した。西洋近代文化の摂取にとって、明治以後八十年の歳月は決して短かすぎたとは言えない。にもかかわらず、近代文化の伝統を確立し、自由な批判と柔軟な良識に富む文化層として自らを形成することに私たちは失敗して来た。そしてこれは、各層への文化の普及滲透を任務とする出版人の責任でもあった。

一九四五年以来、私たちは再び振出しに戻り、第一歩から踏み出すことを余儀なくされた。これは大きな不幸ではあるが、反面、これまでの混沌・未熟・歪曲の中にあった我が国の文化に秩序と確たる基礎を齎らすためには絶好の機会でもある。角川書店は、このような祖国の文化的危機にあたり、微力をも顧みず再建の礎石たるべき抱負と決意とをもって出発したが、ここに創立以来の念願を果すべく角川文庫を発刊する。これまで刊行されたあらゆる全集叢書文庫類の長所と短所とを検討し、古今東西の不朽の典籍を、良心的編集のもとに、廉価に、そして書架にふさわしい美本として、多くのひとびとに提供しようとする。しかし私たちは徒らに百科全書的な知識のジレッタントを作ることを目的とせず、あくまで祖国の文化に秩序と再建への道を示し、この文庫を角川書店の栄ある事業として、今後永久に継続発展せしめ、学芸と教養との殿堂として大成せんことを期したい。多くの読書子の愛情ある忠言と支持とによって、この希望と抱負とを完遂せしめられんことを願う。

一九四九年五月三日

角川文庫ベストセラー

今夜は眠れない　宮部みゆき

中学一年でサッカー部の僕、両親は結婚15年目、ごく普通の平和な我が家に、謎の人物が5億もの財産を母さんに遺贈したことで、生活が一変。家族の絆を取り戻すため、僕は親友の島崎と、真相究明に乗り出す。

夢にも思わない　宮部みゆき

秋の夜、下町の庭園での虫聞きの会で殺人事件が。殺されたのは僕の同級生のクドウさんの従妹だった。被害者への無責任な噂もあとをたたず、クドウさんも沈みがち。僕は親友の島崎と真相究明に乗り出した。

あやし　宮部みゆき

木綿問屋の大黒屋の跡取り、藤一郎に縁談が持ち上がったが、女中のおはるのお腹にその子供がいることが判明する。店を出されたおはるを、藤一郎の遣いで訪ねた小僧が見たものは……江戸のふしぎ噺9編。

お文《ふみ》の影　宮部みゆき

月光の下、影踏みをして遊ぶ子どもたちのなかにぽつんと女の子の影が現れる。影の正体と、その因縁とは。「ぼんくら」シリーズの政五郎親分とおでこの活躍する表題作をはじめとする、全6編のあやしの世界。

過ぎ去りし王国の城　宮部みゆき

早々に進学先も決まった中学三年の二月、ひょんなことから中世ヨーロッパの古城のデッサンを拾った尾垣真。やがて絵の中にアバター（分身）を描き込むことで、自分もその世界に入り込めることを突き止める。

角川文庫ベストセラー

角川文庫ベストセラー